D'Annunzio prosatore

1. *Nella prosa ritmata a respiro breve del* Libro segreto *D'Annunzio tornava qualche volta con la memoria alle letture dell'infanzia, alla voglia di avventura respirata sulle pagine di capitan Cook*[1]. *La rievocazione del «rapimento gioioso e tormentoso», peraltro mai più avvertito con tale intensità, e l'anelito al sogno meraviglioso simboleggiato nel blu in margine alle terre, più che una nostalgia di sentimenti perduti e comunque legittimi nel vecchio solitario, possono leggersi soprattutto come riaffermazione della sua precoce tendenza a trasfigurare, magari fantasticando sulla carta geografica all'inseguimento di paesi esotici e di mondi sconosciuti. È un modo per sottolineare il suo istintivo rapporto con il reale, inteso non come riproduzione fotografica, esattezza di dati oggettivi, ma come precoce e dinamico controllo dei fenomeni esterni attraverso il filtro della mente creativa. L'esperienza infinita gli aveva insegnato che «Viaggiare non giova», perché la diretta conoscenza dei luoghi non conta più dell'immaginazione nella solitudine della stanza, a ulteriore esibizione della poetica decadente che rivendicava l'indiscusso primato del sogno.*

A queste confessioni tardive fa da pendant *la consapevolezza, maturata già dagli anni verdi, della sua prorompente inclinazione a cercare «oltre l'aspetto delle cose», a dare ad esse «un significato», «uno spiracolo di vita», a individuare, insomma, i «pensieri della natura»*[2]. *Ma allorché D'Annunzio avviò la sua attività di narratore con le novelle di* Terra vergine *(1882), il panorama culturale dell'Italia post-unitaria, vario e complesso, esigeva ben altro che il vagheggiamento di terre lontane. Al contrario si diffondeva sempre più l'esigenza di aderire al concreto e di riprodurne le sfaccettature regionali dietro l'influsso del naturalismo. La nuova nazione stimolava gli scrittori a restringere i propri campi d'indagine alle province e alle zone periferiche, in modo che l'osservazione dei costumi offrisse un quadro particolareggiato di un unico corpo territoriale, le cui singole voci partecipassero al coro, a quella che Croce chiamerà con espressione felice*

[1] «I viaggi del capitano James Cook. mio padre m'aveva donato i volumi, quando non compivo dieci anni. ora mi vergogno di chiederli, in ricordo del rapimento gioioso e tormentoso ch'ebbi dalla lettura. tanto sono grullo e smarrito che mi credo di rinvenire tra le pagine oceaniche la mia fanciullezza e la mia aspettazione?

Ma dove, ma dove ritroverò pur qualcosa di simile al sentimento novo che mi esaltava nel disegnare le carte geografiche, nel mettere con la matita blu il mare blu intorno alle isole alle penisole ai continenti? il segno blu circondava un sogno ampio, un arcipelago di sogni minori, un istmo tra due voglie ineguali» (LS 226).

[2] G. D'Annunzio, «Paesisti», in *Fanfulla della domenica*, 11 febbraio 1883.

«la grande conversazione». Lo scopo era di rendere nota un'Italia remota e sconosciuta con le sue abitudini, tradizioni e bisogni dissimili da un luogo all'altro, facendo magari balzare in primo piano le questioni sociali del Mezzogiorno, le «miserie», gli «affetti» e le «condizioni presenti delle classi bisognose». Erano propositi sostenuti energicamente da riviste molto lette come la Rassegna settimanale di Franchetti e Sonnino, che non a caso ebbe tra i suoi collaboratori anche Verga. E c'è forse da dire che senza tali direttive entrate nella coscienza comune, difficilmente avremmo avuto nell'Italia degli anni Settanta e Ottanta la vasta fioritura di romanzi e novelle del realismo provinciale o verista.

Con gli altri narratori della nuova stagione, in cui suo malgrado si trova a operare, D'Annunzio ha in comune il punto di partenza, ma non gli esiti. Affascinato certamente dal mondo di Verga, del quale si mostra presto accanito lettore, non sempre gli è fedele nella tecnica riproduttiva, giungendo per suo conto a costruire una realtà quasi rovesciata rispetto a quella del modello. E le ragioni di tale diversità non sono forse da cogliere unicamente nei rispettivi temperamenti individuali, l'uno concreto e positivo, l'altro esuberante e fantasioso, ma anche nelle diverse condizioni culturali e nelle suggestioni specifiche che D'Annunzio ricava dal mito della terra d'origine attestato nella tradizione antica e recente.

Fin dai tempi del Boccaccio, che nelle novelle di Calandrino e di fra' Cipolla aveva alimentato una curiosa mentalità popolare, l'Abruzzo era stato addirittura identificato con una regione esotica, pressoché confinante con quella della pietra filosofale. Gli stessi viaggiatori delle età successive, pur cogliendo gli aspetti realistici del paesaggio e delle abitudini, avevano mantenuto in vita certe credenze spesso fraintendendo i comportamenti degli abitanti, esagerando le incursioni dei briganti, correndo dietro alla suggestione delle asperità naturali, delle montagne, dei sentieri impervi e delle foreste impenetrabili. Di questo Abruzzo «pittoresco» era inevitabile che si impadronisse poi la letteratura gotica inglese, di cui offre un calzante esempio Anne Radcliffe, l'autrice de L'Italiano ovvero il confessionale dei penitenti neri (1797), opera di ampia risonanza, non ultimo per i suoi influssi su Keats, Byron, Scott, Coleridge. Il paesaggio descritto è quello di una geografia di carta con gole rocciose, «pianori lontani e vette montuose», con un fiume dalla «forza impetuosa» che scorre negli abissi «come a voler reclamare il dominio esclusivo di quel luogo selvaggio e solitario»: «Il suo letto occupava l'intero fondo del crepaccio, formatosi probabilmente da qualche convulsione della terra, tiranneggiando lo spazio persino alla strada lungo il suo margine. Il suo tracciato pertanto era portato più in alto, fra i dirupi che sovrastavano il fiume, e pareva sospeso nell'aria mentre la paurosa vastità dei precipizi che torreggiavano al di sopra e affondavano sotto, unita alla forza sorprendente e al ruggito delle acque impetuose, contribuiva a rendere quella gola più terrificante di quanto la penna possa descrivere o la lingua raccontare»[3].

---

[3] A. Radcliffe, *L'Italiano ovvero il confessionale dei penitenti neri*, trad. di G. Spina, Roma-Napoli, Edizioni Theoria, 1990, pp. 82, 83.

D'altro canto, la tradizione narrativa indigena, anche se scarsa e di poco rilievo, non era stata da meno nell'offrire esempi che confermavano il piacevole stereotipo: dai novellieri di educazione romantica presenti nel Giornale abruzzese *di Pasquale De Virgiliis (si pensi al modesto racconto di imitazione manzoniana di Raffaele d'Ortenzio dal titolo* I fidanzati abruzzesi*), a un attardato scrittore come Ignazio Cerasoli, autore di un volumetto di* Novelle abruzzesi *intonato alle fattezze del racconto storico in pieno 1880 (Milano, Ambrosoli, 1880), al primo Ciampoli, tornava un Abruzzo come paesaggio di fantasia dalla natura vergine ed esuberante*[4].

2. *D'Annunzio, dunque, pur prendendo l'intonazione dal Verga di* Vita dei campi, *aveva certo di che nutrirsi, sia pure indirettamente, nell'ambito della letteratura regionale e di quella non specifica. Rispondeva così al richiamo dei tempi alimentando dal canto suo un'immagine della terra d'origine confacente al collaudato e un po' desueto* cliché, *di certo lontano dai criteri di rappresentazione promulgati dai naturalisti e dai veristi. In più si affidava all'esuberanza carnale della sua giovinezza, allo straripamento delle energie vitali, all'orgia di profumi, di colori e di sensazioni che gli venivano dal temperamento sensuale e dalla innata capacità a deformare il fenomeno.*

La sua pagina si carica di elementi esotici, di tipo vegetale e zoologico (non si dimentichino i riferimenti alla pantera, al giaguaro), che si ricollegano alla decisa volontà di attuazione del sogno inappagato di terre lontane. Come quando fantasticava dietro i resoconti di Cook, egli disegna un Abruzzo in qualche modo somigliante all'Africa, mito dei suoi giorni, dopo la scoperta del Continente nero da parte dei grandi esploratori, da Livingstone a Stanley. Un riflesso di quel clima si scorge anche nella contemporanea produzione poetica e nelle lettere a Elda Zucconi, corrispondente di quei giorni. Come del resto non è solo un caso che D'Annunzio associ nella novella «Egloga fluviale» di Terra vergine *l'idea del viaggio a quella del vagabondaggio come simbolo dell'errare umano. Il volume di* Terra vergine, *poi, è dedicato a Giovanni Chiarini da Chieti, morto in Africa equatoriale nel 1879 in una malcapitata missione nel Regno di Ghera («A Giovanni Chiarini — abruzzese — che giace lontano — sotto una capanna di bambusa — nel cuore dell'Africa»), quasi a voler sottolineare un'affinità di intenti tra esploratori di terre vergini. Se il Chiarini era partito dalla terra natìa in compagnia del marchese Orazio Antinori e dell'amico Antonio Cecchi per restituire l'immagine di civiltà primitive, D'Annunzio dal canto suo si sentiva investito della missione di illustrare a suo modo gli usi e i costumi di un popolo per molti aspetti ignoto alla società postunitaria*[5]. *Di questo passo, informato al darwinismo vigente, trasformava gli animali e le piante in uomini e questi in piante e ani-*

---

[4] Cfr. G. Oliva, «Aspetti del Verismo in Abruzzo: Domenico Ciampoli e i modelli letterari del realismo», in AA.VV., *I verismi regionali*, atti del convegno, Catania, Fondazione Verga, 1994, pp. 299-327.

[5] Sui temi del viaggio e dell'Abruzzo «africano» cfr. i saggi di G. Oliva e di L. Murolo in AA.VV., *La capanna di bambusa. Codici culturali e livelli interpretativi per «Terra vergine»*, a cura di G. Oliva, Chieti, Solfanelli, 1994.

mali, accreditando un comune denominatore tra gli esseri viventi e un grado zero dell'esistenza.

D'altra parte, l'oggettività naturalistica era anche tradita dall'assecondamento di una forza primigenia collegata all'impeto della giovinezza e dell'istintualità. Non meraviglia dunque se già dagli anni del Cicognini D'Annunzio diventi lettore di Darwin e si riconosca nelle sue intuizioni. L'uomo è avvicinato all'animale e l'amore si identifica nell'ardore e nella potenza seminale. Spesso il calore estivo, sinonimo di libido, si trasmette ai giovani corpi tonificandoli e risvegliando in essi il fuoco interiore.

Stando così le cose, va da sé che il modello verghiano, sul quale la critica da sempre ha forse eccessivamente insistito, rimane un elemento esterno e decorativo, che non trova sostanziale applicazione né nei contenuti, né nello stile. Semmai, il referente più diretto per il giovane D'Annunzio è lo Zola de La faute de l'abbé Mouret *(apparso in Francia nel 1875 e in Italia nel 1880), che riversa nel romanzo una vera e propria collezione di nomi di fiori, di frutti, di alberi, di insetti, di uccelli, quasi a voler raccogliere tutte le specie viventi nel parco del Paradou, una sorta di mitico Eden. Peraltro, lo scrittore francese attuava già la vivificazione della natura che si rinnova nel suo immenso e perpetuo travaglio di fecondazione, nella giovinezza, nella potenza, nella sensualità e D'Annunzio vi riscontrava, molto più che in Verga, le cadenze, le simmetrie sintattiche variate, le ripetizioni ravvicinate o a distanza di verbi, di sostantivi e di aggettivi. Le fonti francesi del D'Annunzio novelliere, del resto, sono state accuratamente accertate e si è visto come soprattutto Maupassant faccia sentire la sua presenza nelle raccolte successive a* Terra vergine, *dal* Libro delle vergini *(1884) al* San Pantaleone *(1886), che confermano l'energia creativa materializzata nella scrittura breve. Certo, il suo rapporto con il naturalismo, sempre problematico perché in sostanza anticostituzionale, in questa fase si intensifica molto più che in passato, ma non ha mai come fine la resa oggettiva e impersonale dei fatti. Anzi, si precisa sempre più attraverso la strada della fisiologia patologica e l'attenzione rivolta ai casi abnormi, alla psicologia distorta degli individui. La scena si fa mobile e passa dal selvaggio-naturale al selvaggio-comunitario o elitario, mentre restano costanti gli atteggiamenti violenti e crudeli, decritti nei minimi particolari con compiaciuta partecipazione. Si insiste, infine, sulle allucinazioni e sulle superstizioni delle masse, sulle brutture del mondo, che sono alle radici dell'atteggiamento nauseato e sprezzante degli anni futuri.*

Un'esperienza, comunque, quella del novelliere, non trascurabile nell'economia generale della produzione dannunziana, tanto che l'autore stesso non ritenne di doverla dimenticare. E se fu fin troppo severo con il primo laboratorio di Terra vergine, *attinse invece a piene mani dalle altre prove e ne aggiornò stilisticamente i risultati per confezionare* Le novelle della Pescara *(1902), il libro retrospettivo che doveva attestare la sua precoce, geniale vocazione sperimentale anche sul terreno del racconto. Il grande banco di prova era comunque il romanzo.*

3. Sia pure sotto l'influenza di fonti francesi, spesso pedissequa-

mente riecheggiate (Séailles, Guyau, Théodore de Wyzewa, ecc.),
D'Annunzio elabora più avanti negli anni la sua teoria del romanzo. Il
progetto di lavoro nasce ancora una volta da un tentativo di supera-
mento del metodo naturalista proprio in un momento in cui il contesto
culturale sembrava non prevedesse altro.

Se il moto di corrosione del naturalismo è connaturato con l'inclinazione istintiva dello scrittore, più tardi esso diventa programma in-
seguito e chiaramente espresso. Sulla sua sensibilità organica fanno
breccia a poco a poco la necessità del sogno e il piacere della finzione,
così come ai cinque sensi già ampiamente esperiti se ne aggiunge uno
nascosto che permette le percezioni impossibili e dà significato profondo ai piccoli fatti. Le cose diventano simboli e l'universo intero ne
è permeato, sicché allo scrittore, che ha la capacità di coglierli, si
aprono mondi sconosciuti. La facoltà di invenzione o di ritrovamento,
così sviluppata nel vero artefice, aiuta a comporre l'ignoto mediante il
già noto. E laddove l'estetica naturalistica appariva limitata nel mettere in sintonia i luoghi e gli avvenimenti con le condizioni intellettuali
del personaggio, il nuovo metodo apriva le porte a una realtà spiritua-
lizzata e allucinatoria, che anteponeva l'audacia onirica alla equivoca
precisione della scienza. La macchina del romanzo, di conseguenza,
diveniva una sorta di partitura musicale in cui si prolungava l'esperienza lirica del simbolismo. Le stesse strutture tradizionali, dall'intreccio congegnato secondo un lineare svolgimento di episodi, alle ca-
tegorie temporali e spaziali perfettamente correlate tra loro, erano
sradicate da una scrittura fluida di andamento ellittico, da un'architettura sghemba prodotta dal gioco del tempo a ritroso, resuscitato
dalla memoria asincronica rispetto al presente storico, e persino dal
diario come strumento indiretto di narrazione. L'autore, dal canto
suo, usciva dall'eclissi e si identificava smaccatamente con il protagonista, al quale cedeva le sue esperienze di vita e di pensiero.

Pur non ammettendolo esplicitamente, anzi negandolo, D'Annunzio
proiettava in Andrea Sperelli almeno le sue aspirazioni e coglieva
nella sua creatura la malattia della volontà e il dangereux esprit d'a-
nalyse (Bourget) che erano dei tempi. Ne scaturiva un uomo dalla coscienza priva di centro, che anteponeva il senso estetico a quello morale e che si dilettava nelle possibilità combinatorie delle associazioni
mentali. Il suo spirito camaleontico era acuto «dalla consuetudine
della contemplazione fantastica», dalla «pienezza della vita rivelata»,
frutto di una lucidità spiccata a tal punto da produrre angoscia. Lo
speciale rapporto con le cose costituisce una costante della complessa
personalità sperelliana e la base per individuare i meccanismi segreti
che l'alimentano. Ciò che egli vede e sente non è mai registrato fedel-
mente, ma ricreato, «reinventato» alla luce di un'attitudine straordinaria che conferisce significati inediti al mondo esterno. Le sue facoltà percettive tendono, insomma, a interpretare la realtà adattan-
dola al proprio essere. Il rigoroso descrittivismo naturalista cede il
passo al fading, all'invenzione neoplatonica e l'eroe dannunziano ha
non solo la capacità di rinnovellare la sua visione del mondo, ma addirittura di resuscitare la natura morta, di conferirle un'anima. La
stessa dimora (il buen retiro di Andrea) diventa così house of life, una

sorta di «perfettissimo teatro» modellato a propria immagine dall'«abilissimo apparecchiatore». L'identificazione tra autore e personaggio in questo senso è fin troppo evidente: «Ho fatto di me la mia casa; e l'amo in ogni parte», scriverà D'Annunzio nel Libro segreto, così come nel Compagno dagli occhi senza cigli ribadirà che «il più sensuale piacere» è una casa fatta a propria «simiglianza». L'abitazione, dunque, è coinvolta nel principio informatore della poetica dannunziana, secondo la quale è il sentimento di chi scrive a creare il mondo, come già si verificava per Dante Gabriel Rossetti e per il Des Esseintes di Huysmans.

Fatto sta che la stesura del Piacere coincide per D'Annunzio con un periodo di arricchimento intellettuale, di avide letture, più o meno assimilate, di autori che denunciano la crisi del razionalismo scientista e affrontano la malattia morale del secolo. Inoltre, la costruzione del romanzo avviene anche attraverso una sorta di abile montaggio del materiale accumulato dal chroniqueur della vita romana, dall'osservatore di tipi e situazioni, di ricevimenti, di balli, di aste, di visioni incantate della città eterna. D'Annunzio matura ormai la convinzione che «Il romanzo naturalista è all'agonia» — così scrive nel maggio 1888 — e che il circolo zoliano di Mèdan è disorientato, giacché non è più sufficiente credere che «le cose esteriori esistano fuori di noi» (L'ultimo romanzo). Appropriandosi di queste considerazioni (poco importa se derivate da Théodore de Wyzewa), D'Annunzio aveva in mente di negare l'oggettività del reale, sottolineando invece la necessità di porre in relazione luoghi e avvenimenti con «le speciali condizioni del "personaggio"», come se la realtà non vivesse di per sé, ma attraverso gli occhi e le sensazioni di chi la guarda. Il romanzo del 1889 riflette certo l'applicazione di queste idee e a poco vale la dichiarazione premessa nella lettera dedicatoria a Michetti, ove si parla con terminologia verghiana di studio della Vita. Quasi certamente l'espressione (la maiuscola ne è forse una spia) allude all'attenzione che l'autore deve rivolgere alle epifanie psicologiche e non al vaglio di dati esteriori. Sembra cosa di poco conto, ma tutto ciò implica quel modo nuovo di accostarsi ai fenomeni cogliendone le componenti irrazionalistiche ed estetiche che fanno dell'opera la prima manifestazione, almeno in Italia, di letteratura decadente. E se Il piacere è un'operazione consapevole o spontanea poco importa. Certo è che D'Annunzio trova il modo di rinnovare contenuti e forme trasformando il genere romanzesco in poema moderno, dal quale non era esente un vago sapore di scandalo. Servendosi di un alter ego, egli rappresenta la propria avventura umana e intellettuale conciliando le ragioni di una rigorosa disciplina artistica con quelle del pubblico e dell'industria culturale.

4. Avviata la riflessione sulla propria evoluzione di narratore e insoddisfatto, nonostante tutto, dei risultati prodotti, D'Annunzio continua la sua ricerca attraverso un ulteriore sforzo di rinnovamento. I primi anni Novanta sono decisivi, anche perché ai modelli già collaudati si aggiunge la conoscenza dei russi (di Tolstoj e di Dostoevskij in particolare) e la familiarità con Wagner e Nietzsche. Lo scrittore vive un momento di crisi profonda avvertendo i limiti della prima prova e

si dichiara quasi nauseato delle «lucide forme verbali» in cui si era compiaciuto. La prefazione al Giovanni Episcopo, indirizzata a Matilde Serao, è un chiaro documento del tentativo di ripartire da zero («O rinnovarsi o morire»), non solo eliminando le ridondanze dello stile alla ricerca di una prosa più asciutta e concreta, ma anche tentando di caricare la narrazione di una valenza ideologica. D'Annunzio è attratto dalla moda del roman russe *lanciata in Francia fin dal 1885-1886 dal marchese de Vogüé, peraltro mediata in Italia dall'amico Angelo Conti, frequentatore dell'aggiornata biblioteca del conte Primoli. Egli è affascinato dal travaglio delirante e dalla psicologia criminale del personaggio di Marmeladov in* Delitto e castigo, *nonché dalla novella* Kròtkaja, *le cui analogie con l'*Episcopo *furono già sottolineate da un recensore illustre e perspicace come Luigi Capuana. Il «piccolo libro», comunque, fu un esperimento fallito in ogni direzione in quanto D'Annunzio non riuscì a scrollarsi di dosso l'esuberanza verbale di cui egli stesso si accusava, né a infondere al racconto la convincente forza morale che si prefiggeva.*

Indubbiamente però quell'esperienza era servita se non altro a spianare il campo verso risultati meno labili, di cui L'Innocente, *dal canto suo, è un passaggio non secondario. Ormai D'Annunzio si addentra nei meandri di una morbosa psicologia adoperando affilati strumenti di tipo analitico e affidando la narrazione al sorvegliato flusso della memoria.*

La suggestione dei russi è ancora forte, tanto che il modello di Tolstoj diventa preminente allorché il protagonista Tullio Hermill è dibattuto tra il suo esasperato egoismo e la volontà utopistica di rigenerazione. Il suo desiderio di purificarsi si scontra inevitabilmente con ragioni pretestuose, che finiscono per fargli ammettere l'infanticidio come atto necessario al suo «ritrovamento». I temi tolstoiani della bontà e dell'umanitarismo cristiano si dissolvono nelle anomalie comportamentali e nelle prime avvisaglie del superuomo. Tuttavia, mediando il coinvolgente descrittivismo del Piacere *con la scheletrica fattura della prosa dell'*Episcopo, *D'Annunzio coniava nell'*Innocente *uno stile dalla sorprendente capacità simbolica ed evocativa, vitale per la sua forza musicale e per la parola sempre più evanescente e allusiva.*

*Fatto sta che in quegli anni D'Annunzio osservava con grande interesse la metamorfosi in atto nella cultura europea, specialmente francese, e ne assorbiva con tempestività le opinioni riportandole negli articoli giornalistici che andava scrivendo. Tra il 1892 e il 1893 un manipolo di interventi dava conto delle sue posizioni sul futuro del romanzo, sull'esigenza di evadere dalla realtà, sulle tendenze più vistose di abbandono delle vecchie prospettive naturalistiche e di analisi psicologica. Inoltre, l'*enquête *sur l'*évolution littéraire *svolta da Jules Huret tra gli scrittori d'oltralpe offriva in tal senso un ventaglio di idee nuove da meditare. Ne scaturiva il progetto di una prosa densa di «elementi così varii e così efficaci da poter gareggiare con la grande orchestra wagneriana nel suggerire ciò che soltanto la Musica può suggerire all'anima moderna». Sono le parole fissate nella dedica a Michetti del* Trionfo della morte, *apparso nel '94 sviluppando la linea* *dell'abortito tentativo dell'*Invincibile *(1889). La lunga prefazione è la chiave di lettura del nuovo Rinascimento auspicato nelle lettere moderne, di cui lo stesso D'Annunzio si erge indirettamente a corifeo. L'anno seguente, infatti, intervistato da Ojetti, parlerà dei giovani aperti alle forme di un'arte universale e senza confini, che accoglie «in un vasto e lucido cerchio le più diffuse aspirazioni dell'anima umana»[6]. L'obiettivo è quello di raggiungere, come aveva scritto nel proemio del* Trionfo*, «un ideal libro di prosa moderna che — essendo vario di suoni e ritmi come un poema, riunendo nel suo stile le più diverse virtù della parola scritta — armonizzasse tutte le varietà del conoscimento e tutte le varietà del mistero; alternasse le precisioni della scienza alle seduzioni del sogno; sembrasse non imitare ma continuare la natura; libero dai vincoli della favola, portasse alfine in sé creata con tutti i mezzi dell'arte letteraria la particolar vita — sensuale sentimentale intellettuale — di un essere umano collocato nel centro della vita universa».*

Sulla scia, dunque, di quanto già abbozzato con Il piacere*, D'Annunzio tende ad accreditare un libro di prosa che non può più dirsi romanzo, avendone smarrito tutte le strutture e le impalcature per dare spazio a un flusso prosastico di impianto sinfonico. Protagonista dell'opera è una* dramatis persona*, eroe borghese che trae forza dal «gioco delle azioni e delle reazioni tra la sua sensibilità singola e le cose esteriori». È la nascita del superuomo («e prepariamo nell'arte con sicura fede l'avvento dell'*Uebermensch*»), incarnato ora dal cinico Giorgio Aurispa e in seguito dal dominatore Claudio Cantelmo nelle* Vergini delle rocce*, il poema metafisico e simbolico del 1895. Il primo, in realtà, avverte sì una imponderabile sete di dominio sulla gente comune, ma ha caratteri contraddittori, tant'è che più che la potenza, mostra tutta la debolezza del suo essere giungendo al suicidio nel tentativo non riuscito di liberarsi dalla schiavitù dei sensi. L'altro, invece, esalta i miti della forza e della razza ed è l'interprete di un'«oligarchia nuova» nata per governare sui deboli; in lui si materializza l'aspirazione a una grandezza che a quel tempo coinvolgeva la borghesia italiana ed europea. Tutto ciò comporta sul piano della scrittura l'adozione di un dettato ridondante e declamatorio, fuori da ogni schema d'intreccio. Del resto, risulta alquanto improbabile e poco convincente, forse anche per lo stesso D'Annunzio, la manìa razzistica e antidemocratica di Cantelmo, il suo bisogno di un figlio eccezionale, concepito con una donna altrettanto superlativa, destinato alla conquista della sovranità assoluta. Tant'è vero che il progetto della trilogia del* Giglio *naufragò miseramente lasciando in mente Dei* La Grazia *e* L'Annunciazione*. L'ideologia superomistica, comunque, sì concretizza da questo momento nella creatività dannunziana, dopo essere stata annunciata nella* Bestia elettiva *del '92 (*Il Mattino*, 25-26 settembre), l'articolo che rivela per la prima volta il contatto di D'Annunzio con Nietzsche: «Le plebi restano sempre schiave e condannate a soffrire tanto all'ombra delle torri feudali quanto all'ombra dei feu-*

---

[6] U. Ojetti, *Alla scoperta dei letterati* [1895], a cura di P. Pancrazi, Firenze, Le Monnier, 1957, p. 362.

dali fumaioli nelle officine moderne. Esse non avranno mai dentro di loro il sentimento della libertà. (...) Su l'uguaglianza economica e politica, a cui aspira la democrazia socialista e non socialista, si andrà formando una oligarchia nuova, un nuovo reame della forza; e questo gruppo a poco a poco riuscirà a impadronirsi di tutte le redini per domare le masse a suo profitto, distruggendo qualunque vano sogno di uguaglianza e di giustizia». Parole deliranti, che ritroveremo nel linguaggio di Cantelmo e nelle sue farneticanti elucubrazioni sull'alta dignità della stirpe aristocratica e sovrana. Resta, comunque, nelle Vergini delle rocce, la prodigiosa prova dello stile che si cimenta nell'evocazione di una supernatura mitico-fantastica. Ed è ormai il sentiero che porta da un lato alla dimensione teatrale, dall'altro alla giustificazione estetica del superuomo nel Fuoco, il romanzo-saggio sulla Bellezza ove pure il congegno narrativo è pressoché inesistente dietro il flusso della prosa suadente. Avendo come protagonista un artista, è fin troppo evidente l'identificazione dell'autore con il suo personaggio, quello Stelio Éffrena che è la proiezione dell'essere eccezionale nato per dar vita all'opera immortale, invasato dalla creazione, che accomuna indissolubilmente l'Arte con la Vita. L'ingranaggio narrativo è ormai un ricordo lontano e la poesia procede di pari passo con la prosa, mentre D'Annunzio sembra aver realizzato finalmente l'aspirazione suprema del suo destino di scrittore sperimentale. Egli, tra l'altro, è divenuto a poco a poco l'emblema di una società estetizzante che si riconosce nelle sue idee e le fa proprie, dando vita a un nazionalismo di forte tempra che venera la patria e i diritti della razza latina, che finirà per sostenere la guerra come bagno di purificazione.

5. Intanto il superomismo trovava ampia attuazione nella produzione lirica e teatrale dei primi del secolo e un'ulteriore amplificazione nelle situazioni labirintiche di un ultimo romanzo, il Forse che sì forse che no, meditato fin dal 1907 e apparso nel 1910. Qui la vera novità non sta tanto nella missione di Paolo Tarsis a volare per affermare il suo bisogno di dominio assoluto o nel suo conflitto vittorioso con la lussuria, altro leit-motiv già precedentemente affrontato, né in quell'alone di «modernità» che lambisce i programmi futuristi intorno all'ideologia della macchina. La nuova opera segna invece una vera e propria rivoluzione espressiva che non sarà senza conseguenze per il futuro del D'Annunzio prosatore.

L'artefice della parola, vincendo se stesso, trova incredibilmente la forza di rinunciare ai toni magniloquenti esibiti nelle Vergini e nel Fuoco per approdare a una dimensione più stringata e intima. Il fiume dell'enfasi oratoria perde vigore a beneficio di soluzioni più temperate, mentre persino il tessuto narrativo sembra recuperare una sua identità. Si attestano, insomma, motivi come quelli della confessione e della contemplazione, dello spazio della memoria, del senso di disfacimento delle cose e dell'angoscia che ne consegue, del mistero della morte; elementi che rappresentano una svolta dalla solarità all'ombra e che conducono «sull'orlo della sintassi del Notturno» (Tropeano).

Si annuncia la grande stagione delle Faville che, a parte i dubbi legittimi sull'autenticità di quanto a esse affidato, rappresentano, nella loro apparente e immediata semplicità, un risultato diverso e sorpren-

dente. D'Annunzio imbocca senza intermediari la strada dell'autobio-
grafismo, indugiando sulle malinconie dell'esistenza e sulla riflessione artistica, interiorizzando fino all'estremo limite il fatto letterario,
dando così un'ennesima prova della sua infinita capacità di metamorfosi. Attraversando questo tonificante laboratorio, che alterna timbri
realistici e visionari, non sorprenderà, dunque, la nascita di opere
come la Contemplazione della morte (1912), La Leda senza cigno
(1913), fino a giungere ai cartigli dell'orbo veggente e all'intimità del-
l'appunto segreto. Egli ormai è entrato nella «zona d'ombra» dove le
cose del mondo si distanziano nel dolce amaro sapore del dolore, atti-
vate dai sogni e dalle allucinazioni dell'essere immobile, in un'alta-
lena di piani temporali. E laddove il primo D'Annunzio «solare» no-
minava le cose dando loro corpo in un ampio movimento visivo, quello
«notturno» allude e sottintende atmosfere, quando non predilige il silenzio. Il tipo di scrittura «libera» tende all'essenzialità del frammento,
alla notazione rapida, spesso di stile nominale, tra scatti analogici e
modulazioni leggere che sottolineano i trapassi subitanei della mente
intorno al tema funebre o esitano nel ritmo puro. Scrivere nella «rigidità di uno scriba egizio scolpito nel basalto» acuisce i sensi portan-
doli a percezioni illimitate che si accordano con la sintassi spezzata,
con le cadenze sincopate, attutite, riparate dal sordo fragore. Si sa
quanto tutto questo abbia contribuito a individuare nel «commentario
delle tenebre» l'antecedente di tanta prosa novecentesca.

Nel Libro segreto, infine, il processo di dissoluzione prosastica
giunge al grado estremo mediante anche la vanificazione della pun-
teggiatura, il non rispetto delle maiuscole, in un assemblaggio solo
apparentemente disordinato di materiali di varia estrazione. Nella
«cartella di cordovano fulvo» è racchiusa invece tutta la scaltra esperienza dannunziana, dell'uomo afflitto dalla vecchiaia, che tende a
vanificare nell'annientamento la persona e nella rarefazione la scrittura, fino quasi a nullificarla del tutto in un grido di morte e di disperata distruzione.

Quel diario senza date è il culmine inevitabile di un processo inin-
terrotto avviato fin dagli anni della giovinezza e che aveva portato allora alla contestazione della solida architettura del romanzo naturalista e via via alla partitura musicale delle prove successive, fino alla
distillazione suprema della parola. E D'Annunzio è ora come un artista del suo tempo giunto al segno astratto dopo la macerante insoddi-
sfazione per la corposità della figura.

GIANNI OLIVA

Cronologia di Gabriele D'Annunzio

Da Pescara a Prato, 1863-1881. Gabriele D'Annunzio nacque a Pescara il 12 marzo 1863. Il padre Francesco Paolo Rapagnetta, assunse il cognome D'Annunzio dallo zio adottivo Antonio, un nobile marchigiano. La madre, Luisa de Benedectis, apparteneva a una facoltosa famiglia di Ortona. Iscritto nell'anno scolastico 1874-75 alla prima classe ginnasiale del Reale Collegio Cicognini di Prato, D'Annunzio veniva introdotto in un ambiente culturalmente avanzato, che gli avrebbe fornito stimoli adeguati alle sue particolari attitudini intellettuali. I ricordi autobiografici (affidati a «Il secondo amante di Lucrezia Buti» e a «Il compagno dagli occhi senza cigli», sezioni delle *Faville*) evidenziano la figura di un allievo irrequieto, ribelle e insofferente alle regole collegiali, ma studioso, brillante, intelligente e deciso a primeggiare. Il giovane Gabriele si impegnò anche nelle lezioni facoltative (inglese, musica, disegno, scherma) e nelle assidue letture dei classici. Pago dei successi conseguiti, coltivò l'ambizione della gloria futura: «Mi piace la lode, perché so che gioirete delle lodi a me date; mi piace la gloria, perché so che voi esulterete a sentire il mio nome glorioso», scrisse al padre nell'aprile 1878. Nelle prime tre estati Gabriele rimase in terra toscana, soggiornando in collegio, nella villa della Sacca e, nel 1877, a Firenze presso la famiglia del colonnello Coccolini, la cui figlia Clemenza rivivrà nelle figure di Clematide e Malinconia delle *Faville*. Nell'estate del 1878 rientrò a Pescara per prepararsi, privatamente, all'esame di licenza ginnasiale, conseguita a Chieti. Nel novembre dello stesso anno, accompagnato dal padre, prima di rientrare a Prato, si fermò a Bologna, dove, presso Zanichelli acquistò alcuni volumi, tra cui le *Odi Barbare* di Carducci, con prefazione del Chiarini. La suggestione scaturita dalla lettura dell'opera («Il Carducci lo conoscevo poco [...] In quei giorni divorai ogni cosa con una eccitazione strana e febbrile, e mi sentii un altro. L'odio pe' versi scompare come per incanto, e vi subentrò la smania per la poesia...», scrisse al Chiarini nel febbraio 1880) favorì l'esordio poetico di D'Annunzio. *Primo vere* (1879) fu stampato a spese del padre presso la tipografia Ricci di Chieti e recensito favorevolmente dal Chiarini sul *Fanfulla della Domenica* del 2 maggio 1880. In precedenza era apparsa l'ode *All'Augusto Sovrano d'Italia Umberto I di Savoia* in occasione del suo genetliaco (14 marzo 1879), mentre a *Primo vere* seguì la raccolta *In memoriam*, firmata con lo pseudonimo Floro Bruzio e dedicata alla nonna Rita Lolli. Il 14 novembre del 1880 D'Annunzio propose la seconda edizione di *Primo vere* «corretta con penna e con fuoco» e per risvegliare l'attenzione del pubblico fece precedere l'opera dall'annuncio della sua morte per una caduta da cavallo. Presentato dall'amico Guido Biagi a Ferdinando Martini, direttore del *Fanfulla della Domenica*, il 12 dicembre 1880 iniziò a collaborare al periodico con la pubblicazione di *Cincinnato*, una figurina abruzzese in prosa. Nel 1881, ultimo anno di Liceo, D'Annunzio incontrò il primo grande amore, Giselda Zucconi, figlia di Tito, docente di Lingue al Cicognini. La passione e l'entusiasmo per questa donna, poeticamente definita Lalla, ispirarono i componimenti di *Canto novo*, la prima opera dannunziana scaturita da un estro autentico e originale. Il 30 giugno, conseguita la licenza liceale, tornò a Pescara. Nell'estate trascorsa in Abruzzo riscoprì le bellezze naturali della terra natia, che ispirarono la sua vena poetica; inoltre, ospitato a Francavilla da Francesco Paolo Michetti, costituì con il pittore, con il musicista Francesco Paolo Tosti e con lo scultore Costantino Barbella un sodalizio, in cui l'arte era protagonista.

Gli anni romani, 1881-1889. Nel novembre 1881 D'Annunzio si trasferì a Roma per frequentare la Facoltà di Lettere e Filosofia, ma si immerse con entusiasmo negli ambienti letterari e giornalistici trascurando le lezioni all'Università. Collaborò al *Capitan Fracassa* e alla *Cronaca Bizantina* di Angelo Sommaruga e stampò *Canto novo* e *Terra vergine* editi nel maggio 1882. Rientrato a Roma dalla Sardegna, ove si era recato con Pascarella e Scarfoglio per conto del *Capitan Fracassa*, il giovane Gabriele si dedicò freneticamente alle avventure mondane desideroso di rinnovare anche la propria cultura. È di questo periodo l'*Intermezzo di rime* (Sommaruga, 1883 con data editoriale '84), tacciato di immoralità dalla critica. Spentosi l'amore per Elda, D'Annunzio sposò, il 28 luglio 1883, la duchessina Maria Hardouin di Gallese, figlia dei proprietari di Palazzo Altemps, di cui il giovane frequentava i salotti. Osteggiato dai genitori di lei, approdò al matrimonio dopo rocambolesche e avventurose vicende congrue al suo *modus vivendi*. Per sottrarsi ai creditori e per porre rimedio a una situazione economica alquanto precaria, si trasferì nella «Villa del Fuoco» in Abruzzo, dove il 14 gennaio nacque il figlio Mario. Eclissatosi dagli ambienti romani, affidò al *Libro delle Vergini* il compito di mantenere desto il suo nome. L'edizione gli cagionò, comunque, un pubblicizzato disaccordo con il Sommaruga, con il quale chiuse ogni contatto. Continuava, intanto, la collaborazione a *Fanfulla* quotidiano (iniziata dal 22 gennaio), al *Fanfulla della Domenica* e al *Capitan Fracassa* con resoconti di esposizioni d'arte, cronache mondane e con commenti a fatti di costume. L'attività giornalistica si intensificò allorché il primo dicembre 1884, rientrato a Roma, divenne articolista della *Tribuna* firmando con vari pseudonimi (Duca Minimo, Lilia Bisquit, Vere de Vere, Happemousche, ecc.). Ma non soddisfatto di questa attività, si impegnò nel cercare una forma artistica a lui più congeniale. Pubblicò in questo periodo le novelle del *San Pantaleone* (22 aprile 1886, Barbera, Firenze) e le poesie dell'*Isaotta Guttadauro* (Natale 1886, *La Tribuna*, in preziosa veste editoriale illustrata da amici pittori). Nell'aprile 1886 era nato il secondo figlio, ma D'Annunzio riacquistò l'entusiasmo intellettuale, artistico e creativo allorché il 2 aprile 1887 incontrò, a un concerto presso il Circolo Artistico di via Margutta, il grande amore, Barbara Leoni, ossia Elvira Natalia Fraternali, moglie di Ercole Leoni. L'amore appassionato e intenso ispirò la produzione letteraria di un periodo alquanto proficuo, determinando la fine della staticità creativa. Nell'estate 1887 D'Annunzio con Adolfo De Bosis e Mario de Maria si imbarcò sul battello «Lady Clare» per una crociera verso Venezia. Incorsi in un incidente di navigazione, i tre amici furono salvati dalla nave da guerra «Agostino Barbarigo». L'accaduto ispirò articoli sulla marina militare poi confluiti nel volume *L'Armata d'Italia*. A Venezia D'Annunzio fu raggiunto da Barbara (16 settembre) e dall'annuncio (il 22) della nascita del terzo figlio, chiamato Veniero in omaggio alla città. Creandosi difficoltà familiari per la relazione con la Leoni e desiderando, inoltre, di impegnarsi sulla via del romanzo, si ritirò nel convento di Michetti a Francavilla, dove elaborò, in sei mesi, *Il Piacere* (1889), in cui trasfigurò artisticamente gli anni romani. La settimana trascorsa ad Albano con la Leoni, nonché la vacanza estiva a San Vito Chietino, troveranno spazio nel *Trionfo della morte*, ideato con il titolo *L'Invincibile* nel luglio 1889. Rientrato a Roma a fine settembre, D'Annunzio fu costretto a interrompere forzatamente ogni attività per adempiere, con grande disagio, al servizio militare presso i Cavalleggeri d'Alessandria nella caserma Macao di Roma. Dal 6 gennaio al 16 marzo 1890 *L'Invincibile* apparve sulla *Tribuna*, ma venne interrotto alla sedicesima puntata per l'affievolimento dell'ispirazione e la mancanza di materiale. Il servizio militare, che gli aveva suggerito sentimenti umanitari, terminò nel novembre 1890. Separatosi dalla moglie, D'Annunzio si trasferì in una stanza di via Gregoriana, nei pressi di Piazza di Spagna, ove scrisse il *Giovanni Episcopo*, edito a Napoli da Pierro nel gennaio 1892. La svolta tematica e stilistica, influenzata dalla narrativa russa, in particolare dalla poetica di Dostoevskij, informò anche il successivo romanzo, *L'Innocente*, che, rifiutato dal Treves, apparirà a puntate sul *Corriere di Napoli* di Scarfoglio e Serao tra il 10 dicembre 1891 e il 9 febbraio 1892 e poi in volume presso Bideri. D'Annunzio, intanto, si era rifugiato nel Convento Michetti, luogo ideale per sottrarsi ai creditori e favorevole alla creazione letteraria. Alla fine dell'agosto 1891 partì per Napoli con Michetti.

Il soggiorno napoletano, 1892-1893

Gli anni trascorsi a Napoli furono definiti dal D'Annunzio di «splendida miseria», in quanto i disagi finanziari furono mitigati dall'entusiasmo per la nuova fiamma, Maria Gravina (moglie del conte Ferdinando Angiussola di San Damiano e madre di quattro figli), nonché dalla proficua produzione letteraria. Nel 1892 apparvero anche *Le Elegie romane* presso Zanichelli di Bologna (con dedica al Nencioni). Il rapporto con la Gravina, che, abbandonato il marito, si era trasferita a Ottaviano con i figli, creò non poche difficoltà a D'Annunzio e dal punto di vista economico e per le avversità scaturite negli ambienti aristocratici. Nel 1893 la coppia affrontò un processo per adulterio. D'Annunzio, intanto, si era trasferito a Resina con la nuova famiglia, accresciuta per l'arrivo di Renata (la Sirenetta del *Notturno*, nata a gennaio). Le necessità economiche lo spronarono ad affrontare un intenso lavoro. Oberato da debiti propri e paterni (il genitore morì il 5 giugno), a fine anno andò via da Napoli e si ritirò in Abruzzo presso Michetti; la Gravina e la piccola Renata si trasferirono, invece, a Roma in un alloggio temporaneo, procurato dall'amico Pasquale Masciantonio.

In Abruzzo e oltre, 1894-1897

D'Annunzio trascorse i primi mesi del 1894 nella solitudine del Convento, impegnandosi nella stesura del *Trionfo della morte*, terminato e pubblicato in aprile presso Treves; nello stesso periodo presso Bideri uscì *Intermezzo* (edizione completamente rinnovata di *Intermezzo di rime*). In settembre, trovandosi a Venezia per incontrare Hérelle, conobbe Eleonora Duse, già avvicinata a Roma in veste di cronista della *Tribuna*. In autunno si stabilì nel villino Mammarella, a Francavilla, con la Gravina e la figlia e iniziò la faticosa elaborazione del romanzo *Le vergini delle rocce*, apparso a puntate sul *Convito* (da gennaio a giugno del 1895) e poi in volume presso Treves con data 1896. Nel 1895 D'Annunzio partecipò alla nascita del *Convito*, la rivista fondata da Adolfo de Bosis. Nello stesso anno partì per una crociera in Grecia con Hérelle, Scarfoglio, Masciantonio e Boggiani. Il viaggio gli fornì suggerimenti e immagini per il rifacimento di *Canto novo* e per la composizione delle successive opere: *La città morta* e *Laus vitae*. In autunno si recò a Venezia per partecipare alla chiusura della prima esposizione nazionale d'arte e l'occasione gli permise di incontrare la Duse, favorendo la nascita di quel sodalizio passionale, artistico e intellettuale, che orienterà l'estro del poeta verso il teatro, un genere adatto alla tematica superomistica e alla repentina fruizione delle masse. Tra ottobre e novembre i due artisti dimorarono a Venezia, da dove resero noto alla stampa il progetto di creare un grande teatro ad Albano.

Alla Capponcina, 1898-1910. Dopo aver trascorso l'inverno a Roma, nel marzo 1898 D'Annunzio e la Duse si trasferirono in Toscana, a Settignano. Il poeta dimorò nell'antica villa dei Capponi «La Capponcina», compiacendosi dell'elegante e lussuoso ambiente. L'attrice occupò una villetta attigua, definita «Porziuncola» dal D'Annunzio. Sentendosi già coinvolto nell'atmosfera delle *Laudi*, il poeta espresse la suggestione francescana con atteggiamenti mistici puramente esteriori. Nella Capponcina D'Annunzio lavorò con assiduità e profitto: pago del trionfo parigino della *Ville morte*, scrisse *La Gioconda*, *Sogno d'un tramonto d'autunno* e *Sogno d'un meriggio d'estate*. Alla fine dell'anno seguì la Duse in Egitto, in Grecia e a Corfù, ove compose la tragedia *La Gloria*. Nell'estate 1899 si immerse nella elaborazione delle *Laudi*, di cui si ebbe qualche anticipazione nella *Nuova Antologia*, dal 16 novembre in poi. La produzione poetica fu interrotta, temporaneamente, per concludere il *Fuoco*, che uscirà nel marzo 1900. La Versilia fu il luogo più propizio all'ispirazione: nell'estate 1901 nacque la *Francesca da Rimini*, ma questi anni furono prevalentemente contrassegnati dalla intensa produzione delle liriche di *Alcyone*, di *Maia* e di *Elettra*, ossia del ciclo delle *Laudi*; «Lavoro al mio libro di poesia — scrisse al Conti il 10 agosto — e mi pare che tutto il mio sangue sia divenuto un fiume lirico ed inesauribile». Il 1903 fu l'anno decisivo per la conclusione e la pubblicazione dei primi tre libri dell'opera poetica. *Maia*, terminata con estrema rapidità, uscì presso Treves l'11 maggio. Intanto, durante l'estate, nella residenza della Villa Borghese, tra Anzio e Nettuno, il poeta elaborò la *Figlia di Iorio*; il dramma, concluso il 29 agosto e rappresentato il 2 marzo 1904 al Lirico di Milano, riscosse enorme successo grazie alla superba interpretazione di Irma Gramatica. Il 3 settembre D'Annunzio riprese il lavoro poetico per completare *Alcyone* ed *Elettra*, apparsi a dicembre, con data editoriale 1904, in un unico volume. Venuto meno il sentimento tra la Duse e D'Annunzio e incrinatosi definitivamente il loro rapporto, il poeta ospitò alla Capponcina Alessandra Di Rudinì, vedova Carlotti, con la quale instaurò un tenore di vita oltremodo lussuoso e mondano, trascurando l'impegno letterario. La bella Nike (così era denominata la Di Rudinì), lungi dall'essere la nuova musa ispiratrice, favorì lo snobismo del poeta, spronandolo a un oneroso indebitamento, che decretò, in seguito, l'imponente crisi finanziaria. L'affettuosa assistenza alla Di Rudinì, ammalatasi gravemente nel maggio 1905, fu ricordata in «Dell'amore, della morte, del miracolo» (in *Faville*). Dopo la malattia D'Annunzio lasciò Alessandra, che, travolta dal vizio della morfina, sceglierà, in seguito, la vita conventuale. A questo amore seguì quello con la contessa Giuseppina Mancini, con la quale il poeta visse un rapporto tormentato e drammatico, rievocato nel diario postumo *Solum ad solam*. Privilegiando il teatro, D'Annunzio compose *Più che l'amore*, una tragedia in prosa, rappresentata nel 1906; inoltre, due tragedie in versi *La Nave* (1907) e *Fedra* (1908). Il ritorno al romanzo fu suggellato da *Forse che sì forse che no* (pubblicato da Treves nel febbraio 1910), contenente storie di follia, ambientate nella nuova realtà degli aeroplani e delle automobili.

Il trasferimento in Francia, 1910-1915. Le crescenti difficoltà economiche lo costrinsero non solo a lasciare la Capponcina, ma a optare per l'esilio in Francia, dove si recò nel marzo 1910, accompagnato dal nuovo amore, la giovane russa Natalia Victor de Goloubeff. Soggiornando tra Parigi e Arcachon, trascorse cinque anni immerso negli ambienti mondani e intellettuali. La permanenza fu allietata non solo da Donatella (la Goloubeff), ma dalla Cinerina del *Notturno*, ossia la pittrice Romania Brooks, da Isadora Duncan e dalla danzatrice Ida Rubinstein, a cui dedicò il dramma *Le martyre de Saint Sébastien*, musicato da Debussy e messo in scena l'11 maggio 1911. Il canale che permise a D'Annunzio di conservare la presenza artistica in Italia, fu il *Corriere della sera* di Luigi Albertini, su cui, a partire dal luglio 1911 furono pubblicate le *Faville del maglio*: prose autobiografiche che diedero l'avvio alla fase della «esplorazione d'ombra», intimistica e memoriale. Tra l'aprile e il maggio 1912 apparvero le quattro sezioni della *Contemplazione della morte*, in omaggio al Pascoli e ad Adolphe Bermond, di cui abitava la villa. L'opera, poi, fu edita presso Treves, che ripresentò anche la *Vita di Cola di Rienzo*. L'esilio francese fu artisticamente proficuo: tra ottobre 1911 e febbraio 1912 uscirono sul *Corriere* le *Canzoni della gesta d'oltremare*, che costituiranno, ben presto, il quarto volume delle *Laudi*: *Merope*. Nel 1912 compose la tragedia in versi *Parisina*, musicata da Mascagni; dopo aver collaborato alla realizzazione del film *Cabiria* (di Pastrone) scrisse la sua prima opera cinematografica: *La crociata degli Innocenti*. Appartengono a questi anni *Il compagno dagli occhi senza cigli* (apparso sul *Cor-*

riere, dicembre 1912-febbraio 1913 come *favilla* per Dario) e *La Leda senza cigno*; compose il dramma *Le Chèvréfeuille*, *Il ferro* nella versione italiana; inoltre la commedia *La Pisanelle, ou la mort parfumée*, musicata da Pizzetti e interpretata da Ida Rubistein. Il soggiorno francese terminò all'inizio della guerra, considerata da D'Annunzio l'occasione atta a esprimere con l'azione gli ideali superomistici ed estetizzanti, affidati, sino ad allora, alla produzione letteraria.

Il rientro in Italia e l'intervento bellico, 1915-1920.

Inviato dal governo italiano a inaugurare il monumento dei Mille a Quarto, D'Annunzio il 14 maggio 1915 rientrò in Italia presentandosi con un'orazione interventista e antigovernativa. Dopo aver sostenuto a gran voce l'entrata in guerra contro l'impero austro-ungarico, non esitò a indossare i panni del soldato l'indomani della dichiarazione. Si arruolò come tenente dei Lancieri di Novara e partecipò a numerose imprese militari. Nel 1916 un incidente aereo gli causò la perdita dell'occhio destro; assistito dalla figlia Renata, nella «casetta rossa» di Venezia, D'Annunzio trascorse tre mesi (febbraio-marzo 1916) nella immobilità e al buio, componendo su liste di carta la prosa memoriale e frammentaria del *Notturno*. Tornato all'azione e desiderando gesti eroici, si distinse nella Beffa di Buccari (10, 11 febbraio 1918) e nel volo su Vienna con il lancio di manifestini tricolori. Insignito al valor militare, il soldato D'Annunzio considerò l'esito della guerra (novembre 1918) una vittoria mutilata (il rancore del poeta è affidato alla *Preghiera di Sernaglia*, 15 ottobre 1918, che con i *Canti della guerra latina* costituì il quinto libro delle *Laudi*, *Asterope*). Caldeggiando l'annessione dell'Istria e della Dalmazia e considerando la staticità del governo italiano, decise di passare all'azione: guidò la marcia su Fiume e la occupò il 12 settembre 1919. L'impresa, scaturita da motivazioni audaci e spettacolari, si concluse il 21 dicembre 1920 con la capitolazione della «Reggenza del Carnaro», per l'intervento armato di Giolitti, obbediente alle clausole del Trattato di Rapallo, che riconosceva, in parte, alcune annessioni all'Italia.

Al Vittoriale, 1921-1938.

Dopo l'esperienza militare D'Annunzio elesse come sua dimora la villa Cargnacco sul lago di Garda; in un apparente romitaggio curò la pubblicazione delle opere più recenti: *Il Notturno* (1921) e i due tomi delle *Faville del maglio* (1924-1928); «l'Oleandro» stampò nel 1931 *L'Urna inesausta*, contenente i discorsi di Fiume; nel 1932 furono pubblicati i *Canti della guerra latina* da Mondadori, il nuovo editore del poeta.

I rapporti di D'Annunzio con il fascismo non furono ben definiti: se in un primo tempo la sua posizione fu contraria all'ideologia di Mussolini, in seguito l'adesione scaturì da motivi di convenienza, consoni allo stato di spossatezza fisica e psicologica, nonché a un *modus vivendi* elitario ed estetizzante. Non rifiutò, quindi, gli onori e gli omaggi del regime: nel 1924, dopo l'annessione di Fiume, il re, consigliato da Mussolini, lo nominò principe di Montenevoso; nel 1926 nacque il progetto dell'edizione «Opera Omnia» curato dallo stesso Gabriele; i contratti con la casa editrice «L'Oleandro» garantirono ottimi profitti, a cui si aggiunsero sovvenzioni elargite da Mussolini. D'Annunzio, assicurando allo Stato l'eredità della villa di Cargnacco, ricevette i finanziamenti per renderla una residenza monumentale: nacque così il «Vittoriale» degli Italiani», emblema del vivere inimitabile di D'Annunzio. Al «Vittoriale» l'anziano Gabriele ospitò la pianista Luisa Bàccara, Elena Sangro, che gli rimase accanto dal 1924 al 1933; inoltre la pittrice polacca Tamara de Lempicka. Entusiasta della guerra d'Etiopia, D'Annunzio dedicò a Mussolini il volume *Teneo te, Africa* (1936). Nello stesso anno scrisse *Le dit du sord et muet qui fut miraculé en l'an de grace 1266*, storia fantastica di un cavaliere errante, in francese falso antico. Ma l'opera più autentica dell'ultimo D'Annunzio fu il *Libro segreto*, ossia *Cento e cento e cento e cento pagine del libro segreto di Gabriele D'Annunzio tentato di morire* (1935), a cui affidò riflessioni e ricordi nati da un ripiegamento interiore ed espressi in una prosa frammentaria. L'opera testimonia la capacità del poeta di rinnovarsi artisticamente anche alle soglie della morte, giunta il primo marzo 1938.

G.O.

Invito alla lettura de *Il piacere*

Dopo l'intensa esperienza novellistica di Terra vergine *(1882), del* Libro delle vergini *(1884) e di* San Pantaleone *(1886), nel maggio 1889 esce a Milano presso l'editore Treves* Il piacere, *il primo romanzo di D'Annunzio. L'attesa del pubblico e della critica era stata mantenuta desta da una adeguata campagna pubblicitaria che garantì il successo del libro, tanto che solo in quello stesso anno se ne fecero quattro ristampe.*

Il 1889 può dirsi in qualche modo una data spartiacque nella narrativa dell'Ottocento: Il piacere *seguiva di qualche mese il* Mastro-don Gesualdo *di Verga, ma se quest'ultimo concludeva una stagione, l'altro ne apriva una nuova; paradossalmente si potrebbe arrivare a dire che Gesualdo Motta moriva in casa di Andrea Sperelli, finendo i suoi giorni per asfissia più o meno negli stessi ambienti aristocratici che faranno da sfondo al romanzo dannunziano. Verga, insomma, si fermava dove D'Annunzio cominciava.*

L'esordio del romanziere, comunque, non era stato tra i più semplici sia perché il passaggio dalla novella al romanzo era tutt'altro che automatico, sia perché la ricerca del soggetto da sviluppare non era facile. I primi tentativi di dedicarsi a un'opera in prosa di vasto respiro risalgono al 1884, allorché dall'Abruzzo comunica al Nencioni le sue intenzioni di continuare a produrre prosa e di dare opera «forse a un romanzo» (17 aprile 1884). L'idea si precisa meglio alcuni mesi dopo, quando allo stesso corrispondente anticipa una trama farraginosa di un lavoro storico-risorgimentale ambientato in Abruzzo intitolato Pantagruelion: *«Voglio fare un romanzo, dirò così, omerico-epico, in cui molti personaggi operino e grandi masse di popoli si muovano, un romanzo con moltissimi fatti e poca analisi, un romanzo a sfondo storico. L'azione si svolgerà a Pescara, tra il '50 e il '75. Ho qui una meravigliosa messe di documenti. Ci entreranno i Borboni, gli uomini di Sapri, i cospiratori politici; ci entrerà un assedio, un'inondazione, una guerra civile; ci entrerà tutta la vita religiosa, privata e pubblica piena di pettegolezzi, di congiure, di odii, intricatissima, tumultuosa, strana, tutta la vita di una piccola* città piazzaforte *dove il militarismo e il clericalismo impera-vano sovrani. Che tipi! Che scene! Il soggetto mi affascina in-sieme e mi spaventa. E poi lo stile... Chi mi darà lo stile? Ve-dremo. Per ora rumino; qualche cosa verrà fuori»* (6 settem-bre 1884)[1]. *Il soggetto era alquanto improbabile per uno scrittore come D'Annunzio, cosciente egli stesso di non avere le qualità necessarie per dare corpo a quel tipo di fantasie.*

Intanto però il ritorno a Roma come cronista mondano della Tribuna *fu per lui causa di nuovi stimoli e aperture, certa-mente più confacenti alla sua indole. L'osservatore attento della vita quotidiana della Roma umbertina, che dal 1884 al 1888 registrò gli avvenimenti della società elegante, tra l'altro maturando in essa le proprie esperienze erotico-sentimentali, trovò gli spunti necessari a tessere la trama di un libro dal nuovo impianto, in cui il protagonista era in qualche modo l'alter ego dell'autore.*

Non a caso la storia d'amore tra Andrea Sperelli ed Elena Muti copriva l'arco di tempo dal novembre al marzo del 1885, proprio quanto era durata l'intensa passione di D'Annunzio per Olga Ossani, poi andata sposa a Luigi Lodi. L'episodio dell'addio, avvenuto al Ponte Nomentano, è trasfigurato nel primo capitolo del romanzo, ma è già fissato nella novella «Frammento» (apparso sul Fanfulla della domenica *del 22 marzo 1885 e poi raccolta col titolo «Il commiato» in* San Pan-taleone *[1886]), che può considerarsi il primo nucleo ispira-tivo del* Piacere. *Significative sono le consonanze, tra le quali non ultima, nella novella, la rievocazione di un amore vissuto e la presenza sovrapposta di due donne, come sarà per Andrea, tormentato dal volto di Elena durante il rapporto con Maria Ferres.*

Nel frattempo D'Annunzio immagazzina nuove esperienze culturali, specialmente francesi (non secondaria, ad esempio, è le lettura di A rebours *di Huysmans [1884]), e viene matu-rando una sorta di coscienza antinaturalistica che sfocia nel culto dell'estetismo raffinato e decadente. In questi anni il la-voro giornalistico gli appare dispersivo, sicché medita di di-mettersi dal compito affidatogli come cronista della* Tribuna *per dedicarsi a un'opera tutt'altro che effimera: «(...) ho molte opere da condurre a termine — scriveva nell'aprile 1886 al principe Maffeo Sciarra, proprietario del giornale —, ho una gran voglia di mettermi a lavorare sul serio intorno a un la-voro lungo e d'importanza per me capitale». Cerca quindi la condizione ideale di raccoglimento per scrivere, mentre un*

[1] R. Forcella, «Lettere ad Enrico Nencioni (1880-1896)», in *Nuova Antologia*, primo maggio 1939.

aiuto psicologicamente determinante gli viene dall'incontro con Barbara Leoni avvenuto nell'aprile 1887. D'Annunzio, come il protagonista del romanzo, non solo vive con lei la situazione dell'uomo diviso tra due donne (Barbara e la moglie legittima Maria Hardouin), ma arricchisce l'opera a cui attende delle esperienze vissute con l'amante, spesso utilizzando nel testo creativo persino le lettere inviatele, oltreché una buona parte del materiale cronachistico, che negli ultimi tempi sembra finalizzato al nuovo processo di scrittura. Certo è, comunque, che Il piacere sta nascendo, se a Enrico Nencioni confessa di star pensando a un «dramma di alta passione» in cui i personaggi sono «due donne e un uomo, e tutt'e tre eletti di mente e di spirito» (27 ottobre 1887). Passeranno ancora alcuni mesi, ma nel luglio 1888 egli lascia Roma per Francavilla, ospite dell'amico Francesco Paolo Michetti, nel cui convento collocato su un poggio dominante il mare inizia la stesura del romanzo. È il 26 luglio e tra non poche difficoltà di ordine pratico e strutturale il lavoro va avanti febbrilmente fino al dicembre, come avverte tra l'altro l'indicazione apposta in calce al manoscritto: «luglio-dicembre 1888».

In gennaio avvia infatti le trattative con l'editore Treves per raggiungere accordi finanziari e il primo febbraio gli invia il manoscritto, raccomandando la massima sollecitudine nella stampa. Intanto sollecita gli amici a tener desta l'attenzione sul libro scrivendone sui giornali, magari adattando alla meglio una circolare già pronta; fa preparare dal Sartorio un'acquaforte attribuita ad Andrea Sperelli da esporre nelle vetrine; insomma, da buon conoscitore dei meccanismi pubblicitari studia nei minimi particolari il lancio de Il Piacere. L'ansia cresce e il ritardo della casa editrice indispettisce D'Annunzio, che se ne lamenta ripetutamente con Emilio Treves («Io sono furibondo con Lei — scrive il 26 marzo 1889 — (...) Vedo con molto dispiacere fuggire "il buon momento" e vedo l'aspettazione grande del pubblico stancarsi»[2]), preso in qualche caso da scrupoli moralistici. Ma D'Annunzio, irremovibile, difende a oltranza la propria autorità di scrittore. Dopo ulteriori tentennamenti e promesse disattese sulla data di uscita, il romanzo era finalmente in libreria il 13 maggio 1889.

Dopo l'adeguato battage che trasformava la pubblicazione dell'opera in una sorta di evento, la stampa rispose in modo massiccio con un gran numero di segnalazioni e di recensioni, tanto che lo stesso D'Annunzio parlava al Treves di «coro ca-

---

[2] Per le lettere a Treves cfr. M. Guabello, *Il carteggio di Gabriele D'Annunzio con l'editore Emilio Treves (1885-1915)*, Biella, Libreria Guabello, 1933.

*nino» (12 maggio 1889), alludendo al fascio di ritagli raccolti.
Il disprezzo manifestato per i critici però era solo apparente,
ché lo stesso autore si era prodigato nelle richieste di intervento presso autorevoli critici amici, tra i quali, naturalmente
Nencioni, che aveva promesso dal canto suo «uno studio lungo
per la* Nuova Antologia» *[uscirà il 16 giugno 1889] (a Emilio
Treves, 9 maggio 1889) e Capuana, al quale aveva indirizzato
una richiesta esplicita: «Credo che Morello ti abbia parlato
del gran piacere che faresti a me e all'on. Sciarra scrivendo
sul mio romanzo un articolo per la* Tribuna. *Rinnovo l'invito e
la preghiera. Aggiungo i più cordiali ringraziamenti miei e
dell'onorevole Sciarra. Bisognerebbe che l'articolo fosse
pronto per domenica. L'esigenza è eccessiva? Ci rimettiamo
nelle tue mani»*[3]. *Sulla stessa* Tribuna *intanto compariva, proprio il giorno prima dell'uscita del libro, un annuncio di Angelo Conti*[4], *cui fece seguito a distanza un più meditato ri-
scontro*[5], *evidentemente a lettura compiuta. Capuana non si
affrettò, ma accontentò ugualmente D'Annunzio meditando attentamente il suo romanzo, senza nulla concedere, com'era
suo costume, a ragioni di consorteria*[6].

*L'uno e l'altro articolo sono da prendere in considerazione
perché rappresentativi di due posizioni critiche molto diffuse e
in qualche modo antitetiche, che aiutano a capire da un lato le
reazioni del contesto culturale naturalistico in cui l'opera si
calava e, dunque, le conseguenti diffidenze e incomprensioni
che l'accolsero, dall'altro le adesioni entusiastiche di chi ade-
riva perfettamente alla nuova poetica narrativa messa in atto
da D'Annunzio, ormai fuori dai canoni previsti dalla scuola
«oggettiva». Capuana discute soprattutto sulla parola «Vita»
utilizzata da D'Annunzio nella lettera dedicatoria a Michetti.
Dava quindi un ampio stralcio di brani dal libro mostrando i
luoghi in cui si era compiuto il miracolo della fusione tra
forma e contenuto, secondo la collaudata formula desancti-
siana, e quelli in cui, al contrario, lo* spiraculum vitae *non si
era manifestato. In chiave verista il romanzo faceva acqua da
tutte le parti, giacché l'osservazione attenta della realtà era
soffocata dalle cromature descrittive e dalle ridondanze dello*

[3] Lettera senza data in G. Raya, *Capuana e D'Annunzio*, Catania, Giannotta, 1970, p. 282.
[4] A. Conti, «Cronaca d'arte, "Il Piacere"», in *La Tribuna*, 12 maggio 1889.
[5] A. Conti, «Cose d'arte. Il poema moderno», in *La Tribuna*, 17 luglio 1889. I due articoli di Conti, quello del 12 maggio e quello del 17 luglio, si leggono ora in appendice al vol. di G. Oliva, *D'Annunzio e la poetica dell'invenzione*, Milano, Mursia, 1992, pp. 150-156.
[6] L. Capuana, in *La Tribuna*, 31 maggio-1 giugno 1889, poi in *Libri e Teatro*, Catania, Giannotta 1892, pp. 3-47 e ora in *Verga e D'Annunzio*, a cura di M. Pomilio, Bologna, Cappelli, 1972, pp. 212-234.

stile, come se una soffusa «nebbia di lirismo» velasse il tessuto del racconto. Un particolare non trascurabile, reso ancora più pericoloso dall'effetto gradevolmente ipnotico esercitato sul lettore, che alla fine però non poteva non avvertire — secondo Capuana — la vuota energia che lo captava e la «malìa dell'artifizio squisito». Era proprio il prorompere di questa forza, che impediva l'attuarsi della rappresentazione oggettiva e la costituzione dell'arte come organismo vivente, indipendente dalla mente di chi l'aveva concepita, a promuovere i dubbi e le esitazioni del critico siciliano. Egli dava risalto, ritenendoli effetti negativi, al «colorito sovraccarico» distribuito ovunque dall'autore e allo scompenso caratteriale di cui era vittima il personaggio protagonista, al cui annunciato «erotico furore» non corrispondevano un proporzionale «effetto psicologico» e «un'altezza drammatica» sul piano comportamentale.

Sembrava di risentire, a rovescio, le parole che avevano accompagnato l'uscita di Vita dei campi o dei Malavoglia, allorché Capuana aveva insistito sul processo spontaneo di creazione dell'opera d'arte senza traccia della mano dell'artefice; gli stessi personaggi lì parlavano come si muovevano, lasciando trasparire la loro indole dai soli gesti. Le sue convinzioni, però, sacrosante per un critico di formazione naturalistica, rischiavano di trasformarsi in pregiudizi nei confronti di D'Annunzio, che certo aveva esigenze differenti da Verga. La sua «realtà» era dominata dall'io, che «non copre soltanto la figura del personaggio principale, ma si riversa, si effonde su tutto e su tutti, fino a ridurre il romanzo una bizzarra e potente condensazione dell'intero lavoro artistico dell'autore»[7].

Se si mettono a confronto con l'intervento di Capuana quelli di Angelo Conti (in special modo il secondo), ci si rende conto di come siano mutate le condizioni del giudizio. L'articolo del «Doctor Mysticus» è decisamente controcorrente rispetto alle altre recensioni al romanzo, tant'è che rinuncia persino alla vecchia denominazione di genere definendolo «poema moderno»: «Chiamo poema moderno quella recente forma letteraria, non ancora chiaramente determinata, ma, come tendenza, meravigliosa, alla quale i critici d'Italia danno ancora il nome di romanzo». Il «poema moderno» era dunque lo strumento adatto a superare la fenomenologia del naturalismo offrendo una «lettura» sintetica della realtà, coinvolgendo l'interiorità di chi guarda. Era una visione deformata, se si vuole, ma non per questo meno autentica; l'autore coglieva gli elementi essenziali manipolandoli in un prodotto unico e idealizzato. La nuda osservazione dei fatti andava sostituita con l'in-

---

[7] L. Capuana, *Verga e D'Annunzio*, cit., p. 233.

terpretazione *che di essi proponeva l'artista con facoltà di in-*
venzione (nel senso etimologico di ritrovamento).

La proposta del critico voleva sottolineare la tecnica di
fondo con cui lo scrittore andava al di là del fenomeno, in
modo che la sua descrizione non fosse più limitata alla foto-
grafica elencazione degli oggetti, ma ravvivata da una luce
che, selezionando i dettagli, sancisse il suo nuovo rapporto
con le cose. Per Conti, vicino più d'ogni altro all'estetica dan-
nunziana, l'arte influenzava la vita e di ritorno la vita l'arte,
come una sorta di circuito chiuso: «Ogni malattia e ogni sa-
nità dell'arte derivano dalla malattia o dalla sanità della vita;
poiché l'arte è stata sempre e sempre sarà l'espressione della
vita, la rivelazione di ciò che veramente è la vita. (...) L'arte,
liberando l'uomo dal dolore e concedendogli un istante di
pura, libera e serena contemplazione, gli pone innanzi, nel
loro vero significato, persone e cose». Sembrerebbero a prima
vista adesioni alla poetica naturalistica, come del resto fareb-
bero pensare i termini «studio», «osservazione», «metodo»,
adoperati da D'Annunzio nella prefazione al libro. In realtà, il
significato di questi termini è da rapportare allo spirito della
pagina introduttiva, in cui campeggia la parola «Vita» *(con la*
maiuscola), evidente segno distintivo nei confronti di «vita»
(con la minuscola), comune al mondo naturalistico. Se que-
st'ultima forma indicava infatti la fedele rappresentazione del
reale attraverso gli espedienti tecnici dell'impersonalità, l'al-
tra allude a un vorticoso processo sintetico che implica anche
«lo sforzo dell'analisi» *e di conseguenza una resa del feno-*
*meno filtrata dall'occhio vigile dell'*artifex.

Il personaggio di Andrea Sperelli risulta, con le dovute cau-
tele, proiezione autobiografica di D'Annunzio, che in lui ri-
versa in qualche modo la propria esperienza di protagonista
del futile mondo romano. Egli mostra chiaramente i sintomi
del personaggio decadente di cui diventa prototipo in Italia:
incertezza, malattia della volontà, inquietudine, smarrimento
sono le caratteristiche di una società che il personaggio in-
carna e di cui registra le ventate irrazionalistiche. Egli con-
duce una singolare vita alla ricerca spasmodica del «godi-
mento, dell'occasione, dell'attimo felice» e in ciò è un* «dilet-
tante», nel senso che si illude di sentirsi immerso nelle cose
mentre ne resta sostanzialmente fuori. La sua «malattia» *è*
l'artificio; egli è «chimerico, incoerente, inconsistente», *tende*
ad assecondare la sua natura sofistica, «camaleontica»; *a es-*
sere a suo agio solo in un sottile tessuto di finzioni e perciò a
escludersi dal commercio di sentimenti autentici. Si butta nella
vita come «in una grande avventura senza scopo» *e si com-*
piace di avere come legge fondamentale la «mutabilità»; *ama*

due donne, Elena Muti e Maria Ferres, l'una d'un amor sensuale, l'altra spirituale, ma finisce per sovrapporre all'una il volto dell'altra.

Sperelli, insomma, assomiglia in molti tratti a Jean Des Esseintes di A rebours, *il romanzo di Huysmans edito nel 1884, che già superava le barriere del naturalismo dando credito alle allucinazioni di un giovane parigino che amava le sensazioni squisite e disprezzava le convenzioni borghesi, sostituendo il sogno alla realtà. Del vistoso antecendente si accorsero già i primi attenti recensori del* Piacere, *come Giuseppe Saverio Gargàno, che sulla* Vita Nuova *mise a confronto, forse per primo, i due personaggi[8] non indugiando in sterili questioni di plagio, come succederà a una parte della critica successiva, ma distinguendo nettamente i differenti contesti operativi dei due autori. Il rapporto tra Des Esseintes e Sperelli si risolveva nient'affatto nei limiti d'una sfacciata derivazione letteraria, quanto nell'essere le due figure emblemi d'una società in cui coesistevano le ragioni che ne autorizzavano in modo naturale il carattere e le abitudini. I comportamenti dell'uno e dell'altro erano causati dall'assetto della civiltà contemporanea, proiettata verso l'artificio dopo il fallimento del razionalismo scientifico. Con fine intuito, il Gargàno si chiedeva non a caso: «(...) chi di noi può sottrarsi a quell'immenso sentimento pessimistico che ha per noi tutta l'esistenza? Quanti di noi hanno ancora la potenza di godere serenamente, quanti di noi, che pur lo credono, non s'accorgono degli artifizi che mettono in opera nella ricerca del piacere? E se non sono arrivati alle sottili elaborazioni spirituali, sanno essi quanto ciò più che da loro sia dipeso dalla eredità e dalle condizioni esteriori?»[9].*

Per le strette connessioni che era possibile instaurare con la sensibilità di quei difficili anni di trapasso dal sistema delle certezze a quello della crisi, Il piacere *era davvero il romanzo che parlava alle coscienze invitandole indirettamente a riflettere su quanto succedeva all'uomo nuovo di quella fine secolo. In questo senso D'Annunzio si mostrava debitore alle riflessioni del Bourget degli* Essais, *che radiografavano la teoria della decadenza, la* maladie de la volonté *e la* psychologie *contemporaine e a tutti coloro che avevano affrontato (o stavano per farlo) la degenerazione, l'alterazione della mente, la nevrosi. Del lungo elenco fanno parte Ribot, il Péladan di* Initiation sentimentale, *i Goncourt di* Maison d'un artiste *e di* Idée

[8] G.S. Gargàno, «Andrea Sperelli», in *Vita Nuova*, 11 agosto 1889; G.S. Gargàno «Andrea Sperelli artista», *ivi*, 18 agosto 1889; G.S. Gargàno, «Giovanni Des Esseintes», *ivi*, 25 agosto 1889.
[9] G.S. Gargàno, *Giovanni Des Esseintes*, cit.

et sensation, *Barrès, Pater,* per non dire di Schopenhauer e di Amiel sul versante delle suggestioni mistiche; senza dimenticare che nel 1888 lo sdoppiamento della personalità era il tema fondamentale del Dr. Jekill e M. Hyde[10].

Ma se delle influenze europee e dell'intrinseco valore innovativo dell'opera si accorsero solo pochi intellettuali italiani, convinti dello scarto rappresentato da D'Annunzio nei riguardi della mediocre produzione del tempo, scrittori stranieri come Hofmannsthal, Joyce, James, per citarne alcuni, l'apprezzeranno in seguito senza pregiudizi. Fra questi era Robert Musil, che giudicò il «poema moderno» di D'Annunzio «uno dei primi libri» rivelatori dell'arte moderna[11].

G.O.

---

[10] Cfr. A. Andreoli, «D'Annunzio e il romanzo europeo di fine secolo», in *D'Annunzio a Yale*, atti del convegno, in *Quaderni dannunziani*, n. 3-4, 1988 e, per una sintesi delle altre derivazioni, il commento della stessa studiosa a *Prose di romanzi*, Milano, Mondadori «I Meridiani», 1988.

[11] Cfr. H. Hinterhäuser, «D'Annunzio e la Germania», in *L'arte di Gabriele D'Annunzio*, atti del convegno del 1963, Milano, Mondadori, 1968, p. 459; ma vedi anche *D'Annunzio e la cultura germanica*, atti del VI convegno internazionale di studi dannunziani, Pescara, Centro Nazionale di Studi dannunziani, 1985.

A Francesco Paolo Michetti

Questo libro, composto nella tua casa dall'ospite bene accetto, viene a te come un rendimento di grazie, come un ex-voto.

Nella stanchezza della lunga e grave fatica, la tua presenza m'era fortificante e consolante come il mare. Nei disgusti che seguivano il doloroso e capzioso artifizio dello stile, la limpida semplicità del tuo ragionamento m'era esempio ed emendazione. Ne' dubbii che seguivano lo sforzo dell'analisi, non di rado una tua sentenza profonda m'era di lume.

A te che studii tutte le forme e tutte le mutazioni dello spirito come studii tutte le forme e tutte le mutazioni delle cose, a te che intendi le leggi per cui si svolge l'interior vita dell'uomo come intendi le leggi del disegno e del colore, a te che sei tanto acuto conoscitor di anime quanto grande artefice di pittura io debbo l'esercizio e lo sviluppo della più nobile tra le facoltà dell'intelletto: debbo l'abitudine dell'osservazione e debbo, in ispecie, il metodo. Io sono ora, come te, convinto che c'è per noi un solo oggetto di studii: la Vita.

Siamo, in verità, assai lontani dal tempo in cui, mentre tu nella Galleria Sciarra eri intento a penetrare i segreti del Vinci e del Tiziano, io ti rivolgeva un saluto di rime sospiranti

> all'Ideale che non ha tramonti,
> alla Bellezza che non sa dolori!

Ben, però, un vóto di quel tempo s'è compiuto. Siam tornati insieme alla dolce patria, alla tua «vasta casa». Non gli arazzi medìcei pendono alle pareti, né convengono dame ai nostri decameroni, né i coppieri e i levrieri di Paolo Veronese girano intorno alle mense, né i frutti soprannaturali empiono i vasellami che Galeazzo Maria Sforza ordinò a Maffeo di Clivate. Il nostro desiderio è men superbo: e il nostro vivere è più primitivo, forse anche più omerico e più eroico se valgano i pasti lungo il risonante mare, degni d'Ajace, che interrompono i digiuni laboriosi.

Sorrido quando penso che questo libro, nel quale io studio, non senza tristezza, tanta corruzione e tanta depravazione e tante sottilità e falsità e crudeltà vane, è stato scritto in mezzo alla semplice e serena pace della tua casa, fra gli ultimi stornelli della messe e le prime pastorali della neve, mentre insieme con le mie pagine cresceva la cara vita del tuo figliuolo.

Certo, se nel mio libro è qualche pietà umana e qualche bontà, rendo mercede al tuo figliuolo. Nessuna cosa intenerisce e solleva quanto lo spettacolo d'una vita che si schiude. Perfino lo spettacolo dell'aurora cede a quella meraviglia.

Ecco, dunque, il volume. Se, leggendolo, l'occhio ti corra più oltre e veda tu Giorgio porgerti le mani e dal tondo viso riderti, come nella divina strofe di Catullo, semihiante labello, interrompi la lettura. E le piccole calcagna rosee, dinanzi a te, premano le pagine dov'è rappresentata tutta la miseria del Piacere; e quel premere inconsapevole sia simbolo e augurio.

Ave, Giorgio. Amico e maestro, gran mercé.

G. d'A.

Dal Convento: secondo Carmine, 1889.

Libro primo

I.

L'anno moriva, assai dolcemente. Il sole di San Silvestro spandeva non so che tepor velato, mollissimo, aureo, quasi primaverile, nel ciel di Roma. Tutte le vie erano popolose come nelle domeniche di maggio. Su la piazza Barberini, su la piazza di Spagna una moltitudine di vetture passava in corsa traversando; e dalle due piazze il romorio confuso e continuo, salendo alla Trinità de' Monti, alla via Sistina, giungeva fin nelle stanze del palazzo Zuccari, attenuato.

Le stanze andavansi empiendo a poco a poco del profumo ch'esalavan ne' vasi i fiori freschi. Le rose folte e larghe stavano immerse in certe coppe di cristallo che si levavan sottili da una specie di stelo dorato slargandosi in guisa d'un giglio adamantino, a similitudine di quelle che sorgon dietro la Vergine nel *tondo* di Sandro Botticelli alla Galleria Borghese. Nessuna altra forma di coppa eguaglia in eleganza tal forma: i fiori entro quella prigione diafana paion quasi spiritualizzarsi e meglio dare imagine di una religiosa o amorosa offerta.

Andrea Sperelli aspettava nelle sue stanze un'amante. Tutte le cose a torno rivelavano infatti una special cura d'amore. Il legno di ginepro ardeva nel caminetto e la piccola tavola del tè era pronta, con tazze e sottocoppe in maiolica di Castel Durante ornate d'istoriette mitologiche da Luzio Dolci, antiche forme d'inimitabile grazia, ove sotto le figure erano scritti in carattere corsivo a zàffara nera esametri d'Ovidio. La luce entrava temperata dalle tende di broccatello rosso a melagrane d'argento riccio, a foglie e a motti. Come il sole pomeridiano feriva i vetri, la trama fiorita delle tendine di pizzo si disegnava sul tappeto.

L'orologio della Trinità de' Monti suonò le tre e mezzo. Mancava mezz'ora. Andrea Sperelli si levò dal divano dov'era disteso e andò ad aprire una delle finestre; poi diede alcuni passi nell'appartamento; poi aprì un libro, ne lesse qualche riga, lo richiuse; poi cercò intorno qualche cosa, con lo sguardo dubitante. L'ansia dell'aspettazione lo pungeva così acutamente ch'egli aveva bisogno di muoversi, di operare, di distrarre la pena interna con un atto materiale. Si chinò verso il caminetto, prese le molle per ravvivare il fuoco, mise sul mucchio ardente un nuovo pezzo di ginepro. Il mucchio crollò; i carboni sfavillando rotolarono fin su la lamina di metallo che proteggeva il tappeto; la fiamma si divise in tante piccole lingue azzurrognole che sparivano e riapparivano; i tizzi fumigarono.

Allora sorse nello spirito dell'aspettante un ricordo. Proprio innanzi a quel caminetto Elena un tempo amava indugiare, prima di rivestirsi, dopo un'ora d'intimità. Ella aveva molt'arte nell'accumular gran pezzi di legno su gli alari. Prendeva le molle pesanti con ambo le mani e rovesciava un po' indietro il capo ad evitar le faville. Il suo corpo sul tappeto, nell'atto un po' faticoso, per i movimenti de' muscoli e per l'ondeggiar delle ombre pareva sorridere da tutte le giunture, da tutte le pieghe, da tutti i cavi, soffuso d'un pallor d'ambra che richiamava al pensiero la Danae del Correggio. Ed ella aveva appunto le estremità un po' correggesche, le mani e i piedi piccoli e pieghevoli, quasi direi arborei come nelle statue di Dafne in sul principio primissimo della metamorfosi favoleggiata.

Appena ella aveva compiuta l'opera, le legna conflagravano e rendevano un sùbito bagliore. Nella stanza quel caldo lume rossastro e il gelato crepuscolo entrante pe' vetri lottavano qualche tempo. L'odore del ginepro arso dava al capo uno stordimento leggero. Elena pareva presa da una specie di follia infantile, alla vista della vampa. Aveva l'abitudine, un po' crudele, di sfogliar sul tappeto tutti i fiori ch'eran ne' vasi, alla fine d'ogni convegno d'amore. Quando tornava nella stanza, dopo essersi vestita, mettendosi i guanti o chiudendo un fermaglio sorrideva in mezzo a quella devastazione e nulla eguagliava la grazia dell'atto che ogni volta ella faceva sollevando un poco la gonna ed avanzando prima un piede e poi l'altro perché l'amante chino legasse i nastri della scarpa ancóra disciolti.

Il luogo non era quasi in nulla mutato. Da tutte le cose che Elena aveva guardate o toccate sorgevano i ricordi in folla e le imagini del tempo lontano rivivevano tumultuariamente. Dopo circa due anni, Elena stava per rivarcar quella soglia. Tra mezz'ora, certo, ella sarebbe venuta, ella si sarebbe seduta in quella poltrona, togliendosi il velo di su la faccia, un poco ansante, come una volta; ed avrebbe parlato. Tutte le cose avrebbero riudito la voce di lei, forse anche il riso di lei, dopo due anni.

Il giorno del gran commiato fu appunto il venticinque di marzo del mille ottocento ottanta cinque, fuori della Porta Pia,

in una carrozza. La data era rimasta incancellabile nella memoria di Andrea. Egli ora, aspettando, poteva evocare tutti gli avvenimenti di quel giorno, con una lucidezza infallibile. La visione del paesaggio nomentano gli si apriva d'innanzi ora in
una luce ideale, come uno di quei paesaggi sognati in cui le
cose paiono essere visibili di lontano per un irradiamento che
si prolunga dalle loro forme.

La carrozza chiusa scorreva con un romore eguale, al trotto:
le muraglie delle antiche ville patrizie passavano d'innanzi agli
sportelli, biancastre, quasi oscillanti, con un movimento continuo e dolce. Di tratto in tratto si presentava un gran cancello di
ferro, a traverso il quale vedevasi un sentiero fiancheggiato di
alti bussi, o un chiostro di verdura abitato da statue latine, o un
lungo portico vegetale dove qua e là raggi di sole ridevano pal-
lidamente.

Elena taceva, avvolta nell'ampio mantello di lontra, con un
velo su la faccia, con le mani chiuse nel camoscio. Egli aspirava con delizia il sottile odore di eliotropio esalante dalla pelliccia preziosa, mentre sentiva contro il suo braccio la forma
del braccio di lei. Ambedue si credevano lontani dagli altri,
soli; ma d'improvviso passava la carrozza nera d'un prelato; o
un buttero a cavallo, o una torma di chierici violacei, o una
mandra di bestiame.

A mezzo chilometro dal ponte ella disse:
— Scendiamo.

Nella campagna la luce fredda e chiara pareva un'acqua sorgiva; e, come gli alberi al vento ondeggiavano, pareva per
un'illusion visuale che l'ondeggiamento si comunicasse a tutte
le cose.

Ella disse, stringendosi a lui e vacillando sul terreno aspro:
— Io parto stasera. Questa è l'ultima volta...

Poi tacque; poi di nuovo parlò, a intervalli, su la necessità
della partenza, su la necessità della rottura, con un accento
pieno di tristezza. Il vento furioso le rapiva le parole di su le
labbra. Ella seguitava. Egli interruppe, prendendole la mano e
con le dita cercando tra i bottoni la carne del polso:
— Non più! Non più!

Si avanzavano lottando contro le folate incalzanti. Ed egli,
presso alla donna, in quella solitudine alta e grave, si sentì
d'improvviso entrar nell'anima come l'orgoglio d'una vita più
libera, una sovrabbondanza di forze.
— Non partire! Non partire! Io ti voglio ancóra, sempre...

Le nudò il polso e insinuò le dita nella manica, tormentan-
dole la pelle con un moto inquieto in cui era il desiderio di
possessi maggiori.

Ella gli volse uno di quegli sguardi che lo ubriacavano come

calici di vino. Il ponte era da presso, rossastro, nell'illumina-
zione del sole. Il fiume pareva immobile e metallico in tutta la
lunghezza della sua sinuosità. I giunchi s'incurvavano su la
riva, e le acque urtavano leggermente alcune pertiche infitte
nella creta per reggere forse le lenze.

Allora egli cominciò ad incitarla con i ricordi. Le parlava
de' primi giorni, del ballo al palazzo Farnese, della caccia nella
campagna del Divino Amore, degli incontri matutini nella
piazza di Spagna lungo le vetrine degli orefici o per la via Sistina tranquilla e signorile, quando ella usciva dal palazzo Barberini seguita dalle ciociare che le offerivano nei canestri le
rose.

— Ti ricordi? Ti ricordi?

— Sì.

— E quella sera de' fiori, in principio; quando io venni con
tanti fiori... Tu eri sola, accanto alla finestra: leggevi. Ti ricordi?

— Sì, sì.

— Io entrai. Tu ti volgesti appena; tu mi accogliesti duramente. Che avevi? Io non so. Posai il mazzo sopra il tavolino e
aspettai. Tu incominciasti a parlare di cose inutili, senza volontà e senza piacere. Io pensai, scorato: «Già ella non mi ama
più!». Ma il profumo era grande: tutta la stanza già n'era
piena. Io ti veggo ancóra, quando afferrasti con le due mani il
mazzo e dentro ci affondasti tutta la faccia, aspirando. La faccia risollevata pareva esangue e gli occhi parevano alterati
come da una specie di ebrietà...

— Segui, segui! — disse Elena, con la voce fievole, china
sul parapetto, incantata dal fascino delle acque correnti.

— Poi, sul divano: ti ricordi? Io ti ricoprivo il petto, le braccia, la faccia, con i fiori, opprimendoti. Tu risorgevi continuamente, porgendo la bocca, la gola, le palpebre socchiuse. Fra
la tua pelle e le mie labbra sentivo le foglie fredde e molli. Se
io ti baciavo il collo, tu rabbrividivi in tutto il corpo, e tendevi
le mani per tenermi lontano. Oh, allora... Avevi la testa affon-
data nei cuscini, il petto nascosto dalle rose, le braccia nude
sino al gomito; e nulla era più amoroso e più dolce che il piccolo tremito delle tue mani pallide su le mie tempie... Ti ricordi?

— Sì. Segui!

Egli seguiva, crescendo nella tenerezza. Inebriato delle sue
parole, egli quasi perdeva la conscienza di ciò che diceva.
Elena, con le spalle volte alla luce, andavasi chinando all'a-
mante. Ambedue sentivano a traverso le vesti il contatto inde-
ciso dei corpi. Sotto di loro, le acque del fiume passavano lente
e fredde alla vista; i grandi giunchi sottili, come capigliature,

vi si incurvavano entro ad ogni soffio e fluttuavano largamente.

Poi non parlarono più; ma, guardandosi, sentivano negli
orecchi un romore continuo che si prolungava indefinitamente
portando seco una parte dell'essere loro, come se qualche cosa
di sonoro sfuggisse dall'intimo del lor cervello e si spandesse
ad empire tutta la campagna circostante.

Elena, sollevandosi, disse:

— Andiamo. Ho sete. Dove si può chiedere acqua?

Si diressero allora verso l'osteria romanesca, passato il
ponte. Alcuni carrettieri staccavano i giumenti, imprecando ad
alta voce. Il chiaror dell'occaso feriva il gruppo umano ed
equino, con viva forza.

Come i due entrarono, nella gente dell'osteria non avvenne
alcun moto di meraviglia. Tre o quattro uomini febricitanti stavano intorno a un braciere quadrato, taciturni e giallastri. Un
bovaro, di pel rosso, sonnecchiava in un angolo, tenendo ancóra fra i denti la pipa spenta. Due giovinastri, scarni e biechi,
giocavano a carte, fissandosi negli intervalli con uno sguardo
pieno d'ardor bestiale. E l'ostessa, una femmina pingue, teneva
fra le braccia un bambino, cullandolo pesantemente.

Mentre Elena beveva l'acqua nel bicchiere di vetro, la femmina le mostrava il bambino, lamentandosi.

— Guardate, signora mia! Guardate, signora mia!

Tutte le membra della povera creatura erano di una magrezza miserevole; le labbra violacee erano coperte di punti
bianchicci; l'interno della bocca era coperto come di grumi lat-
tosi. Pareva quasi che la vita fosse di già fuggita da quel piccolo corpo, lasciando una materia su cui ora le muffe vegeta-
vano.

— Sentite, signora mia, le mani come sono fredde. Non può
più bere; non può più inghiottire; non può più dormire...

La femmina singhiozzava. Gli uomini febricitanti guardavano con occhi pieni di una immensa prostrazione. Ai singhiozzi i due giovinastri fecero un atto d'impazienza.

— Venite, venite! — disse Andrea ad Elena, prendendole il
braccio, dopo aver lasciato sul tavolo una moneta. E la trasse
fuori.

Insieme, tornarono verso il ponte. Il corso dell'Aniene ora
andavasi accendendo ai fuochi dell'occaso. Una linea scintillante attraversava l'arco; e in lontananza le acque prendevano
un color bruno ma più lucido, come se sopra vi galleggiassero
chiazze d'olio o di bitume. La campagna accidentata, simile ad
una immensità di rovine, aveva una general tinta violetta.
Verso l'Urbe il cielo cresceva in rossore.

— Povera creatura! — mormorò Elena con suono profondo di misericordia, stringendosi al braccio d'Andrea.

Il vento imperversava. Una torma di cornacchie passò nell'aria accesa, in alto, schiamazzando.

Allora, d'improvviso, una specie di esaltazione sentimentale prese l'anima di quei due, in conspetto della solitudine. Pareva che qualche cosa di tragico e di eroico entrasse nella loro passione. I culmini del sentimento fiammeggiarono sotto l'influenza del tramonto tumultuoso. Elena si arrestò.

— Non posso più — ella disse, ansando.

La carrozza era ancóra lontana, immobile, nel punto dove essi l'avevano lasciata.

— Ancóra un poco, Elena! Ancóra un poco! Vuoi ch'io ti porti?

Andrea, preso da un impeto lirico infrenabile, si abbandonò alle parole.

«Perché ella voleva partire? Perché ella voleva spezzare l'incanto? I loro *destini* ormai non erano legati per sempre? Egli aveva bisogno di lei per vivere, degli occhi, della voce, del pensiero di lei... Egli era tutto penetrato da quell'amore; aveva tutto il sangue alterato come da un veleno, senza rimedio. Perché ella voleva fuggire? Egli si sarebbe avviticchiato a lei, l'avrebbe prima soffocata sul suo petto. No, non poteva essere. Mai! Mai!»

Elena ascoltava, a testa bassa, affaticata contro il vento, senza rispondere. Dopo un poco, ella sollevò il braccio per far cenno al cocchiere di avanzarsi. I cavalli scalpitarono.

— Fermatevi a Porta Pia — gridò la signora, salendo nella carrozza insieme all'amante.

E con un movimento subitaneo si offerse al desiderio di lui che le baciò la bocca, la fronte, i capelli, gli occhi, la gola, avidamente, rapidamente, senza più respirare.

— Elena! Elena!

Un vivo bagliore rossastro entrò nella carrozza, riflesso dalle case color di mattone. Si avvicinava nella strada il trotto sonante di molti cavalli.

Elena, piegandosi su la spalla dell'amante con una immensa dolcezza di sommessione, disse:

— Addio, amore! Addio! Addio!

Come ella si sollevò, a destra e a sinistra passarono a gran trotto dieci o dodici cavalieri scarlatti tornanti dalla caccia della volpe. Uno, il duca di Beffi, passando rasente, si curvò in arcione per guardare nello sportello.

Andrea non parlò più. Egli sentiva ora tutto il suo essere mancare in un abbattimento infinito. La puerile debolezza della sua natura, sedata la prima sollevazione, gli dava ora un bisogno di lacrime. Egli avrebbe voluto piegarsi, umiliarsi, pregare, muovere la pietà della donna con le lacrime. Aveva la sensazione confusa e ottusa d'una vertigine; e un freddo sottile gli assaliva la nuca, gli penetrava la radice dei capelli.

— Addio — ripeté Elena.

Sotto l'arco della Porta Pia la carrozza si fermava perché egli discendesse.

Così dunque, aspettando, Andrea rivedeva nella memoria quel giorno lontano; rivedeva tutti i gesti, riudiva tutte le parole. Che aveva fatto egli, appena scomparsa la carrozza di Elena verso le Quattro Fontane? Nulla, in verità, di straordinario. Anche allora, come sempre, appena lontano l'oggetto immediato da cui il suo spirito traeva quella specie di esaltazione fatua, egli aveva riacquistato quasi d'un tratto la tranquillità, la conscienza della vita comune, l'equilibrio. Era salito su una vettura publica per tornare a casa; là s'era messo l'abito nero, come al solito, non dimenticando alcuna particolarità di eleganza; ed era andato a pranzo da sua cugina, come in ogni altro mercoledì, al palazzo Roccagiovine. Tutte le cose dell'esistenza esteriore avevano su lui un gran potere d'oblio, lo occupavano, lo eccitavano al godimento rapido dei piaceri mondani.

Quella sera, infatti, il raccoglimento gli era venuto assai tardi, quando cioè rientrando nella sua casa aveva veduto brillare sopra un tavolo il piccolo pettine di tartaruga dimenticato da Elena due giorni innanzi. Allora, in compenso, tutta la notte, aveva sofferto, e con molti artifici del pensiero aveva acuito il suo dolore.

Ma il momento si approssimava. L'orologio della Trinità de' Monti suonò le tre e tre quarti. Egli pensò, con una trepidazione profonda: «Fra pochi minuti Elena sarà qui. Quale atto io farò accogliendola? Quali parole io le dirò?».

L'ansia in lui era verace e l'amore per quella donna era in lui rinato veracemente; ma la espressione verbale e plastica de' sentimenti in lui era sempre così artificiosa, così lontana dalla semplicità e dalla sincerità, che egli ricorreva per abitudine alla preparazione anche ne' più gravi commovimenti dell'animo.

Cercò d'imaginare la scena; compose alcune frasi; scelse con gli occhi intorno il luogo più propizio al colloquio. Poi anche si levò per vedere in uno specchio se il suo volto era pallido, se rispondeva alla circostanza. E il suo sguardo, nello specchio, si fermò alle tempie, all'attaccatura dei capelli, dove Elena *allora* soleva mettere un bacio delicato. Aprì le labbra per mirare la perfetta lucentezza dei denti e la freschezza delle gengive, ricordando che un tempo ad Elena piaceva in lui sopra tutto la bocca. La sua vanità di giovine viziato ed effe-

minato non trascurava mai nell'amore alcun effetto di grazia o
di forma. Egli sapeva, nell'esercizio dell'amore, trarre dalla
sua bellezza il maggior possibile godimento. Questa felice attitudine del corpo e questa acuta ricerca del piacere appunto gli
cattivavano l'animo delle donne. Egli aveva in sé qualche cosa
di Don Giovanni e di Cherubino: sapeva essere l'uomo d'una
notte erculea e l'amante timido, candido, quasi verginale. La
ragione del suo potere stava in questo: che, nell'arte d'amare,
egli non aveva ripugnanza ad alcuna finzione, ad alcuna falsità,
ad alcuna menzogna. Gran parte della sua forza era nella ipo-
crisia.

«Quale atto io farò accogliendola? Quali parole io le dirò?»
Egli si smarriva, mentre i minuti fuggivano. Egli non sapeva
già con quali disposizioni Elena sarebbe venuta.

L'aveva incontrata la mattina innanzi per la via de' Condotti,
mentre ella guardava nelle vetrine. Era tornata a Roma da pochissimi giorni, dopo una lunga assenza oscura. L'incontro improvviso aveva dato ad ambedue una commozione viva; ma la
publicità della strada li aveva costretti ad un riserbo cortese,
cerimonioso, quasi freddo. Egli le aveva detto, con un'aria
grave, un po' triste, guardandola negli occhi: — Ho tante cose
da raccontarvi, Elena. Venite da me, domani? Nulla è mutato
nel *buen retiro*. — Ella aveva risposto, semplicemente: —
Bene; verrò. Aspettatemi alle quattro, circa. Ho anch'io qualche cosa da dirvi. Ora lasciatemi.

Ella aveva accettato sùbito l'invito, senza esitazione alcuna,
senza metter patti, senza mostrar di dare importanza alla cosa.
Una tal prontezza aveva da prima suscitato in Andrea non so
qual preoccupazione vaga. Sarebbe ella venuta come un'amica
o come un'amante? Sarebbe venuta a riallacciare l'amore o a
rompere ogni speranza? In quei due anni che era mai accaduto
nell'animo di lei? Andrea non sapeva; ma gli durava ancóra la
sensazione avuta dallo sguardo di lei, nella strada, quando egli
erasi inchinato a salutarla. Era pur sempre il medesimo
sguardo, così dolce, così profondo, così lusinghevole, tra i lunghissimi cigli.

Mancavano due o tre minuti all'ora. L'ansia dell'aspettante
crebbe a tal punto ch'egli credeva di soffocare. Andò alla finestra, di nuovo, e guardò verso le scale della Trinità. Elena, un
tempo, saliva per quelle scale ai convegni. Mettendo il piede
su l'ultimo gradino, si soffermava un istante; poi traversava
rapida quel tratto di piazza ch'è d'innanzi alla casa dei Casteldelfino. Si udiva il suo passo un poco ondeggiante risonare sul
lastrico, se la piazza era silenziosa.

L'orologio batté le quattro. Giungeva dalla piazza di Spagna
e dal Pincio il romore delle vetture. Molta gente camminava

sotto gli alberi, d'innanzi alla Villa Medici. Due donne stavano
sul sedile di pietra, sotto la chiesa, a guardia di alcuni bimbi
che correvano intorno l'obelisco. L'obelisco era tutto roseo,
investito dal sole declinante; e segnava un'ombra lunga, obli-
qua, un po' turchina. L'aria diveniva rigida, come più s'ap-
pressava il tramonto. La città, in fondo, si tingeva d'oro, contro un cielo pallidissimo sul quale già i cipressi del Monte
Mario si disegnavan neri.

Andrea trasalì. Vide un'ombra apparire in cima alla piccola
scala che costeggia la casa dei Casteldelfino e discendere su la
piazzetta Mignanelli. Non era Elena; ma una signora che voltò
per la via Gregoriana, camminando adagio.

«S'ella non venisse?» dubitò, ritraendosi dalla finestra. E,
nel ritrarsi dall'aria fredda, sentì più molle il tepore della
stanza, più acuto il profumo del ginepro e delle rose, più misteriosa l'ombra delle tende e delle portiere. Pareva che in quel
momento la stanza fosse tutta pronta ad accogliere la donna
desiderata. Egli pensò alla sensazione che Elena avrebbe avuto
entrando. Certo, ella sarebbe stata vinta da quella dolcezza così
piena di memorie; avrebbe d'un tratto perduta ogni nozione
della realtà, del tempo; avrebbe creduto di trovarsi ad uno de'
convegni abituali, di non aver mai interrotta quella pratica di
voluttà, d'esser pur sempre la Elena d'una volta. Se il teatro
dell'amore era immutato, perché sarebbe mutato l'amore?
Certo, ella avrebbe sentita la profonda seduzione delle cose
una volta dilette.

Allora cominciò nell'aspettante una nuova tortura. Gli spiriti
acuiti dalla consuetudine della contemplazione fantastica e del
sogno poetico dànno alle cose un'anima sensibile e mutabile
come l'anima umana; e leggono in ogni cosa, nelle forme, ne'
colori, ne' suoni, ne' profumi, un simbolo trasparente, l'emblema d'un sentimento o d'un pensiero; ed in ogni fenomeno,
in ogni combinazion di fenomeni credono indovinare uno stato
psichico, una significazione morale. Talvolta la visione è così
lucida che produce in quegli spiriti un'angoscia: si sentono essi
come soffocare dalla pienezza della vita rivelata e si sbigotti-
scono de' loro stessi fantasmi.

Andrea vide nell'aspetto delle cose intorno riflessa l'ansietà
sua; e come il suo desiderio si sperdeva inutilmente nell'attesa
e i suoi nervi s'indebolivano, così parve a lui che l'essenza
direi quasi erotica delle cose anche vaporasse e si dissipasse
inutilmente. Tutti quegli oggetti, in mezzo a' quali egli aveva
tante volte amato e goduto e sofferto, avevano per lui acquistato qualche cosa della sua sensibilità. Non soltanto erano testimoni de' suoi amori, de' suoi piaceri, delle sue tristezze, ma
eran partecipi. Nella sua memoria, ciascuna forma, ciascun co-

lore armonizzava con una imagine muliebre, era una nota in un
accordo di bellezza, era un elemento in una estasi di passione.
Per la natura del suo gusto, egli ricercava negli amori un gaudio molteplice: il complicato diletto di tutti i sensi, l'alta commozione intellettuale, gli abbandoni del sentimento, gli impeti
della brutalità. E poiché egli ricercava con arte, come un estetico, traeva naturalmente dal mondo delle cose molta parte
della sua ebrezza. Questo delicato istrione non comprendeva la
comedia dell'amore senza gli scenarii.

Perciò la sua casa era un perfettissimo teatro; ed egli era un
abilissimo apparecchiatore. Ma nell'artificio quasi sempre egli
metteva tutto sé; vi spendeva la ricchezza del suo spirito largamente; vi si obliava così che non di rado rimaneva ingannato
dal suo stesso inganno, insidiato dalla sua stessa insidia, ferito
dalle sue stesse armi, a simiglianza d'un incantatore il qual
fosse preso nel cerchio stesso del suo incantesimo.

Tutto, intorno, aveva assunto per lui quella inesprimibile apparenza di vita che acquistano, ad esempio, gli arnesi sacri, le
insegne d'una religione, gli strumenti d'un culto, ogni figura su
cui si accumuli la meditazione umana o da cui l'imaginazione
umana poggi a una qualche ideale altezza. Come una fiala
rende dopo lunghi anni il profumo dell'essenza che vi fu un
giorno contenuta, così certi oggetti conservavano pur qualche
vaga parte dell'amore onde li aveva illuminati e penetrati quel
fantastico amante. E a lui veniva da loro una incitazion tanto
forte ch'egli n'era turbato talvolta come dalla presenza d'un
potere soprannaturale.

Pareva, in vero, ch'egli conoscesse direi quasi la virtualità
afrodisiaca latente in ciascuno di quegli oggetti e la sentisse in
certi momenti sprigionarsi e svolgersi e palpitare intorno a lui.
Allora, s'egli era nelle braccia dell'amata, dava a sé stesso ed
al corpo ed all'anima di lei una di quelle supreme feste il cui
solo ricordo basta a rischiarare una intiera vita. Ma s'egli era
solo, un'angoscia grave lo stringeva, un rammarico inesprimibile, al pensiero che quel grande e raro apparato d'amore si
perdeva inutilmente.

Inutilmente! Nelle alte coppe fiorentine le rose, anch'esse
aspettanti, esalavano tutta la intima lor dolcezza. Sul divano,
alla parete, i versi argentei in gloria della donna e del vino,
frammisti così armoniosamente agli indefinibili colori serici
nel tappeto persiano del XVI secolo, scintillavano percossi dal
tramonto, in un angolo schietto disegnato dalla finestra, e ren-
devan più diafana l'ombra vicina, propagavano un bagliore ai
cuscini sottostanti. L'ombra, ovunque, era diafana e ricca,
quasi direi animata dalla vaga palpitazion luminosa che hanno
i santuarii oscuri ov'è un tesoro occulto. Il fuoco nel camino

crepitava; e ciascuna delle sue fiamme era, secondo l'imagine
di Percy Shelley, come una gemma disciolta in una luce sempre mobile. Pareva all'amante che ogni forma, che ogni colore,
che ogni profumo rendesse il più delicato fiore della sua essenza, in quell'attimo. Ed *ella* non veniva! Ed *ella* non veniva!
   Sorse allora nella mente di lui, per la prima volta, il pensiero
del marito.
   Elena non era più libera. Aveva rinunziato alla bella libertà
della vedovanza, passando in seconde nozze con un gentiluomo d'Inghilterra, con un Lord Humphrey Heathfield, alcuni
mesi dopo l'improvvisa partenza da Roma. Andrea infatti si ricordava di aver visto l'annunzio del matrimonio in una cronaca
mondana, nell'ottobre del mille ottocento ottanta cinque; e
d'aver sentito fare su la nuova Lady Helen Heathfield una infinità di comenti per tutte le villeggiature di quell'autunno romano. Anche si ricordava di avere incontrato una diecina di
volte, nel precedente inverno, quel Lord Humphrey ai sabati
della principessa Giustiniani-Bandini e nelle vendite publiche.
Era un uomo di quarant'anni, d'una biondezza cinerea, calvo
su le tempie, quasi esangue, con due occhi chiari ed acuti, con
una gran fronte sporgente solcata di vene. Il suo nome, Heathfield, era ben quello del luogotenente generale che fu l'eroe
della celebre difesa di Gibilterra (1779-83), reso immortale
anche dal pennello di Joshua Reynolds.
   Qual parte aveva quell'uomo nella vita di Elena? Da quali
legami, oltre che dalle nozze, era Elena legata a colui? Quali
transformazioni aveva operato in lei il contatto materiale e spirituale del marito?
   Gli enigmi sorsero d'un tratto nell'animo di Andrea, tumultuariamente. In mezzo al tumulto, gli apparve netta e precisa
l'imagine del connubio fisico di que' due; e il dolore fu così
insopportabile ch'egli si levò col balzo istintivo d'un uomo il
qual si senta d'improvviso ferire in un membro vitale. Attraversò la stanza, uscì nell'anticamera, origliò alla porta ch'egli
aveva lasciata socchiusa. Eran quasi le cinque meno un quarto.
   Dopo un poco, egli udì su per le scale un passo, un fruscìo
di vesti, un respiro affaticato. Certo, una donna saliva. Tutto il
sangue gli si mosse con tal veemenza, che, snervato dalla
lunga aspettazione, egli credeva di smarrire le forze e di cadere.
Ma pure udì il suono del piede feminile su gli ultimi gradini,
un respiro più lungo, il passo sul pianerottolo, su la soglia.
Elena entrò.
   — Oh, Elena! Finalmente.
   Era in quelle parole così profonda l'espressione dell'angoscia durata che alla donna apparve su le labbra un indefinibile
sorriso, misto di misericordia e di piacere. Egli le prese la de-

stra, ch'era senza guanto, traendola verso la stanza. Ella ansava
ancóra; ma aveva per tutto il volto diffusa una lieve fiamma,
sotto il velo nero.

— Perdonatemi, Andrea. Ma non ho potuto liberarmi prima
d'ora. Tante visite... tanti biglietti da restituire... Sono giornate
faticose. Non ne posso più. Come fa caldo qui! Che profumo!

Ella stava ancóra in piedi, nel mezzo della stanza; un po' titubante e preoccupata, sebbene parlasse rapida e leggera. Un
mantello di panno *Carmélite*, con maniche nello stile dell'Impero tagliate dall'alto in larghi sgonfi, spianate e abbottonate al
polso, con un immenso bavero di volpe azzurra per unica
guarnitura, le copriva tutta la persona senza toglierle la grazia
della snellezza. Ella guardava Andrea, con gli occhi pieni di
non so che sorriso tremulo che ne velava l'acuta indagine.
Disse:

— Voi siete un poco mutato. Non saprei dirvi in che. Avete
ora nella bocca, per esempio, qualche cosa di amaro ch'io non
conosceva.

Disse queste parole con un tono di familiarità affettuosa. La
voce di lei, risonando nella stanza, dava ad Andrea un diletto
così vivo ch'egli esclamò:

— Parlate, Elena; parlate ancóra!

Ella rise. E domandò:

— Perché?

Egli rispose, prendendole la mano:

— Voi lo sapete.

Ella ritrasse la mano; e guardò il giovine fin dentro gli
occhi.

— Io non so più nulla.

— Voi siete dunque mutata?

— Molto mutata.

Già il «sentimento» li traeva ambedue. La risposta di Elena
chiariva d'un tratto il problema. Andrea comprese; e, rapidamente ma precisamente, per un fenomeno d'intuizione non
raro in certi spiriti esercitati all'analisi dell'essere interiore, intravide l'attitudine morale della visitatrice e lo svolgimento
della scena che dovea seguire. Egli però era già tutto invaso
dalla malia di quella donna, come una volta. Inoltre, la curiosità lo pungeva forte. Disse:

— Non sedete?

— Sì, un momento.

— Là, su la poltrona.

— Ah, la *mia* poltrona! — ella stava per dire, con un moto
spontaneo, poiché l'aveva riconosciuta; ma si trattenne.

Era una seggiola ampia e profonda, ricoperta d'un cuoio antico, sparso di Chimere pallide a rilievo, in sul gusto di quello

che copre le pareti d'una stanza nel palazzo Chigi. Il cuoio
aveva preso quella tinta calda e opulenta che ricorda certi fondi
di ritratti veneziani, o un bel bronzo conservante appena una
traccia di doratura o una scaglia di tartaruga fina da cui traspa-
risca una foglia d'oro. Un gran cuscino, tagliato in una dalmatica, d'un colore assai disfatto, di quel colore che i setaiuoli
fiorentini chiamavano rosa di gruogo, rendeva molle la spalliera.

Elena sedette. Posò su l'orlo della tavola da tè il guanto destro e il portabiglietti ch'era una sottile guaina d'argento liscio
con sopra incise due giarrettiere allacciate, recanti un motto.
Quindi si tolse il velo, sollevando le braccia per isciogliere il
nodo dietro la testa; e l'atto elegante destò qualche onda lucida
nel velluto: alle ascelle, lungo le maniche, lungo il busto. Poiché il calore del camino era soverchio, ella si fece schermo con
la mano nuda che s'illuminò come un alabastro rosato: gli
anelli nel gesto scintillarono. Ella disse:

— Coprite il fuoco; vi prego. Brucia troppo.

— Non vi piace più la fiamma? Ed eravate, un tempo, una
salamandra! Questo camino è memore...

— Non movete le memorie — ella interruppe. — Coprite
dunque il fuoco, e accendete un lume. Io farò il tè.

— Non volete togliervi il mantello?

— No, perché debbo andar via presto. È già tardi.

— Ma soffocherete.

Ella si levò, con un piccolo atto d'impazienza.

— Aiutatemi, allora.

Andrea sentì, nel toglierle il mantello, il profumo di lei. Non
era più quello d'una volta; ma era d'una tal bontà che gli
giunse fino ai precordii.

— Avete un altro profumo — egli disse, con un accento
singolare.

Rispose ella, semplicemente:

— Sì. Vi piace?

Andrea, ancóra tenendo il mantello fra le mani, affondò il
volto nella pelliccia che ornava il collo e che più quindi era
profumata dal contatto della carne e de' capelli di lei. Poi
chiese:

— Come si chiama?

— È senza nome.

Ella di nuovo sedette su la poltrona, entrando nel chiaror
della fiamma. Aveva un abito nero, tutto composto di merletti
in mezzo a cui brillavano perline innumerevoli, nere e d'acciaio.

Il crepuscolo moriva contro i vetri. Andrea accese su i candelabri di ferro certe candele attorte, di colore aranciato molto intenso. Poi trasse d'innanzi al caminetto il parafuoco.

Ambedue, in quell'intervallo di silenzio, erano nell'animo perplessi. Elena non aveva la conscienza esatta del momento, né la sicurezza di sé; pur tentando uno sforzo, non riusciva a riafferrare il suo proposito, a raccogliere le sue intenzioni, a riprendere la sua volontà. D'innanzi a quell'uomo a cui un tempo l'aveva stretta una così alta passione, in quel luogo dove ella aveva vissuto la sua più ardente vita, sentiva a poco a poco tutti i pensieri vacillare, dissolversi, dileguarsi. Omai il suo spirito stava per entrare in quello stato delizioso, direi quasi di fluidità sentimentale, in cui riceve ogni movimento, ogni attitudine, ogni forma dalle vicende esterne, come un vapore aereo dalle mutazioni dell'atmosfera. Esitava, prima di abbandonarvisi.

Andrea disse, piano, quasi umile:

— Va bene, così?

Ella gli sorrise, senza rispondere, poiché quelle parole le avevano dato un diletto indefinibile, quasi un tremolio di dolcezza a sommo del petto. Incominciò la sua opera delicata. Accese la lampada sotto il vaso dell'acqua; aprì la scatola di lacca, dov'era conservato il tè, e mise nella porcellana una quantità misurata d'aroma; poi preparò due tazze. I suoi gesti erano lenti e un poco irresoluti, come di chi operando abbia l'animo rivolto ad altro oggetto; le sue mani bianche e purissime avevano nel muoversi una leggerezza quasi di farfalle, non parendo toccare le cose ma appena sfiorarle; dai suoi gesti, dalle sue mani, da ogni lieve ondulamento del suo corpo usciva non so che tenue emanazion di piacere e andava a blandire il senso dell'amante.

Andrea, seduto da presso, la guardava con gli occhi un poco socchiusi, bevendo per le pupille il fascino voluttuoso che nasceva da lei. Era come se ogni moto divenisse per lui tangibile idealmente. Quale amante non ha provato questo inesprimibile gaudio, in cui par quasi che la potenza sensitiva del tatto si affini così da avere la sensazione senza la immediata materialità del contatto?

Ambedue tacevano. Elena s'era abbandonata sul cuscino: aspettava che l'acqua bollisse. Guardando la fiamma azzurra della lampada, toglieva dalle dita gli anelli, e se li rimetteva di continuo, smarrita in un'apparenza di sogno. Non era un sogno, ma come una rimembranza vaga, ondeggiante, confusa, fuggevole. Tutte le memorie dell'amor passato le risorgevano nello spirito, ma senza chiarezza: e le davano una impressione incerta ch'ella non sapeva se fosse un piacere o un dolore. Pareva come quando da molti fiori estinti, de' quali ciascuno ha

perduta ogni singolarità di colori e di effluvi, nasce una comune esalazione in cui non è possibile riconoscere i diversi
elementi. Pareva ch'ella portasse in sé l'ultimo alito dei ricordi
già spirati, l'ultima traccia delle gioie già scomparse, l'ultimo
risentimento della felicità già morta, qualche cosa di simile a
un vapor dubbio da cui emergessero imagini senza nome,
senza contorno, interrotte. Ella non sapeva se fosse un piacere
o un dolore; ma a poco a poco quell'agitazion misteriosa,
quella inquietudine indefinibile aumentavano e le gonfiavano il
cuore di dolcezza e di amarezza. I presentimenti oscuri, i turbamenti occulti, i segreti rimpianti, i timori superstiziosi, le
aspirazioni combattute, i dolori soffocati, i sogni travagliati, i
desiderii non appagati, tutti quei torbidi elementi che compo-
nevano l'interior vita di lei ora si rimescolavano e tempesta-
vano.

Ella taceva, tutta raccolta in sé. Mentre il suo cuore quasi
traboccava, ella godeva accumularvi ancóra col silenzio la
commozione. Parlando, ella l'avrebbe dispersa.

Il vaso dell'acqua incominciò a levare il bollore pianamente.

Andrea su la sedia bassa, tenendo il gomito poggiato al ginocchio e il mento nella palma, guardava ora la bella creatura
con tale intensità ch'ella, pur non volgendosi, sentiva su la sua
persona quella persistenza e ne aveva quasi un vago malessere
fisico. Andrea, guardandola, pensava: «Io ho posseduto questa
donna, un giorno». Egli ripeteva a sé stesso l'affermazione, per
convincersi; e faceva, per convincersi, uno sforzo mentale, richiamava alla memoria una qualche attitudine di lei nel piacere,
cercava di rivederla fra le sue braccia. La certezza del possesso
gli sfuggiva. Elena gli pareva una donna nuova, non mai goduta, non mai stretta.

Ella era, in verità, ancor più desiderabile che una volta. L'e-
nigma quasi direi plastico della sua bellezza era ancor più
oscuro e attirante. La sua testa dalla fronte breve, dal naso diritto, dal sopracciglio arcuato, d'un disegno così puro, così
fermo, così antico, che pareva essere uscita dal cerchio d'una
medaglia siracusana, aveva negli occhi e nella bocca un singolar contrasto di espressione: quell'espression passionata, intensa, ambigua, sopraumana, che solo qualche moderno spirito,
impregnato di tutta la profonda corruzione dell'arte, ha saputo
infondere in tipi di donna immortali come Monna Lisa e Nelly
O' Brien.

«Altri ora la possiede» pensava Andrea, guardandola. «Altre
mani la toccano, altre labbra la baciano.» E, mentre egli non
giungeva a formar nella fantasia l'imagine dell'unione di sé
con lei, vedeva nuovamente invece, con implacabile precisione,

l'altra imagine. E una smania l'invadeva, di sapere, di scoprire, d'interrogare, acutissima.

Elena s'era chinata al tavolo, poiché il vapore fuggiva, per la commessura del coperchio, dal vaso bollente. Versò appena un poco d'acqua sul tè; poi mise due pezzi di zucchero in una sola tazza; poi versò sul tè altra acqua; poi spense la fiamma azzurra. Ella fece tutto questo con una cura quasi tenera, ma senza mai volgersi ad Andrea. L'interno tumulto risolvevasi ora in un intenerimento così molle ch'ella si sentiva chiudere la gola e inumidire gli occhi; e non poteva resistere. Tanti pensieri contrarii, tante contrarie agitazioni e alterazioni dell'animo si raccoglievano ora in una lacrima.

Ella, per un gesto, urtò il portabiglietti d'argento, che cadde sul tappeto. Andrea lo raccolse, e guardò le due giarrettiere incise. Portava ciascuna un motto sentimentale: *From Dreamland — A stranger hither*; Dal Paese del Sogno — Straniera qui.

Com'egli levava gli occhi, Elena gli offerì la tazza fumante, con un sorriso un poco velato dalla lacrima.

Vide egli quel velo; e innanzi a quell'inaspettato segno di tenerezza fu invaso da un tale impeto d'amore e di riconoscenza che posò la tazza, s'inginocchiò, prese la mano d'Elena, sopra vi mise la bocca.

— Elena! Elena!

Le parlava a voce bassa, in ginocchio, così da vicino che pareva volesse beverne l'alito. L'ardore era sincero, mentre le parole talvolta mentivano. «Egli l'amava, l'aveva sempre amata, non aveva mai mai mai potuto dimenticarla! Aveva sentito, rincontrandola, tutta la sua passione insorgere con tal violenza che n'aveva avuto quasi terrore: una specie di terrore ansioso, come s'egli avesse intravisto, in un lampo, lo sconvolgimento di tutta la sua vita.»

— Tacete! Tacete! — disse Elena, con il volto atteggiato di dolore, pallidissima.

Andrea seguitava, sempre in ginocchio, accendendosi nell'imaginazione del sentimento. «Egli aveva sentito trascinar via da lei, in quella fuga improvvisa, la maggiore e migliore parte di sé. Dopo, egli non sapeva dirle tutta la miseria dei suoi giorni, l'angoscia de' suoi rimpianti, l'assidua implacabile divorante sofferenza interiore. La tristezza cresceva, rompendo ogni diga. Egli n'era sopraffatto. La tristezza era per lui in fondo a tutte le cose. La fuga del tempo gli era un supplizio insopportabile. Non tanto egli rimpiangeva i giorni felici quanto si doleva de' giorni che ora passavano inutilmente per la felicità. Quelli almeno gli avean lasciato un ricordo: questi gli lasciavano un rammarico profondo, quasi un rimorso... La sua

vita si consumava in sé stessa, portando in sé la fiamma inestinguibile d'un sol desiderio, l'incurabile disgusto d'ogni altro
godimento. Talvolta lo assalivano impeti di cupidigia quasi
rabbiosi, disperati ardori verso il piacere; ed era come una ribellion violenta del cuore non saziato, come un sussulto della
speranza che non si rassegnava a morire. Talvolta anche gli pareva d'esser ridotto al nulla; e rabbrividiva innanzi ai grandi
abissi vacui del suo essere: di tutto l'incendio della sua giovinezza non gli restava che un pugno di cenere. Talvolta anche, a
simiglianza d'uno di que' sogni che si dileguano su l'alba,
tutto il suo passato, tutto il suo presente si dissolvevano; si di-
staccavano dalla sua conscienza e cadevano, come una spoglia
fragile, come una veste vana. Egli non si ricordava più di
nulla, come un uomo escito da una lunga infermità, come un
convalescente stupefatto. Egli alfine obliava; sentiva l'anima
sua entrar dolcemente nella morte... Ma, d'improvviso, su da
quella specie di tranquillità obliosa scaturiva un nuovo dolore e
l'idolo abbattuto risorgeva più alto come un germe indistruttibile. *Ella, ella* era l'idolo che seduceva in lui tutte le volontà
del cuore, rompeva in lui tutte le forze dell'intelletto, teneva in
lui tutte le più segrete vie dell'anima chiuse ad ogni altro
amore, ad ogni altro dolore, ad ogni altro sogno, per sempre,
per sempre...»

Andrea mentiva; ma la sua eloquenza era così calda, la sua
voce era così penetrante, il tócco delle sue mani era così amoroso, che Elena fu invasa da una infinita dolcezza.

— Taci! — ella disse. — Io non debbo ascoltarti; io non
sono più tua; io non potrò essere tua più mai. Taci! Taci!

— No, ascoltami.

— Non voglio. Addio. Bisogna ch'io vada. Addio, Andrea.
È già tardi, lasciami.

Ella sviluppò la mano dalla stretta del giovine; e, superando
ogni interno languore, fece atto di levarsi.

— Perché dunque sei venuta? — chiese egli, con la voce un
po' roca, impedendole quell'atto.

Sebbene la violenza fosse lievissima, ella corrugò i sopraccigli, ed esitò prima di rispondere.

— Son venuta — ella rispose, con una certa lentezza misurata, guardando l'amante negli occhi — son venuta perché tu
m'hai chiamata. Per l'amore d'una volta, per il modo con cui
quell'amore fu rotto, per il lungo silenzio oscuro della lontananza, io non avrei potuto senza durezza ricusare l'invito. E
poi, io voleva dirti quel che t'ho detto: ch'io non sono più tua,
che non potrò essere tua più mai. Voleva dirti questo, leal-
mente, per evitare a me e a te qualunque inganno doloroso,

qualunque pericolo, qualunque amarezza, nell'avvenire. Hai inteso?

Andrea chinò il capo, quasi su le ginocchia di lei, in silenzio. Ella gli toccò i capelli, col gesto un tempo familiare.

— E poi — seguitò, con una voce che mise a lui un brivido in tutte le fibre — e poi... voleva dirti ch'io ti amo, ch'io ti amo non meno d'una volta, che ancóra tu sei l'anima dell'anima mia, e che io voglio essere la tua sorella più cara, la tua amica più dolce. Hai inteso?

Andrea non si mosse. Ella, prendendo le tempie di lui fra le sue mani, gli sollevò la fronte; lo costrinse a guardarla negli occhi.

— Hai inteso? — ripeté, con una voce anche più tenera e più sommessa.

I suoi occhi, all'ombra de' lunghi cigli, parevano come suffusi d'un qualche olio purissimo e sottilissimo. La sua bocca, un poco aperta, aveva nel labbro superiore un piccolo tremito.

— No; tu non mi amavi, tu non mi ami! — ruppe infine Andrea, togliendosi dalle tempie le mani di lei e traendosi indietro, poiché sentiva già nelle vene il fuoco insinuante ch'esalavano anche involontariamente quelle pupille e provava più acre il dolore d'aver perduto il possesso materiale della bellissima donna. — Tu non mi amavi! Tu, *allora*, avesti cuore d'uccidere l'amor tuo, d'improvviso, quasi a tradimento, mentre ti dava la sua ebrezza più forte. Tu mi fuggisti, tu mi abbandonasti, tu mi lasciasti solo, sbigottito, tutto doloroso, a terra, mentre io era ancóra accecato di promesse. Tu non mi amavi, tu non mi ami! Dopo una lontananza così lunga, piena di misteri, muta e inesorabile; dopo una così lunga attesa, in cui ho consunto il fiore della mia vita a nutrire una tristezza che m'era cara perché mi veniva da te; dopo tanta felicità e dopo tanta sciagura, ecco, tu rientri in un luogo dove ogni cosa per noi custodisce un ricordo ancóra vivo, e mi dici soavemente: «Io non sono più tua. Addio». Ah, tu non mi ami!

— Ingrato! Ingrato! — esclamò Elena, ferita dalla voce quasi irosa del giovine. — Che sai tu di quel ch'è accaduto, di quel ch'io ho sofferto? Che sai?

— Io non so nulla, io non voglio nulla sapere — rispose Andrea, duramente, involgendola d'uno sguardo un po' torbido, in fondo a cui tralucevano i suoi desiderii esasperati. — Io so che tu fosti mia, un giorno, tutta quanta, con un abbandono senza ritegno, con una voluttà senza misura, come non mai alcuna altra donna; e so che né il mio spirito né la mia carne dimenticheranno mai quella ebrezza...

— Taci!

— Che fa a me la tua pietà di sorella? Tu, contro il tuo vo-

lere, me la offri guardandomi con occhi d'amante, toccandomi
con mani malsicure. Troppe volte ho veduto i tuoi occhi spen-
gersi nel gaudio; troppe volte le tue mani m'han sentito rabbri-
vidire. Io ti desidero.

Incitato dalle sue stesse parole, egli la strinse forte ai polsi
ed appressò la sua faccia a quella di lei così ch'ella ebbe in su
la bocca il caldo alito.

— Io ti desidero, come non mai — seguitò egli, cercando
d'attirarla al suo bacio, circondandole con un braccio il busto.

— Ricórdati! Ricórdati!

Elena si levò respingendolo. Tremava tutta.

— Non voglio. Intendi?

Egli non intendeva. Si riavvicinava ancóra, con le braccia
tese, per prenderla: pallidissimo, risoluto.

— Soffriresti tu — gridò ella con la voce un po' soffocata,
non potendo patire la violenza — soffriresti tu di spartire con
altri il mio corpo?

Ella aveva profferita quella domanda crudele, senza pensare.
Ora, con gli occhi molto aperti, guardava l'amante: ansiosa e
quasi sbigottita, come chi per salvarsi abbia vibrato un colpo
senza misurarne la forza, e tema di aver ferito troppo nel profondo.

L'ardore di Andrea cadde d'un tratto. E gli si dipinse sul
volto un dolor così grave che la donna n'ebbe al cuore una
fitta.

Andrea disse, dopo un intervallo di silenzio:

— Addio.

In quella sola parola era l'amarezza di tutte le altre parole
ch'egli aveva ricacciate indietro.

Elena rispose dolcemente:

— Addio. Perdonami.

Ambedue sentirono la necessità di chiudere, per quella sera,
il colloquio periglioso. L'uno assunse una forma di cortesia
esteriore quasi esagerata. L'altra divenne anche più dolce,
quasi umile; e l'agitava un tremito incessante.

Prese ella di su la sedia il suo mantello. Andrea l'aiutò, con
maniere premurose. Come ella non giungeva a mettere un
braccio in una manica, Andrea la guidò, appena toccandola;
quindi le porse il cappello e il velo.

— Volete andare di là, allo specchio?

— No, grazie.

Ella andò verso la parete, a fianco del caminetto, ove pendeva un piccolo specchio antico dalla cornice ornata di figure
scolpite con uno stile così agile e franco che parevano, piuttosto che nel legno, formate in un oro malleabile. Era un'assai
leggiadra cosa, uscita certo dalle mani d'un delicato quattro-

centista per una Mona Amorrosisca o per una Laldomine.
Molte volte, nel tempo felice, Elena s'era messo il velo d'innanzi a quella lastra offuscata e maculata che aveva apparenza
d'un'acqua torba, un poco verdastra. Ora, si risovveniva.

Quando vide la sua imagine apparire in quel fondo, ebbe
un'impressione singolare. Un'onda di tristezza, più densa, le
traversò lo spirito. Ma non parlò.

Andrea la guardava, con occhi intenti.

Come fu pronta, ella disse:

— Sarà molto tardi.

— Non molto. Saranno le sei, forse.

— Io ho licenziata la mia carrozza — ella soggiunse. — Vi
sarei tanto grata se mi faceste prendere una vettura chiusa.

— Permettete ch'io vi lasci qui sola, un momento? Il mio
domestico è fuori.

Ella assentì.

— Date voi stesso l'indirizzo al vetturino, vi prego: Albergo
del Quirinale.

Egli uscì, chiudendo dietro di sé la porta della stanza. Ella
rimase sola.

Rapidamente, volse gli occhi intorno, abbracciò con uno
sguardo indefinibile tutta la stanza, si fermò alle coppe dei
fiori. Le pareti le sembravano più vaste, la volta le sembrava
più alta. Guardando, ella aveva la sensazione come d'un principio di vertigine. Non avvertiva più il profumo; ma certo
l'aria doveva essere ardente e grave come in una serra. L'imagine di Andrea le appariva in una specie di balenio intermit-
tente; le sonava negli orecchi qualche onda vaga della voce di
lui. Stava ella per aver male? — Pure, che delizia chiudere gli
occhi e abbandonarsi a quel languore!

Scotendosi, andò verso la finestra, l'aprì, respirò il vento.
Rianimata, si volse di nuovo alla stanza. Le fiamme pallide
delle candele oscillavano agitando leggere ombre su le pareti.
Il camino non aveva più vampa, ma i tizzoni illuminavano in
parte le figure sacre nel parafuoco fatto d'un frammento di vetrata ecclesiastica. La tazza di tè era rimasta su l'orlo del tavolo, fredda, intatta. Il cuscino della poltrona conservava ancóra l'impronta del corpo ch'eravisi affondato. Tutte le cose
intorno esalavano una melanconia indistinta che affluiva e
s'addensava al cuor della donna. Il peso cresceva su quel debole cuore, diveniva un'oppressione dura, un affanno insopportabile.

— Mio Dio! Mio Dio!

Ella avrebbe voluto fuggire. Una folata di vento più viva
gonfiò le tende, agitò le fiammelle, sollevò un fruscìo. Ella trasalì, con un brivido; e quasi involontariamente chiamò:

— Andrea!

La sua voce, quel nome, nel silenzio, le diedero uno strano sussulto, come se la voce, il nome non fossero partiti dalla sua bocca. — Perché Andrea indugiava? — Ella si mise in ascolto. Non giungeva che il romor sordo, cupo, confuso della vita urbana, nella sera di San Silvestro. Su la piazza della Trinità de' Monti non passava alcuna vettura. Come il vento a tratti soffiava forte, ella richiuse la finestra: intravide la cima dell'obelisco, nera sul cielo stellato.

Forse Andrea non aveva trovata sùbito la vettura coperta, in piazza Barberini. Ella aspettò, seduta sul divano, cercando di quietare la folle agitazione, evitando di guardarsi nell'anima, forzando la sua attenzione alle cose esteriori. Attirarono i suoi occhi le figure vitree del parafuoco, appena illuminate dai tizzoni semispenti. Più sopra, su la sporgenza del caminetto, da una delle coppe cadevano le foglie d'una grande rosa bianca che si disfaceva a poco a poco, languida, molle, con qualche cosa di feminino, direi quasi di carnale. Le foglie, concave, si posavano delicatamente sul marmo, simili a falde di neve nella caduta.

«Quanto, allora, pareva soave alle dita quella neve odorante!» ella pensò. «Tutte sfogliate, le rose conspargevano i tappeti, i divani, le sedie; ed ella rideva, felice, in mezzo alla devastazione; e l'amante, felice, erale ai piedi.»

Ma udì fermarsi una carrozza d'innanzi alla porta, nella strada; e si levò, scotendo la povera testa, come per cacciar via quella specie di ottusità che la fasciava. Sùbito dopo, rientrò Andrea, ansante.

— Perdonatemi — disse. — Ma, non avendo trovato il portiere, sono sceso fino in piazza di Spagna. La vettura è giù che aspetta.

— Grazie — fece Elena guardandolo timidamente a traverso il velo nero.

Egli era serio e pallido, ma calmo.

— Mumps arriverà forse domani — soggiunse ella, con una voce tenue. — Vi scriverò un biglietto, per dirvi quando potrò vedervi.

— Grazie — fece Andrea.

— Addio, dunque — ella riprese, tendendogli la mano.

— Volete che vi accompagni fin giù alla strada? Non c'è nessuno.

— Sì, accompagnatemi.

Ella guardavasi a torno, un poco esitante.

— Avete dimenticato nulla? — chiese Andrea.

Ella guardò i fiori. Ma rispose:

— Ah sì, il portabiglietti.

Andrea corse a prenderlo sul tavolo del tè. Porgendolo a lei, disse:

— *A stranger hither!*[1]

— *No, my dear. A friend.*[2]

Elena pronunziò questa risposta con la voce molto animata, vivacemente. Poi, d'un tratto, con un suo sorriso tra supplichevole e lusinghevole, misto di temenza e di tenerezza, su cui tremolò l'orlo del velo che giungeva fino al labbro superiore lasciando tutta libera la bocca:

— *Give me a rose.*[3]

Andrea andò a ciascun vaso; e tolse tutte le rose, stringendole in un gran fascio ch'egli a stento reggeva tra le mani. Alcune caddero, altre si sfogliarono.

— Erano per voi, tutte — egli disse, senza guardare l'amata.

Ed Elena si volse per uscire, col capo chino, in silenzio, seguita da lui.

Discesero le scale, sempre in silenzio. Egli le vedeva la nuca, così fresca e delicata, dove di sotto al nodo del velo i piccoli riccioli neri si mescolavano alla pelliccia cinerea.

— Elena! — chiamò, a voce bassa, non potendo più vincere la struggente passione che gli gonfiava il cuore.

Ella si rivolse, mettendosi l'indice su le labbra per indicargli di tacere, con un gesto dolente che pregava, mentre gli occhi le lucevano. Affrettò il passo, salì nella vettura, si sentì posare su le ginocchia le rose.

— Addio! Addio!

E, come la vettura si mosse, ella s'abbandonò al fondo, sopraffatta, rompendo in lacrime senza freno, straziando le rose con le povere mani convulse.

II.

Sotto il grigio diluvio democratico odierno, che molte belle cose e rare sommerge miseramente, va anche a poco a poco scomparendo quella special classe di antica nobiltà italica, in cui era tenuta viva di generazione in generazione una certa tradizion familiare d'eletta cultura, d'eleganza e di arte.

A questa classe, ch'io chiamerei arcadica perché rese appunto il suo più alto splendore nell'amabile vita del XVIII secolo, appartenevano gli Sperelli. L'urbanità, l'atticismo, l'amore delle delicatezze, la predilezione per gli studii insoliti, la curiosità estetica, la mania archeologica, la galanteria raffinata

---

[1] «Straniera qui!» (*N.d.C.*).
[2] «No, mio caro. Un amico.» (*N.d.C.*).
[3] «Dammi una rosa.» (*N.d.C.*).

erano nella casa degli Sperelli qualità ereditarie. Un Alessandro Sperelli, nel 1466, portò a Federigo d'Aragona, figliuolo di Ferdinando re di Napoli e fratello d'Alfonso duca di Calabria, il codice in foglio contenente alcune poesie «men rozze» de' vecchi scrittori toscani, che Lorenzo de' Medici aveva promesso in Pisa nel '65; e quello stesso Alessandro scrisse per la morte della divina Simonetta, in coro con i dotti del suo tempo, una elegìa latina, malinconica ed abbandonata a imitazion di Tibullo. Un altro Sperelli, Stefano, nel secolo medesimo, fu in Fiandra, in mezzo alla vita pomposa, alla preziosa eleganza, all'inaudito fasto borgognone; ed ivi rimase alla corte di Carlo il Temerario, imparentandosi con una famiglia fiamminga. Un figliuolo suo, Giusto, praticò la pittura sotto gli insegnamenti di Giovanni Gossaert; e insieme col maestro venne in Italia, al seguito di Filippo di Borgogna ambasciatore dell'imperator Massimiliano presso il papa Giulio II, nel 1508. Dimorò a Firenze, dove il principal ramo della sua stirpe continuava a fiorire; ed ebbe a secondo maestro Piero di Cosimo, quel giocondo e facile pittore, forte ed armonioso colorista, che risuscitava liberamente col suo pennello le favole pagane. Questo Giusto fu non volgare artista; ma consumò tutto il suo vigore in vani sforzi per conciliare la primitiva educazione gotica con il recente spirito del Rinascimento. Verso la seconda metà del secolo XVII la casata degli Sperelli si trasportò in Napoli. Ivi nel 1679 un Bartolomeo Sperelli pubblicò un trattato astrologico *De Nativitatibus*; nel 1720 un Giovanni Sperelli diede al teatro un'opera buffa intitolata *La Faustina* e poi una tragedia lirica intitolata *Progne*; nel 1756 un Carlo Sperelli stampò un libro di versi amatorii in cui molte classiche lascivie erano rimate con l'eleganza oraziana allora di moda. Miglior poeta fu Luigi, ed uomo di squisita galanteria, alla corte del re lazzarone e della regina Carolina. Verseggiò con un certo malinconico e gentile epicureismo, assai nitidamente; ed amò da fino amatore, ed ebbe avventure in copia, talune celebri, come quella con la marchesa di Bugnano che per gelosia s'avvelenò, e come quella con la contessa di Chesterfield che morta etica egli pianse in canzoni, odi, sonetti ed elegìe soavissime sebbene un poco frondose.

Il conte Andrea Sperelli-Fieschi d'Ugenta, unico erede, proseguiva la tradizion familiare. Egli era, in verità, l'ideal tipo del giovine signore italiano nel XIX secolo, il legittimo campione d'una stirpe di gentiluomini e di artisti eleganti, l'ultimo discendente d'una razza intellettuale.

Egli era, per così dire, tutto impregnato di arte. La sua adolescenza, nutrita di studii varii e profondi, parve prodigiosa. Egli alternò, fino a' venti anni, le lunghe letture coi lunghi viaggi in compagnia del padre e poté compiere la sua straordinaria educazione estetica sotto la cura paterna, senza restrizioni e constrizioni di pedagoghi. Dal padre appunto ebbe il gusto delle cose d'arte, il culto passionato della bellezza, il paradossale disprezzo de' pregiudizii, l'avidità del piacere.

Questo padre, cresciuto in mezzo agli estremi splendori della corte borbonica, sapeva largamente vivere; aveva una scienza profonda della vita voluttuaria e insieme una certa inclinazione byroniana al romanticismo fantastico. Lo stesso suo matrimonio era avvenuto in circostanze quasi tragiche, dopo una furiosa passione. Quindi egli aveva turbata e travagliata in tutti i modi la pace coniugale. Finalmente s'era diviso dalla moglie ed aveva sempre tenuto seco il figliuolo, viaggiando con lui per tutta l'Europa.

L'educazione d'Andrea era dunque, per così dire, viva, cioè fatta non tanto su i libri quanto in conspetto delle realità umane. Lo spirito di lui non era soltanto corrotto dall'alta cultura ma anche dall'esperimento; e in lui la curiosità diveniva più acuta come più si allargava la conoscenza. Fin dal principio egli fu prodigo di sé; poiché la grande forza sensitiva, ond'egli era dotato, non si stancava mai di fornire tesori alle sue prodigalità. Ma l'espansion di quella sua forza era la distruzione in lui di un'altra forza, della *forza morale* che il padre stesso non aveva ritegno a deprimere. Ed egli non si accorgeva che la sua vita era la riduzion progressiva delle sue facoltà, delle sue speranze, del suo piacere, quasi una progressiva rinunzia; e che il circolo gli si restringeva sempre più d'intorno, inesorabilmente sebben con lentezza.

Il padre gli aveva dato, tra le altre, questa massima fondamentale: «Bisogna *fare* la propria vita, come si fa un'opera d'arte. Bisogna che la vita d'un uomo d'intelletto sia opera di lui. La superiorità vera è tutta qui».

Anche, il padre ammoniva: «Bisogna conservare ad ogni costo intiera la libertà, fin nell'ebbrezza. La regola dell'uomo d'intelletto, eccola: — *Habere, non haberi*[4]».

Anche, diceva: «Il rimpianto è il vano pascolo d'uno spirito disoccupato. Bisogna sopra tutto evitare il rimpianto occupando sempre lo spirito con nuove sensazioni e con nuove imaginazioni».

Ma queste massime *volontarie*, che per l'ambiguità loro potevano anche essere interpretate come alti criterii morali, cadevano appunto in una natura *involontaria*, in un uomo, cioè, la cui potenza volitiva era debolissima.

Un altro seme paterno aveva perfidamente fruttificato nel-

---

4 «Possedere, non essere posseduti.» (*N.d.C.*).

l'animo di Andrea: il seme del sofisma. «Il sofisma» diceva quell'incauto educatore «è in fondo ad ogni piacere e ad ogni dolore umano. Acuire e moltiplicare i sofismi equivale dunque ad acuire e moltiplicare il proprio piacere o il proprio dolore. Forse, la scienza della vita sta nell'oscurare la verità. La parola è una cosa profonda, in cui per l'uomo d'intelletto son nascoste inesauribili ricchezze. I Greci, artefici della parola, sono infatti i più squisiti goditori dell'antichità. I sofisti fioriscono in maggior numero al secolo di Pericle, al secolo gaudioso.»

Un tal seme trovò nell'ingegno malsano del giovine un terreno propizio. A poco a poco, in Andrea la menzogna non tanto verso gli altri quanto verso sé stesso divenne un abito così aderente alla conscienza ch'egli giunse a non poter mai essere interamente sincero e a non poter mai riprendere su sé stesso il libero dominio.

Dopo la morte immatura del padre, egli si trovò solo, a ventun anno, signore d'una fortuna considerevole, distaccato dalla madre, in balia delle sue passioni e de' suoi gusti. Rimase quindici mesi in Inghilterra. La madre passò in seconde nozze, con un amante antico. Ed egli venne a Roma, per predilezione.

Roma era il suo grande amore: non la Roma dei Cesari ma la Roma dei Papi; non la Roma degli Archi, delle Terme, dei Fòri, ma la Roma delle Ville, delle Fontane, delle Chiese. Egli avrebbe dato tutto il Colosseo per la Villa Medici, il Campo Vaccino per la Piazza di Spagna, l'Arco di Tito per la Fontanella delle Tartarughe. La magnificenza principesca dei Colonna, dei Doria, dei Barberini l'attraeva assai più della ruinata grandiosità imperiale. E il suo gran sogno era di possedere un palazzo incoronato da Michelangelo e istoriato dai Caracci, come quello Farnese; una galleria piena di Raffaelli, di Tiziani, di Domenichini, come quella Borghese; una villa, come quella d'Alessandro Albani, dove i bussi profondi, il granito rosso d'Oriente, il marmo bianco di Luni, le statue della Grecia, le pitture del Rinascimento, le memorie stesse del luogo componessero un incanto intorno a un qualche suo superbo amore. In casa della marchesa d'Ateleta sua cugina, sopra un albo di confessioni mondane, accanto alla domanda «Che vorreste voi essere?» egli aveva scritto «Principe romano».

Giunto a Roma in sul finir di settembre del 1884, stabilì il suo *home* nel palazzo Zuccari alla Trinità de' Monti, su quel dilettoso tepidario cattolico dove l'ombra dell'obelisco di Pio VI segna la fuga delle Ore. Passò tutto il mese di ottobre tra le cure degli addobbi; poi, quando le stanze furono ornate e pronte, ebbe nella nuova casa alcuni giorni d'invincibile tristezza. Era una estate di San Martino, una primavera de' morti, grave e soave, in cui Roma adagiavasi, tutta quanta d'oro come una città dell'Estremo Oriente, sotto un ciel quasi latteo, diafano come i cieli che si specchiano ne' mari australi.

Quel languore dell'aria e della luce, ove tutte le cose parevano quasi perdere la loro realità e divenire immateriali, mettevano nel giovine una prostrazione infinita, un senso inesprimibile di scontento, di sconforto, di solitudine, di vacuità, di nostalgia. Il malessere vago proveniva forse anche dalla mutazione del clima, delle abitudini, degli usi. L'anima converte in fenomeni psichici le impressioni dell'organismo mal definite, a quella guisa che il sogno trasforma secondo la sua natura gli incidenti del sonno.

Certo egli ora entrava in un novello stadio. — Avrebbe alfin trovato la donna e l'opera capaci d'impadronirsi del suo cuore e di divenire il suo *scopo*? — Non aveva dentro di sé la sicurezza della forza né il presentimento della gloria o della felicità. Tutto penetrato e imbevuto di arte, non avéva ancóra prodotto nessuna opera notevole. Avido d'amore e di piacere, non aveva ancóra interamente amato né aveva ancor mai goduto ingenuamente. Torturato da un Ideale, non ne portava ancóra ben distinta in cima de' pensieri l'imagine. Aborrendo dal dolore per natura e per educazione, era vulnerabile in ogni parte, accessibile al dolore in ogni parte.

Nel tumulto delle inclinazioni contradditorie egli aveva smarrito ogni volontà ed ogni moralità. La volontà, abdicando, aveva ceduto lo scettro agli istinti; il senso estetico aveva sostituito il senso morale. Ma codesto senso estetico appunto, sottilissimo e potentissimo e sempre attivo, gli manteneva nello spirito un certo equilibrio; così che si poteva dire che la sua vita fosse una continua lotta di forze contrarie chiusa ne' limiti d'un certo equilibrio. Gli uomini d'intelletto, educati al culto della Bellezza, conservano sempre, anche nelle peggiori depravazioni, una specie di ordine. La concezion della Bellezza è, dirò così, l'*asse* del loro essere interiore, intorno al quale tutte le loro passioni gravitano.

Fluttuava ancóra su quella tristezza il ricordo di Costantia Landbrooke, vagamente, come un profumo svanito. L'amore di Conny era stato un assai fino amore; ed ella era una molto piacevole donna. Pareva una creatura di Thomas Lawrence; aveva in sé tutte le minute grazie feminine che son care a quel pittore dei falpalà, dei merletti, dei velluti, degli occhi luccicanti, delle bocche semiaperte; era una seconda incarnazione della piccola contessa di Shaftesbury. Vivace, loquace, mobilissima, prodiga di diminutivi infantili e di risa scampanellanti, facile alle tenerezze improvvise, alle malinconie subitanee, alle rapide ire, ella portava nell'amore molto movimento, molta varietà, molti capricci. La sua qualità più amabile era la freschezza, una freschezza tenace, continua, di tutte le ore. Quando si svegliava, dopo una notte di piacere, ella era tutta fragrante e monda come se uscisse allora dal bagno. La figura di lei, infatti, tornava nella memoria di Andrea specialmente con un'attitudine: con i capelli in parte sciolti sul collo e raccolti in parte al sommo del capo da un pettine fatto di *greche* d'oro; con l'iride degli occhi natante nel bianco, come una viola pallida nel latte; con la bocca aperta, rorida, tutta illuminata da' denti ridenti nel sangue roseo delle gengive; all'ombra delle cortine che diffondevano sul letto un albore tra glauco ed argenteo, simile alla luce d'un antro maritimo.

Ma il cinguettio melodioso di Conny Landbrooke era passato su l'animo di Andrea come una di quelle musiche leggere che lascian per qualche tempo nella mente un ritornello. Più d'una volta ella gli aveva detto, in qualche sua malinconia vespertina, con gli occhi velati di lacrime: «*I know you love me not...*». Egli, infatti, non l'amava, non n'era pago. Il suo ideale muliebre era men nordico. Idealmente, egli si sentiva attratto da una di quelle cortigiane del secolo XVI che sembrano portar sul volto non so qual velo magico, non so qual transparente maschera incantata, direi quasi un oscuro fascino notturno, il divino orrore della Notte.

Incontrando la duchessa di Scerni, Donna Elena Muti, egli pensò: «Ecco la *mia* donna». Tutto il suo essere ebbe una sollevazione di gioia, nel presentimento del possesso.

Fu il primo incontro in casa della marchesa d'Ateleta. Questa cugina d'Andrea nel palazzo Roccagiovine aveva saloni molto frequentati. Ella attraeva specialmente per la sua arguta giocondità, per la libertà de' suoi motti, per il suo infaticabile sorriso. I lineamenti gai del volto rammentavano certi profili feminini ne' disegni del Moreau giovine, nelle vignette del Gravelot. Ne' modi, ne' gusti, nelle fogge del vestire ella aveva qualche cosa di pompadouresco, non senza una lieve affettazione, poiché era legata da una singolar somiglianza alla favorita di Luigi XV.

Il mercoledì d'ogni settimana Andrea Sperelli aveva un posto alla mensa della marchesa. Un martedì a sera, in un palco del Teatro Valle, la marchesa gli aveva detto, ridendo:

— Bada di non mancare, Andrea, domani. Abbiamo tra gli invitati una persona *interessante*, anzi *fatale*. Premuniscti però contro la malia... Tu sei in un momento di debolezza.

Egli le aveva risposto, ridendo:

— Verrò inerme, se non ti dispiace, cugina; anzi in abito di vittima. È un abito di richiamo, che porto da molte sere; inutilmente, ahimè!

— Il sacrificio è prossimo, cugino mio.

— La vittima è pronta.

La sera seguente, egli venne al palazzo Roccagiovine alcuni minuti prima dell'ora consueta, avendo una mirabile gardenia all'occhiello e una inquietudine vaga in fondo all'anima. Il suo *coupé* si fermò innanzi alla porta, perché l'androne era già occupato da un'altra carrozza. Le livree, i cavalli, tutta la cerimonia che accompagnava la discesa della signora, avevano l'impronta della grande casata. Il conte intravide una figura alta e svelta, un'acconciatura tempestata di diamanti, un piccolo piede che si posò sul gradino. Poi, come anch'egli saliva la scala, vide la dama alle spalle.

Ella saliva d'innanzi a lui, lentamente, mollemente, con una specie di misura. Il mantello foderato d'una pelliccia nivea come la piuma de' cigni, non più retto dal fermaglio, le si abbandonava intorno al busto lasciando scoperte le spalle. Le spalle emergevano pallide come l'avorio polito, divise da un solco morbido, con le scapule che nel perdersi dentro i merletti del busto avevano non so qual curva fuggevole, quale dolce declinazione di ali; e su dalle spalle svolgevasi agile e tondo il collo; e dalla nuca i capelli, come ravvolti in una spira, piegavano al sommo della testa e vi formavano un nodo, sotto il morso delle forcine gemmate.

Quell'armoniosa ascensione della dama sconosciuta dava agli occhi d'Andrea un diletto così vivo ch'egli si fermò un istante, sul primo pianerottolo, ad ammirare. Lo strascico faceva su i gradini un fruscìo forte. Il servo camminava indietro, non su i passi della sua signora lungo la guida di tappeto rosso, ma da un lato, lungo la parete, con una irreprensibile compostezza. Il contrasto tra quella magnifica creatura e quel rigido automa era assai bizzarro. Andrea sorrise.

Nell'anticamera, mentre il servo prendeva il mantello, la dama gittò uno sguardo rapidissimo al giovine ch'entrava. Questi udì annunziare:

— Sua Eccellenza la duchessa di Scerni!

Sùbito dopo:

— Il signor conte Sperelli-Fieschi d'Ugenta!

E gli piacque che il suo nome fosse pronunziato accanto al nome di quella donna.

Nel salone erano già il marchese e la marchesa d'Ateleta, il barone e la baronessa d'Isola, Don Filippo del Monte. Il fuoco ardeva nel caminetto; alcuni divani eran disposti nel raggio del calore; quattro *musae* dalle larghe foglie venate di sanguigno si protendevano su le spalliere basse.

La marchesa, facendosi incontro ai due sopraggiunti, disse con quel suo bel riso inestinguibile:

— Per l'amabilità del caso, non c'è più bisogno di presentazione tra voi due. Cugino Sperelli, inchinatevi alla divina Elena.

Andrea s'inchinò profondamente. La duchessa gli offrì la mano, con un gesto di grazia, guardandolo negli occhi.

— Son molto lieta di vedervi, conte. Mi parlò tanto di voi, a Lucerna, l'estate scorsa, un vostro amico: Giulio Musèllaro. Ero, confesso, un po' curiosa... Musèllaro anche mi diede a leggere la rarissima vostra *Favola d'Ermafrodito* e mi regalò la vostra acquaforte del *Sonno*, una prova avanti lettera, un tesoro. Voi avete in me un'ammiratrice cordiale. Ricordatevi.

Ella parlava con qualche pausa. Aveva la voce così insinuante che quasi dava la sensazione d'una carezza carnale; e aveva quello sguardo involontariamente amoroso e voluttuoso che turba tutti gli uomini e ne accende d'improvviso la brama.

Un servo annunziò:

— Il cavaliere Sakumi!

Ed apparve l'ottavo ed ultimo commensale.

Era un segretario della Legazione giapponese, piccolo di statura, giallognolo, con i pomelli sporgenti, con gli occhi lunghi ed obliqui, venati di sangue, su cui le palpebre battevano di continuo. Aveva il corpo troppo grosso in paragon delle gambe troppo sottili; e camminava con le punte de' piedi in dentro, come se una cintura gli stringesse forte le anche. Le falde della sua giubba erano troppo abondanti; i calzoni facevano una quantità di pieghe; la cravatta portava assai visibili i segni della mano inesperta. Egli pareva un *daimio* cavato fuori da una di quelle armature di ferro e di lacca che somiglian gusci di crostacei mostruosi e poi ficcato ne' panni d'un tavoleggiante occidentale. Ma, pur nella sua goffaggine, aveva un'espressione arguta, una specie di finezza ironica agli angoli della bocca.

A mezzo del salone, s'inchinò. Il *gibus* gli cadde di mano.

La baronessa d'Isola, una bionda piccoletta, dalla fronte tutta coperta di riccioli, graziosa e smorfiosa come una giovine bertuccia, disse con la sua voce acuta:

— Venite qua, Sakumi, qua, accanto a me!

Il cavaliere giapponese s'inoltrava reiterando i sorrisi e gli inchini.

— Vedremo stasera la principessa Issé? — gli domandò Donna Francesca d'Ateleta, che piacevasi di raccogliere ne' suoi saloni i più bizzarri esemplari delle colonie esotiche in Roma per amor della varietà pittoresca.

L'Asiatico parlava una lingua barbarica, appena intelligibile, mista d'inglese, di francese e d'italiano.

Tutti, a un punto, parlavano. Era quasi un coro, di mezzo a

cui si levavano di tratto in tratto, come zampilli d'argento, le fresche risa della marchesa.

— Io vi ho certo veduta, un'altra volta; non so più dove, non so più quando, ma vi ho certo veduta — diceva Andrea Sperelli alla duchessa, ritto in piedi d'innanzi a lei. — Su per le scale, mentre vi guardavo salire, nel fondo della mia memoria si risvegliava un ricordo indistinto, qualche cosa che prendeva forma seguendo il ritmo di quel vostro salire, come un'imagine nascente da un'aria di musica... Non son giunto ad aver limpido il ricordo; ma, quando vi siete voltata, ho sentito che il vostro profilo aveva una non dubbia rispondenza con quella imagine. Non poteva essere una divinazione; era dunque un oscuro fenomeno della memoria. Io vi ho certo veduta, un'altra volta. Chi sa! Forse in un sogno, forse in una creazione d'arte, forse anche in un diverso mondo, in una esistenza anteriore...

Pronunziando queste ultime frasi troppo sentimentali e chimeriche, egli rise apertamente come per prevenire un sorriso o incredulo o ironico della dama. Elena invece rimase grave.

«Ascoltava ella o pensava ad altro? Accettava ella quella specie di discorsi o voleva con quella serietà prendersi gioco di lui? Intendeva ella di secondare l'opera di seduzione iniziata da lui così sollecitamente o si chiudeva nella indifferenza e nel silenzio incurante? Era ella, insomma, una donna per lui espugnabile o no?» Andrea, perplesso, interrogava il mistero. A quanti hanno l'abitudine della seduzione, specialmente ai temerarii, è nota questa perplessità che certe donne sollevano tacendo.

Un servo aprì la grande porta che dava nella sala da pranzo.

La marchesa mise il suo braccio sotto quello di Don Filippo del Monte e diede l'esempio. Gli altri seguirono.

— Andiamo — disse Elena.

Parve ad Andrea che ella gli si appoggiasse con un po' di abbandono. «Non era un'illusione del suo desiderio? Forse.» Egli pendeva nel dubbio; ma, ad ogni attimo che passava, si sentiva più a dentro conquistare dalla malia dolcissima; ad ogni attimo gli cresceva l'ansietà di penetrare l'animo della donna.

— Cugino, qui — disse Donna Francesca assegnandogli il posto.

Nella tavola ovale, egli stava tra il barone d'Isola e la duchessa di Scerni, avendo di fronte il cavaliere Sakumi. Il quale stava tra la baronessa d'Isola e Don Filippo del Monte. Il marchese e la marchesa occupavano i capi. Su la mensa le porcellane, le argenterie, i cristalli, i fiori scintillavano.

Assai poche dame potevan gareggiare con la marchesa d'Ateleta nell'arte di dar pranzi. Ella metteva più cura nella prepa-

razion di una mensa che in un abbigliamento. La squisitezza
del suo gusto appariva in ogni cosa; ed ella era, in verità, l'ar-
bitra delle eleganze conviviali. Le sue fantasie e le sue raffinatezze si propagavano per tutte le tavole della nobiltà quirite.
Ella, appunto, in quell'inverno aveva introdotta la moda delle
catene di fiori sospese dall'un capo all'altro, fra i grandi candelabri; ed anche la moda dell'esilissimo vaso di Murano, latteo
e cangiante come l'opale, con entro una sola orchidea, messo
tra i varii bicchieri innanzi a ciascun convitato.

— Fior diabolico — disse Donna Elena Muti, prendendo il
vaso di vetro e osservando da vicino l'orchidea sanguigna e
difforme.

Ella aveva la voce così ricca di suono che anche le parole
più volgari e le frasi più comuni parevano prendere su la sua
bocca non so qual significato occulto, non so qual misterioso
accento e qual grazia nuova. Alla guisa medesima il re frigio
faceva d'oro quantunque cose ei toccasse con la mano.

— Fiore simbolico, tra le vostre dita — mormorò Andrea,
guardando la dama che in quell'attitudine era sovrammirabile.

La dama vestiva un tessuto d'un color ceruleo assai pallido,
sparso di punti d'argento, che brillava di sotto ai merletti antichi di Burano bianchi d'un bianco indefinibile, pendente un
poco nel fulvo ma tanto poco che appena pareva. Il fiore, quasi
innaturale, come generato da un malefizio, ondeggiava in sul
gambo, fuor di quel fragile tubo che certo l'artefice avea foggiato con un soffio in una gemma liquefatta.

— Ma io preferisco le rose — disse Elena, posando l'orchidea, con un atto di repulsione che faceva contrasto al suo precedente moto di curiosità.

Poi si gettò nella conversazione generale. Donna Francesca
parlava dell'ultimo ricevimento all'Ambasciata d'Austria.

— Vedesti Madame de Cahen? — le chiese Elena. — A-
veva un abito di *tulle* giallo tempestato di non so quanti colibrì
con gli occhi di rubino. Una magnifica uccelliera danzante... E
Lady Ouless, la vedesti? Aveva una vesta di *tarlatane* bianca,
tutta sparsa di alghe marine e di non so che pesci rossi, e su
l'alghe e su i pesci una seconda vesta di *tarlatane* verdemare.
Non la vedesti? Un aquario di bellissimo effetto...

Ed ella, dopo le piccole maldicenze, rideva d'un riso cordiale che le dava un tremolio alla parte inferiore del mento e
alle narici.

D'innanzi a quella volubilità incomprensibile, Andrea rimaneva ancor titubante. Quelle cose frivole o maligne uscivano
dalle stesse labbra che allora allora, pronunziando una frase
semplicissima, l'avevan turbato fin nel profondo; uscivano
dalla stessa bocca che allora allora, tacendo, eragli parsa la

bocca della Medusa di Leonardo, umano fiore dell'anima divinizzato dalla fiamma della passione e dall'angoscia della morte. «Qual era dunque la vera essenza di quella creatura? Aveva ella percezione e conscienza della sua metamorfosi costante o era ella impenetrabile anche a sé stessa, rimanendo fuori del proprio mistero? Quanto nelle sue espressioni e manifestazioni entrava d'artificio e quanto di spontaneità?» Il bisogno di conoscere lo pungeva anche fra la delizia in lui effusa dalla vicinanza della donna ch'egli incominciava ad amare. La trista consuetudine dell'analisi l'incitava pur sempre, gli impediva pur sempre di obliarsi; ma ogni tentativo era punito, come la curiosità di Psiche, dall'allontanamento dell'amore, dall'offuscamento dell'oggetto vagheggiato, dalla cessazion del piacere. «Non era meglio, invece, abbandonarsi ingenuamente alla prima ineffabile dolcezza dell'amor che nasceva?» Egli vide Elena nell'atto di bagnare le labbra in un vino biondo come un miele liquido. Scelse tra i bicchieri quello ove il servo aveva versato un egual vino; e bevve con Elena. Ambedue, nel tempo medesimo, posarono su la tovaglia il cristallo. La comunità dell'atto fece volgere l'una verso l'altro. E lo sguardo li accese ambedue, più assai del sorso.

— Non parlate? — chiesegli Elena, con un'affettazione di leggerezza, che le alterava un poco la voce. — Corre fama voi siate uno squisitissimo parlatore... Scuotetevi, dunque!

— Ah, cugino, cugino! — esclamò Donna Francesca, con un'aria di commiserazione, mentre Don Filippo del Monte le mormorava qualche cosa nell'orecchio.

Andrea si mise a ridere.

— Cavaliere Sakumi, noi siamo i taciturni. Scuotiamoci!

All'Asiatico scintillarono di malizia i lunghi occhi, ancor più rosseggianti sul rossor fosco che i vini gli accendevano ai pomelli. Fino a quel momento, egli aveva guardato la duchessa di Scerni, con l'espressione estatica d'un bonzo che sia nel conspetto della divinità. La sua larga faccia, che pareva uscita fuori da una pagina classica del gran figuratore umorista O-kou-sai, rosseggiava come una luna d'agosto, tra le catene de' fiori.

— Sakumi — soggiunse a bassa voce Andrea, chinandosi verso Elena — è innamorato.

— Di chi?

— Di voi. Non ve ne siete accorta?

— No.

— Guardatelo.

Elena si volse. E l'amorosa contemplazione del *daimio* travestito le chiamò su le labbra un riso così aperto che quegli si sentì ferire e restò visibilmente umiliato.

— Tenete — ella disse per compensarlo; e, spiccando dal

festone una camelia bianca, la gittò all'inviato del Sol Levante.
— Trovate una similitudine, in mia lode.

L'Asiatico portò la camelia alle labbra, con un gesto comico di divozione.

— Ah, ah, Sakumi, — fece la piccola baronessa d'Isola — voi mi siete infedele!

Egli balbettò qualche parola, accendendosi anche più nel volto. Tutti ridevano, liberamente, come se quello straniero fosse stato invitato appunto per dare agli altri argomento di gioco. E Andrea, ridendo, si volse alla Muti.

Ella tenendo il capo sollevato, anzi piegato indietro un poco, guardava il giovine furtivamente, di fra le palpebre socchiuse, con uno di quegli indescrivibili sguardi della donna, che paiono assorbire e quasi direi bevere dall'uom preferito tutto ciò che in lui è più amabile, più desiderabile, più godibile, tutto ciò che in lei ha destata quella istintiva esaltazion sessuale da cui ha principio la passione. I lunghissimi cigli velavano l'iride inclinata all'angolo dell'orbita; e il bianco nuotava come in una luce liquida, un po' azzurra; e un tremolio quasi impercettibile moveva la palpebra inferiore. Pareva che il raggio dello sguardo andasse alla bocca di Andrea, come alla cosa più dolce.

Elena era presa, infatti, da quella bocca. Pura di forma, accesa di colore, gonfia di sensualità, con un'espressione un po' crudele quando rimaneva serrata, quella bocca giovenile ricordava per una singolar somiglianza il ritratto del gentiluomo incognito ch'è nella Galleria Borghese, la profonda e misteriosa opera d'arte in cui le imaginazioni affascinate credetter ravvisare la figura del divino Cesare Borgia dipinta dal divino Sanzio. Quando le labbra si aprivano al riso, quell'espressione fuggiva; e i denti bianchi quadri, eguali, d'una straordinaria lucentezza, illuminavano una bocca tutta fresca e gioconda come quella d'un fanciullo.

Appena Andrea si volse, Elena ritrasse lo sguardo; ma non così presto che il giovine non ne cogliesse il baleno. N'ebbe egli una gioia così forte che sentì salirsi alle gote una fiamma. «Ella mi vuole! Ella mi vuole!» pensò, esultando, nella certezza d'aver già conquistata la rarissima creatura. Ed anche pensò: «È un piacere *non mai provato*».

Ci sono certi sguardi di donna che l'uomo amante non iscambierebbe con l'intero possesso del corpo di lei. Chi non ha veduto accendersi in un occhio limpido il fulgore della prima tenerezza non sa la più alta delle felicità umane. Dopo, nessun altro attimo di gioia eguaglierà quell'attimo.

Elena domandò, mentre intorno la conversazione facevasi più viva:

— Resterete a Roma tutto l'inverno?

— Tutto l'inverno, e oltre — rispose Andrea, a cui quella semplice domanda parve chiudere una promessa d'amore.

— Avete dunque una casa?

— Casa Zuccari: *domus aurea.*

— Alla Trinità de' Monti? Voi felice!

— Perché felice?

— Perché voi abitate in un luogo ch'io prediligo.

— V'è raccolta, è vero? come un'essenza in un vaso, tutta la sovrana dolcezza di Roma.

— È vero! Tra l'obelisco della Trinità e la colonna della Concezione è sospeso *ex-voto* il mio cuore cattolico e pagano.

Ella rise di quella frase. Egli aveva pronto un madrigale intorno il cuor sospeso, ma non lo profferì; perché gli spiaceva di prolungare il dialogo su quel tono falso e leggero e di disperdere così l'intimo suo godimento. Tacque.

Ella rimase un poco pensosa. Poi, di nuovo, si gittò nella conversazione generale, con una vivacità anche maggiore, profondendo i motti e le risa, facendo scintillare i suoi denti e le sue parole. Donna Francesca mordeva un poco la principessa di Ferentino, non senza finezza, accennando all'avventura lesbica di lei con Giovanella Daddi.

— A proposito, la Ferentino annunzia per l'Epifania un'altra fiera di beneficenza — disse il barone d'Isola. — Non ne sapete ancóra nulla?

— Io sono patronessa — rispose Elena Muti.

— Voi siete una patronessa preziosa — fece Don Filippo del Monte, un uomo quarantenne, quasi tutto calvo, sottile aguzzatore di epigrammi, che portava sul volto una specie di maschera socratica in cui l'occhio destro scintillava mobilissimo per mille diverse espressioni e il sinistro rimaneva sempre immobile e quasi vetrificato sotto la lente rotonda, come se l'uno servisse per esprimere e l'altro per vedere. — Nella Fiera di maggio, riceveste una nuvola d'oro.

— Ah, la Fiera di maggio! Una follia — esclamò la marchesa d'Ateleta.

Come i servi venivan mescendo vin ghiacciato di Sciampagna, ella soggiunse:

— Ti ricordi, Elena? I nostri banchi erano vicini.

— Cinque luigi per sorso! Cinque luigi per morso! — si mise a gridare Don Filippo del Monte, imitando per gioco la voce di un banditore.

La Muti e l'Ateleta ridevano.

— Già, già è vero. Voi gittavate il bando, Filippo — disse Donna Francesca. — Peccato che tu non ci fossi, cugino mio! Per cinque luigi avresti mangiato un frutto segnato prima da'

44

miei denti e per altri cinque luigi avresti bevuto *Champagne*
nel concavo delle mani d'Elena.

— Che scandalo! — interruppe la baronessa d'Isola, con
una smorfietta d'orrore.

— Ah, Mary! E tu non vendevi le sigarette accese prima da
te, e molto inumidite, per un luigi? — fece Donna Francesca,
sempre ridendo.

E Don Filippo:

— Io vidi qualche cosa di meglio. Leonetto Lanza ottenne
dalla contessa di Lùcoli, per non so quanto, un sigaro d'avana
ch'ella aveva tenuto sotto l'ascella...

— Ohibò! — interruppe di nuovo la piccola baronessa, co-
micamente.

— Ogni opera di carità è santa — sentenziò la marchesa. —
Io, a furia di morsi nelle frutta, misi insieme circa dugento
luigi.

— E voi? — chiese Andrea Sperelli alla Muti, sorridendo a
mala pena. — E voi, con la vostra coppa carnale?

— Io, dugento settanta.

Così motteggiavano tutti, tranne il marchese. Questo Ateleta
era un uomo già vecchio, afflitto da una sordità incurabile,
bene incerettato, dipinto d'un color biondastro, artefatto dal
capo a' piedi. Pareva uno di quei personaggi finti che si vedono ne' gabinetti di figure in cera. Ogni tanto, quasi sempre
male a proposito, metteva fuori una specie di risolino secco
che pareva lo stridore d'una macchinetta arrugginita ch'egli
avesse dentro il corpo.

— Ma, a un certo punto, il prezzo del sorso arrivò a dieci
luigi. Capite? — soggiunse Elena. — E all'ultimo quel matto
di Galeazzo Secìnaro venne ad offrirmi un biglietto da cinquecento lire chiedendo in cambio ch'io m'asciugassi le mani alla
sua barba bionda...

Il finale del pranzo era, come sempre in casa d'Ateleta,
splendidissimo; poiché il vero lusso d'una mensa sta nel *des-
sert*. Tutte quelle squisite e rare cose dilettavano la vista, oltre
il palato, disposte con arte in piatti di cristallo guarniti d'argento. I festoni intrecciati di camelie e di violette s'incurvavano tra i pampinosi candelabri del XVIII secolo animati dai
fauni e dalle ninfe. E i fauni e le ninfe e le altre leggiadre
forme di quella mitologia arcadica, e i Silvandri e le Filli e le
Rosalinde animavan della lor tenerezza, su le tappezzerie delle
pareti, un di que' chiari paesi citerèi ch'esciron dalla fantasia
d'Antonio Watteau.

La leggera eccitazione erotica, che prende gli spiriti al termine d'un pranzo ornato di donne e di fiori, rivelavasi nelle
parole, rivelavasi ne' ricordi di quella Fiera di maggio ove le

dame spinte da una emulazione ardente a raccogliere la maggior possibile somma nel loro ufficio di venditrici, avevano attirato i compratori con inaudite temerità.

— Accettaste? — chiese Andrea Sperelli alla duchessa.

— Sacrificai le mie mani alla Beneficenza — ella rispose.

— Venticinque luigi di più!

— *All the perfumes of Arabia will not sweeten this little
hand*[5]...

Egli rideva, ripetendo le parole di Lady Macbeth, ma in
fondo a lui era una sofferenza confusa, un tormento non bene
definito, che somigliava la gelosia. Gli appariva ora, all'improvviso, quel non so che di eccessivo e quasi direi di corti-
gianesco onde in qualche momento offuscavasi la gran maniera
della gentildonna. Da certi suoni della voce e del riso, da certi
gesti, da certe attitudini, da certi sguardi ella esalava, forse involontariamente, un fascino troppo afrodisiaco. Ella dispensava
con troppa facilità il godimento visuale delle sue grazie. Di
tratto in tratto, alla vista di tutti, forse involontariamente, ella
aveva una movenza o una posa o una espressione che nell'alcova avrebbe fatto fremere un amante. Ciascuno, guardandola,
poteva rapirle una scintilla di piacere, poteva involgerla d'imaginazioni impure, poteva indovinarne le segrete carezze. Ella
pareva creata, in verità, soltanto ad esercitare l'amore; — e
l'aria ch'ella respirava era sempre accesa dai desiderii sollevati
intorno.

«Quanti l'han posseduta?» pensò Andrea. «Quanti ricordi
ella serba, della carne e dell'anima?»

Il cuore gli si gonfiava come d'un'onda amara, in fondo a
cui pur sempre bolliva quella sua tirannica intolleranza d'ogni
possesso imperfetto. E non sapeva distogliere gli occhi dalle
mani d'Elena.

In quelle mani incomparabili, morbide e bianche, d'una
transparenza ideale, segnate d'una trama di vene glauche appena visibili; in quelle palme un poco incavate e ombreggiate
di rose, ove un chiromante avrebbe trovato oscuri intrichi, avevano bevuto dieci, quindici, venti uomini, l'un dopo l'altro, a
prezzo. Egli *vedeva* le teste di quegli uomini sconosciuti chinarsi e suggere il vino. Ma Galeazzo Secìnaro era uno de' suoi
amici: bello e gagliardo signore, imperialmente barbato come
un Lucio Vero, rivale temibile.

Allora, sotto l'incitazione di quelle imagini, la cupidigia gli
crebbe così fiera e l'invase una impazienza così tormentosa
che il termine del pranzo gli pareva non giungesse più mai. «Io

---

[5] «Tutti i profumi d'Arabia non potranno addolcire questa manina», W. Shakespeare, *Macbeth*, atto V, scena I (*N.d.C.*).

avrò da lei, in questa sera medesima, la promessa» pensò. Dentro, lo pungeva un'ansietà come di chi tema vedersi fuggire un bene a cui molti emuli mirano. E l'incurabile e insaziabile vanità gli rappresentava l'ebrezza della vittoria. Certo, quanto più la cosa da un uom posseduta suscita negli altri l'invidia e la brama, tanto più l'uomo ne gode e n'è superbo. In questo appunto è l'attrattivo delle donne di palco scenico. Quando tutto il teatro risona di applausi e fiammeggia di desiderii, quegli che solo riceve lo sguardo e il sorriso della diva si sente inebriare dall'orgoglio come da una tazza di vin troppo forte e smarrisce la ragione.

— Tu che sei una innovatrice — diceva la Muti rivolgendosi a Donna Francesca, mentre bagnava le dita nell'acqua tepida d'un vaso di cristallo azzurro orlato d'argento — dovresti rimetter l'uso del dare acqua alle mani col mesciroba e col bacino antico, fuor di tavola. Questa modernità è brutta. Non vi pare, Sperelli?

Donna Francesca si levò. Tutti la imitarono. Andrea offerse il braccio a Elena, inchinandosi, ed ella lo guardò, senza sorridere, mentre posava il braccio nudo su quello di lui lentamente. Le sue ultime parole erano state gaie e leggere; quello sguardo invece era così grave e profondo che il giovine si sentì prendere l'anima.

— Andate — ella gli chiese — andate domani sera al ballo dell'Ambasciata di Francia?

— E voi? — chiese a sua volta Andrea.

— Io, sì.

— Io, sì.

Sorrisero, come due amanti. Ed ella soggiunse, mentre sedeva:

— Sedete.

Il divano era discosto dal caminetto, lungo la coda del pianoforte che le pieghe ricche d'una stoffa celavano in parte. Una gru di bronzo, a una estremità, reggeva nel becco levato un piatto sospeso a tre catenelle, come quel d'una bilancia; e il piatto conteneva un libro nuovo e una piccola sciabola giapponese, un *waki-zashi,* ornato di crisantemi d'argento nella guaina, nella guardia, nell'elsa.

Elena prese il libro ch'era a metà intonso; lesse il titolo; poi lo ripose nel piatto che ondeggiò. La sciabola cadde. Come ella ed Andrea si chinavano nel tempo medesimo per raccoglierla, le loro mani s'incontrarono. Ella, rialzatasi, esaminò la bell'arma curiosamente; e la tenne, mentre Andrea le parlava di quel nuovo libro di romanzo e s'insinuava in argomenti generali d'amore.

— Perché mai rimanete così lontano dal «gran pubblico»?

— gli domandò ella. — Avete giurato fedeltà ai «Venticinque Esemplari»?

— Sì, per sempre. Anzi il mio sogno è l'«Esemplare Unico» da offerire alla «Donna Unica». In una società democratica com'è la nostra, l'artefice di prosa o di verso deve rinunziare ad ogni benefizio che non sia di amore. Il lettor vero non è già chi mi compra ma chi mi ama. Il lettor vero è dunque la dama benevolente. Il lauro non ad altro serve che ad attirare il mirto...

— Ma la gloria?

— La vera gloria è postuma, e quindi non godibile. Che importa a me d'avere, per esempio, cento lettori nell'isola dei Sardi ed anche dieci ad Empoli e cinque, mettiamo, ad Orvieto? E qual voluttà mi viene dall'essere conosciuto quanto il confettiere Tizio od il profumiere Caio? Io, autore, andrò nel conspetto dei posteri armato come potrò meglio; ma io, uomo, non desidero altra corona di trionfo che una... di belle braccia ignude.

Egli guardò le braccia di Elena, scoperte insino alla spalla. Erano così perfette nell'appiccatura e nella forma che richiamavano la similitudine firenzuolesca del vaso antico «di mano di buon maestro» e tali dovevano essere «quelle di Pallade quando era innanzi al pastore». Le dita vagavano su le cesellature dell'arma; e l'unghie lucenti parevan continuare la finezza delle gemme che distinguevano le dita.

— Voi, se non erro, — disse Andrea, involgendo lei del suo sguardo come d'una fiamma — dovete avere il corpo della Danae del Correggio. Lo sento, anzi, lo veggo, dalla forma delle vostre mani.

— Oh, Sperelli!

— Non imaginate voi dal fiore la intera figura della pianta? Voi siete, certo, come la figlia d'Acrisio, che riceve la nuvola d'oro, non quella della Fiera di maggio, ohibò! Conoscete il quadro della Galleria Borghese?

— Lo conosco.

— Mi sono ingannato?

— Basta, Sperelli: vi prego.

— Perché?

Ella tacque. Omai ambedue sentivano avvicinarsi il cerchio che doveva chiuderli e stringerli insieme rapidamente. Né l'una né l'altro aveva conscienza di quella rapidità. Dopo due o tre ore dal primo vedersi, già l'una si dava all'altro, in ispirito; e la scambievole dedizione pareva naturale.

Ella disse, dopo un intervallo, senza guardarlo:

— Siete molto giovine. Avete già molto amato?

Egli rispose con un'altra domanda.

— Credete voi che ci sia più nobiltà di animo e di arte ad imaginare in una sola unica donna tutto l'Eterno feminino, oppure che un uomo di spiriti sottili ed intensi debba percorrere tutte le labbra che passano, come le note d'un clavicembalo ideale, finché trovi l'Ut gaudioso?

— Io non so. E voi?

— Neanche io so risolvere il gran dubbio sentimentale. Ma, per istinto, ho percorso il clavicembalo; e temo d'aver trovato l'Ut, a giudicarne almeno dall'avvertimento interiore.

— Temete?

— *Je crains ce que j'espère*[6].

Egli parlava con naturalezza quel linguaggio manierato, quasi estenuando nell'artifizio delle parole la forza del suo sentimento. Ed Elena si sentiva dalla voce di lui prendere come in una rete e trarre fuor della vita che movevasi a torno.

— Sua Eccellenza la principessa di Micigliano! — annunziava il servo.

— Il signor conte di Gissi!

— Madame Chrysoloras!

— Il signor marchese e la signora marchesa Massa d'Albe!

I saloni si popolavano. Lunghi strascichi lucenti passavano sul tappeto purpureo; fuor de' busti constellati di diamanti, ricamati di perle, avvivati di fiori, emergevano le spalle nude; le capigliature scintillavano quasi tutte di que' meravigliosi gioielli ereditarii che fanno invidiata la nobiltà di Roma.

— Sua Eccellenza la principessa di Ferentino!

— Sua Eccellenza il duca di Grimiti!

Già si formavano i diversi gruppi, i diversi focolari della malignità e della galanteria. Il gruppo maggiore, tutto composto di uomini, stava presso il pianoforte, intorno la duchessa di Scerni ch'erasi levata in piedi per tener testa a quella specie d'assedio. La Ferentino si avvicinò a salutare l'amica con un rimprovero.

— Perché non sei venuta oggi da Ninì Santamarta? Ti aspettavamo.

Ella era alta e magra, con due strani occhi verdi che parevan lontani in fondo alle occhiaie oscure. Vestiva di nero, con una scollatura a punta sul petto e su le spalle; portava tra i capelli, d'un biondo cinereo, una gran mezzaluna di brillanti, a simiglianza di Diana, e agitava un gran ventaglio di piume rosse, con gesti repentini.

— Ninì va stasera da Madame Van Huffel.

— Anch'io andrò, più tardi, per un poco — disse la Muti. — La vedrò.

---

[6] «Io temo ciò che spero.» (*N.d.C.*).

— Oh, Ugenta, — fece la principessa, volgendosi ad Andrea — vi cercavo per rammentarvi il nostro appuntamento. Domani è giovedì. La vendita del cardinale Immenraet comincia domani, a mezzogiorno. Venite a prendermi all'una.

— Non mancherò, principessa.

— Bisogna ch'io porti via quel cristallo di ròcca ad ogni costo.

— Avrete però qualche competitrice.

— Chi?

— Mia cugina.

— E poi?

— Me — disse la Muti.

— Te? Vedremo.

I cavalieri intorno chiedevano schiarimenti.

— Una contesa di dame del XIX secolo, per un vaso di cristallo di ròcca già appartenuto a Niccolò Niccoli; sul qual vaso è intagliato il troiano Anchise che scioglie un de' calzari di Venere Afrodite — annunziò solennemente Andrea Sperelli. — Lo spettacolo è dato per grazia, domani, dopo la prima ora del pomeriggio, nelle sale delle vendite publiche, in via Sistina. Contendono: la principessa di Ferentino, la duchessa di Scerni, la marchesa d'Ateleta.

Tutti ridevano, a quel bando.

Il Grimiti domandò:

— Son lecite le scommesse?

— *La côte! La côte!* — si mise a garrire Don Filippo del Monte, imitando la voce stridula del *bookmaker* Stubbs.

La Ferentino col suo ventaglio rosso gli diede un colpo sulla spalla. Ma la facezia parve buona. Le scommesse incominciarono. Come dal gruppo partivano risa e motti, a poco a poco altre dame e altri gentiluomini si avvicinarono per prender parte all'ilarità. La notizia della contesa si spargeva rapidamente; prendeva le proporzioni d'un avvenimento mondano; occupava tutti i belli spiriti.

— Datemi il braccio e facciamo un giro — disse Donna Elena Muti ad Andrea.

Quando furono lontani dal gruppo, nel salone contiguo, Andrea stringendole il braccio mormorò:

— Grazie!

Ella si appoggiava a lui, soffermandosi di tratto in tratto per rispondere ai saluti. Pareva un poco stanca; ed era pallida come le perle delle sue collane. Ciascun giovine elegante le faceva un complimento volgare.

— Questa stupidità mi soffoca — ella disse.

Nel volgersi, vide Sakumi che la seguiva portando la camelia bianca all'occhiello, in silenzio, con gli occhi imbambolati, senza osare d'accostarsi. Gli mandò un sorriso misericorde.

— Povero Sakumi!

— L'avete veduto ora soltanto? — le chiese Andrea.

— Sì.

— Quando eravamo seduti accanto al pianoforte, egli dal vano d'una finestra guardava continuamente le vostre mani che giocavano con un'arma del suo paese destinata a tagliar le pagine d'un libro occidentale.

— Dianzi?

— Già, dianzi. Forse egli pensava: «Dolce cosa far *harakiri* con quella piccola sciabola ornata di crisantemi che paion fiorire dalla lacca e dal ferro al tocco delle sue dita!».

Ella non sorrise. Su la sua faccia era disceso un velo di tristezza e quasi di sofferenza; i suoi occhi parevano occupati da un'ombra più cupa, vagamente illuminati sotto la palpebra superiore, come dell'albor d'una lampada; un'espressione dolente le abbassava un poco gli angoli della bocca. Ella teneva il braccio destro abbandonato lungo la veste, reggendo nella mano il ventaglio e i guanti. Non porgeva più la mano ai salutatori e ai lusingatori; né dava più ascolto ad alcuno.

— Che avete, ora? — le chiese Andrea.

— Nulla. Bisogna ch'io vada dalla Van Huffel. Conducetemi a salutare Francesca; e poi accompagnatemi fin giù, alla mia carrozza.

Tornarono nel primo salone. Luigi Gullì, un giovine maestro venuto dalle natali Calabrie in cerca di fortuna, nero e crespo come un arabo, eseguiva con molta anima la *Sonata in do diesis minore* di Ludovico Beethoven. La marchesa d'Ateleta, ch'era una sua proteggitrice, stava in piedi accanto al pianoforte, guardando la tastiera. A poco a poco la musica grave e soave prendeva tutti que' leggeri spiriti ne' suoi cerchi, come un gorgo tardo ma profondo.

— Beethoven — disse Elena, con un accento quasi religioso, arrestandosi e sciogliendo il suo braccio da quello di Andrea.

Ella così rimase ad ascoltare, in piedi, presso una delle banane. Tenendo proteso il braccio sinistro, si metteva un guanto, con estrema lentezza. In quell'attitudine l'arco delle sue reni appariva più svelto; tutta la figura, continuata dallo strascico, appariva più alta ed eretta; l'ombra della pianta velava e quasi direi spiritualizzava il pallore della carne. Andrea la guardò. E le vesti, per lui, si confusero con la persona.

«Ella sarà mia» pensava, con una specie d'ebrietà, poiché la musica patetica gli aumentava l'eccitamento. «Ella mi terrà fra le sue braccia, sul suo cuore!»

Imaginò di chinarsi e di posare la bocca su la spalla di lei.

— Era fredda quella pelle diafana che sembrava un latte tenuissimo attraversato da una luce d'oro? — Ebbe un brivido
sottile; e socchiuse le palpebre, come per prolungarlo. Gli
giungeva il profumo di lei, una emanazione indefinibile, fresca
ma pur vertiginosa come un vapore d'aròmati. Tutto il suo essere insorgeva e tendeva con ismisurata veemenza verso la
stupenda creatura. Egli avrebbe voluto involgerla, attrarla entro
di sé, suggerla, beverla, possederla in un qualche modo sovrumano.

Quasi constretta dal soverchiante desiderio del giovine,
Elena si volse un poco; e gli sorrise d'un sorriso così tenue,
direi quasi così immateriale, che non parve espresso da un
moto delle labbra, sì bene da una irradiazione dell'anima per le
labbra, mentre gli occhi rimanevan tristi pur sempre, e come
smarriti nella lontananza d'un sogno interiore. Eran veramente
gli occhi della Notte, così inviluppati d'ombra, quali per una
Allegoria avrebbeli forse imaginati il Vinci dopo aver veduta
in Milano Lucrezia Crivelli.

E nell'attimo che durò il sorriso, Andrea si sentì *solo* con
lei, in mezzo alla moltitudine. Un orgoglio enorme gli gonfiava
il cuore.

Poiché Elena fece l'atto di mettersi l'altro guanto, egli la
pregò sommesso:

— No, non quello!

Elena intese; e lasciò nuda la mano.

Una speranza era in lui, di baciarle la mano, prima ch'ella
partisse. D'improvviso, gli risorse nello spirito la visione della
Fiera di maggio, quando gli uomini le bevevano nel concavo
delle palme il vino. Di nuovo, un'acuta gelosia lo punse.

— Ora, andiamo — ella disse, riprendendogli il braccio.

Finita la Sonata, le conversazioni si riannodavano più vive.
Il servo annunziò altri tre o quattro nomi, tra cui quello della
principessa Issé che entrava con un piccolo passo incerto, vestita all'europea, sorridente dal volto ovale, candida e minuta
come la figurina d'un *netske*. Un movimento di curiosità si
propagò pel salone.

— Addio, Francesca — disse Elena, prendendo congedo dal-
l'Ateleta. — A domani.

— Così presto?

— Mi aspettano in casa Van Huffel. Ho promesso d'andare.

— Peccato! Canterà, ora, Mary Dyce.

— Addio. A domani.

— Prendi. E addio. Cugino amabile, accompagnatela.

La marchesa le diede un mazzo di violette doppie; e si volse
poi ad incontrar la principessa Issé, graziosamente. Mary

Dyce, vestita di rosso, alta e ondeggiante come una fiamma, incominciava a cantare.

— Sono tanto stanca! — mormorò Elena, appoggiandosi ad Andrea. — Chiedete, vi prego, la mia pelliccia.

Egli prese la pelliccia dal servo che glie la porgeva. Aiutando la dama a indossarla, le sfiorò l'omero con le dita; e sentì ch'ella rabbrividiva. Tutta l'anticamera era piena di valletti in livree diverse, che s'inchinavano. La voce soprana di Mary Dyce portava le parole d'una Romanza di Robert Schumann: «*Ich kann's nicht fassen, nicht glauben...*»[7].

Scendevano in silenzio. Il servo era andato innanzi per fare avanzare la carrozza fino a piè della scala. Udivasi rintronare lo scalpitìo de' cavalli sotto l'androne sonoro. Ad ogni scalino, Andrea sentiva il premer lieve del braccio di Elena che s'abbandonava un poco, tenendo il capo sollevato, anzi alquanto piegato indietro, con gli occhi socchiusi.

— Nel salire, vi seguiva la mia ammirazione sconosciuta. Nel discendere vi accompagna il mio amore — le disse Andrea, sommessamente, quasi umilmente, ponendo tra le ultime parole una pausa esitante.

Ella non rispose. Ma portò alle nari il mazzo delle viole ed aspirò il profumo. Nell'atto, l'ampia manica del mantello scivolò lungo il braccio, oltre il gomito. La vista di quella viva carne, uscente di fra la pelliccia come una massa di rose bianche fuor della neve, accese ancor più ne' sensi del giovine la brama, per la singolar procacità che il nudo feminile acquista allor quando è mal celato da una veste folta e grave. Un piccolo fremito gli moveva le labbra; ed egli tratteneva a stento le parole desiose.

Ma la carrozza era pronta a piè della scala, e il servo era allo sportello.

— Casa Van Huffel — ordinò la duchessa, montando, aiutata dal conte.

Il servo s'inchinò, lasciando lo sportello; ed occupò il suo posto. I cavalli scalpitavano forte, levando faville.

— Badate! — gridò Elena, tendendo al giovine la mano; e i suoi occhi e i suoi diamanti scintillavano nell'ombra.

«Essere con lei, là, nell'ombra e cercare con la bocca il suo collo fra la pelliccia profumata!» Egli avrebbe voluto dirle:

— Prendetemi con voi!

I cavalli scalpitavano.

— Badate! — ripeté Elena.

Egli le baciò la mano, premendo, come per lasciarle su la cute un'impronta di passione. Quindi chiuse lo sportello. E, al

---

[7] «Non posso crederlo, né pensarlo.» (*N.d.C.*).

colpo, la carrozza partì rapidamente, con un alto rimbombo per tutto l'androne, uscendo nel Fòro.

III.

Così ebbe principio l'avventura di Andrea Sperelli con Donna Elena Muti.

Il giorno dopo, le sale delle vendite publiche, in via Sistina, erano piene di gente elegante, venuta per assistere all'annunziata contesa.

Pioveva forte. In quelle stanze umide e basse entrava una luce grigia; lungo le pareti erano disposti in ordine alcuni mobili di legno scolpito e alcuni grandi trittici e dittici della scuola toscana del XIV secolo; quattro arazzi fiamminghi, rappresentanti la *Storia di Narcisso*, pendevano fino a terra; le maioliche metaurensi occupavano due lunghi scaffali; le stoffe, per lo più ecclesiastiche, stavano o spiegate su le sedie o ammucchiate su i tavoli; i cimelii più rari, gli avorii, gli smalti, i vetri, le gemme incise, le medaglie, le monete, i libri di preghiere, i codici miniati, gli argenti lavorati erano raccolti entro un'alta vetrina, dietro il banco dei periti; un odor singolare, prodotto dall'umidità del luogo e da quelle cose antiche, empiva l'aria.

Quando Andrea Sperelli entrò, accompagnando la principessa di Ferentino, ebbe un segreto tremito. Pensò: «Sarà già venuta?». E i suoi occhi rapidamente *la* cercarono.

Ella era già venuta, infatti. Sedeva innanzi al banco, tra il cavaliere Dàvila e Don Filippo del Monte. Aveva posato su l'orlo del banco i guanti e il manicotto di lontra da cui usciva fuori un mazzo di violette. Teneva tra le dita un quadretto d'argento, attribuito a Caradosso Foppa; e l'osservava con molta attenzione. Gli oggetti passavano di mano in mano, lungo il banco; il perito ne faceva le lodi ad alta voce; le persone in piedi, dietro la fila delle sedie, si chinavano per guardare; quindi incominciava l'incanto. Le cifre si seguivano rapidamente. Ad ogni tratto, il perito gridava:

— Si delibera! Si delibera!

Qualche amatore, incitato dal grido, gittava una più alta cifra, guardando gli avversarii. Il perito gridava, con alzato il martello:

— Uno! Due! Tre!

E percoteva il banco. L'oggetto apparteneva all'ultimo offerente. Un mormorio si propagava intorno; poi di nuovo accendevasi la gara. Il cavaliere Dàvila, un gentiluomo napoletano che aveva forme gigantesche e maniere quasi feminee, celebre raccoglitore e conoscitor di maioliche, dava il suo giudizio su ciascun pezzo importante. Tre, veramente, in quella vendita cardinalizia, eran le cose «superiori»: la *Storia di Narcisso*, la tazza di cristallo di ròcca, e un elmo d'argento cesellato da Antonio del Pollajuolo, che la Signoria di Firenze donò al conte d'Urbino nel 1472, in ricompensa de' servigi da lui resi nel tempo della presa di Volterra.

— Ecco la principessa — disse Don Filippo del Monte alla Muti.

La Muti si levò per salutare l'amica.

— Di già sul campo! — esclamò la Ferentino.

— Di già.

— E Francesca?

— Non è ancor giunta.

Quattro o cinque eleganti signori, il duca di Grimiti, Roberto Casteldieri, Ludovico Barbarisi, Giannetto Rùtolo, si appressarono. Altri sopravvenivano. Lo scroscio della pioggia copriva le parole.

Donna Elena porse la mano allo Sperelli, francamente, come ad ognuno. Egli si sentì, da quella stretta di mano, allontanare. Elena gli parve fredda e grave. Tutti i suoi sogni s'agghiacciarono e precipitarono, in un attimo; i ricordi della sera innanzi si confusero; le speranze si estinsero. Che aveva ella? Non era più la donna medesima. Vestiva una specie di lunga tunica di lontra e portava sul capo una specie di tòcco, anche di lontra. Aveva nell'espressione del volto qualche cosa di aspro e quasi di sprezzante.

— C'è ancóra tempo, alla tazza — ella disse alla principessa; e si rimise a sedere.

Ogni oggetto passava per le sue mani. Un Centauro intagliato in un sardonio, opera assai fina, forse proveniente dal disperso museo di Lorenzo il Magnifico, la tentò. Ed ella prese parte alla gara. Comunicava la sua offerta al perito, a voce bassa, senza levare gli occhi su di lui. A un certo punto, i competitori si arrestarono: ella ottenne la pietra, a buon prezzo.

— Acquisto eccellente — disse Andrea Sperelli, che stava in piedi, dietro la sedia di lei.

Elena non poté trattenere un lieve sussulto. Prese il sardonio e lo diede a vedere, levando la mano all'altezza della spalla, senza voltarsi. Era veramente un'assai bella cosa.

— Potrebbe essere il Centauro che Donatello copiò — soggiunse Andrea.

E nell'animo di lui, insieme con l'ammirazione per la cosa bella, sorse l'ammirazione per il nobile gusto della dama che ora la possedeva. «Ella è dunque, in tutto, una *eletta*» pensò. «Quali piaceri può dare ella a un amante raffinato!» Colei s'ingrandiva, nella sua imaginazione; ma, ingrandendosi, sfuggivagli. La gran sicurezza della sera innanzi mutavasi in una specie di scoraggiamento; e i dubbii primitivi risorgevano. Egli aveva troppo sognato, nella notte, a occhi aperti, nuotando in una felicità senza fine, mentre il ricordo d'un gesto, d'un sorriso, d'un'aria della testa, d'una piega del vestito lo prendeva e l'allacciava, come una rete. Ora, tutto quel mondo imaginario crollava miseramente al contatto della realtà. Egli non aveva visto negli occhi di Elena il singolar saluto a cui aveva tanto pensato; egli non era stato distinto da lei, in mezzo agli altri, con nessun segno. «Perché?» Si sentiva umiliato. Tutta quella gente fatua, d'intorno, gli faceva ira; gli facevano ira quelle cose che attraevan l'attenzione di lei; gli faceva ira Don Filippo del Monte che di tratto in tratto chinavasi verso di lei per mormorarle forse qualche malignità. Sopravvenne l'Ateleta. La quale era, come sempre, allegra. Il suo riso, tra i signori che già l'attorniavano, fece volgere vivamente Don Filippo.

— La Trinità è perfetta — egli disse, e si levò.

Andrea occupò sùbito la sedia, accanto alla Muti. Come gli giunse alle nari il profumo sottile delle viole, mormorò:

— Non sono quelle di ieri sera.

— No — fece Elena, freddamente.

Nella sua mobilità, ondeggiante e carezzante come l'onda, c'era sempre la minaccia del gelo inaspettato. Ella era soggetta a rigidità subitanee. Andrea tacque, non comprendendo.

— Si delibera! Si delibera! — gridava il perito.

Le cifre salivano. La gara era ardente intorno l'elmo d'Antonio del Pollajuolo. Anche il cavaliere Dàvila entrava in lizza. Pareva che a poco a poco l'aria si riscaldasse e che il desiderio di quelle cose belle e rare prendesse tutti gli spiriti. La mania si propagava, come un contagio. In quell'anno, a Roma, l'amore del *bibelot*[8] e del *bric-à-brac*[9] era giunto all'eccesso; tutti i saloni della nobiltà e dell'alta borghesia erano ingombri di «curiosità»; ciascuna dama tagliava i cuscini del suo divano in una pianeta o in un piviale e metteva le sue rose in un vaso di farmacia umbro o in una coppa di calcedonio. I luoghi delle vendite publiche erano un ritrovo preferito; e le vendite erano frequentissime. Nelle ore pomeridiane del tè le signore, per eleganza, giungevano dicendo: «Vengo dalla vendita del pittore Campos. Molta animazione. Magnifici i piatti arabo-ispani! Ho preso un gioiello di Maria Leczinska. Eccolo».

— Si delibera!

Le cifre salivano. Intorno al banco si accalcavano gli amatori. La gente elegante si dava ai bei parlari, fra le *Natività* e le

8 «Gingilli.» (*N.d.C.*).
9 «Anticaglie» (*N.d.C.*).

Annunciazioni giottesche. Le signore, fra quell'odore di muffa
e di anticaglie, portavano il profumo delle loro pellicce e se-
gnatamente quello delle violette, poiché tutti i manicotti contenevano un mazzolino secondo la moda leggiadra. Per la presenza di tante persone, un tepore dilettoso diffondevasi nell'a-
ria, come in una umida cappella dove fossero molti fedeli. La
pioggia seguitava a crosciar di fuori e la luce a diminuire. Furono accese le fiammelle del gas; e i due diversi chiarori lottavano.

— Uno! Due! Tre!

Il colpo di martello diede il possesso dell'elmo fiorentino a
Lord Humphrey Heathfield. L'incanto ricominciò di nuovo su
piccoli oggetti, che passavano lungo il banco, di mano in
mano. Elena li prendeva delicatamente, li osservava e li posava
quindi innanzi ad Andrea, senza dir nulla. Erano smalti, avorii,
orologi del XVIII secolo, gioielli d'oreficeria milanese del
tempo di Ludovico il Moro, libri di preghiere scritti a lettere
d'oro su pergamena colorita d'azzurro. Tra le dita ducali quelle
preziose materie parevano acquistar pregio. Le piccole mani
avevano talvolta un leggero tremito al contatto delle cose più
desiderabili. Andrea guardava intentamente; e nella sua imaginazione egli trasmutava in una carezza ciascun moto di quelle
mani. «Ma perché Elena posava ogni oggetto sul banco, invece
di porgerlo a lui?»

Egli prevenne il gesto di Elena, tendendo la mano. E da allora in poi gli avorii, gli smalti, i gioielli passarono dalle dita
dell'amata in quelle dell'amante, comunicando un indefinibile
diletto. Pareva ch'entrasse in loro una particella dell'amoroso
fascino di quella donna, come entra nel ferro un poco della
virtù d'una calamita. Era veramente una sensazione magnetica
di diletto, una di quelle sensazioni acute e profonde che si pro-
van quasi soltanto negli inizii di un amore e che non paiono
avere né una sede fisica né una sede spirituale, a simiglianza di
tutte le altre, ma sì bene una sede in un elemento neutro del
nostro essere, in un elemento quasi direi intermedio, di natura
ignota, men semplice d'uno spirito, più sottile d'una forma,
ove la passione si raccoglie come in un ricettacolo, onde la
passione s'irradia come da un focolare.

«È un piacere *non mai provato*» pensò Andrea Sperelli
anche una volta.

L'invadeva un leggero torpore e a poco a poco lo abbandonava la conscienza del luogo e del tempo.

— Vi consiglio questo orologio — gli disse Elena, con uno
sguardo di cui egli da prima non comprese la significazione.

Era una piccola testa di morto scolpita nell'avorio con una
straordinaria potenza d'imitazione anatomica. Ciascuna ma-

scella portava una fila di diamanti, e due rubini scintillavano in
fondo alle occhiaie. Su la fronte era inciso un motto: RUIT
HORA; su l'occipite, un altro motto: TIBI, HIPPOLYTA. Il cranio si
apriva, come una scatola, sebbene la commessura fosse quasi
invisibile. L'interior battito del congegno dava a quel te-
schietto una inesprimibile apparenza di vita. Quel gioiello mortuario, offerta d'un artefice misterioso alla sua donna, aveva
dovuto segnar le ore dell'ebrezza e col suo simbolo ammonire
gli spiriti amanti.

In verità, non poteva il Piacere desiderare un più squisito e
più incitante misurator del tempo. Andrea pensò: «Me lo con-
siglia ella *per noi*?». E a quel pensiero tutte le speranze rinac-
quero e risorsero di tra l'incertezza, confusamente. Egli si gittò
nella gara, con una specie d'entusiasmo. Gli rispondevano due
o tre competitori accaniti, tra cui Giannetto Rùtolo che, avendo
per amante Donna Ippolita Albónico, era attratto dall'inscrizione: TIBI, HIPPOLYTA.

Dopo poco, rimasero soli a contendere, il Rùtolo e lo Sperelli. Le cifre salivano oltre il prezzo reale dell'oggetto, mentre
i periti sorridevano. A un certo punto, Giannetto Rùtolo non rispose più, vinto dalla ostinazione dell'avversario.

— Si delibera! Si delibera!

L'amante di Donna Ippolita, un poco pallido, gridò un'ultima cifra. Lo Sperelli aumentò. Ci fu un momento di silenzio.
Il perito guardava i due competitori; quindi levò il martello,
con lentezza, sempre guardando.

— Uno! Due! Tre!

La testa di morto rimase al conte d'Ugenta. Un mormorio si
diffuse per la sala. Uno sprazzo di luce entrò per la vetrata e
fece splendere i fondi aurei dei trittici, avvivò la fronte dolente
d'una madonna senese e il cappellino grigio della principessa
di Ferentino, coperto di scaglie d'acciaio.

— Quando la tazza? — chiese la principessa con impazienza.

Gli amici guardarono i cataloghi. Non c'era più speranza
che la tazza del bizzarro umanista fiorentino andasse all'incanto in quel giorno. Per la molta concorrenza, la vendita procedeva lentamente. Rimaneva ancóra un lungo elenco d'oggetti
minuti, come cammei, monete, medaglie. Alcuni antiquarii e il
principe Stroganow si disputavano ogni pezzo. Tutti gli aspettanti ebbero una disillusione. La duchessa di Scerni si levò per
andarsene.

— Addio, Sperelli — disse. — A questa sera, forse.

— Perché dite «forse»?

— Mi sento tanto male.

— Che avete mai?

Ella, senza rispondere, si volse agli altri salutando. Ma gli altri seguivano il suo esempio; escivano insieme. I giovini signori motteggiavano intorno il mancato spettacolo. La marchesa d'Ateleta rideva, ma la Ferentino pareva di pessimo umore. I servi che aspettavano nel corridoio, facevano avanzar le carrozze, come alla porta d'un teatro o d'una sala di concerti.

— Non vieni dalla Miano? — domandò l'Ateleta ad Elena.

— No; torno a casa.

Ella aspettò, su l'orlo del marciapiede, che il suo *coupé* s'avanzasse. La pioggia si disperdeva; tra larghe nuvole bianche scorgevasi qualche intervallo d'azzurro; una zona di raggi faceva luccicare il lastrico. E la signora, investita da quel chiaror tra biondo e roseo, nel mantello magnifico che scendeva con poche pieghe diritte e quasi simmetriche, era bellissima. Il sogno medesimo della sera innanzi sorse nello spirito di Andrea, quando egli intravide l'interno del *coupé* tappezzato di raso come un *boudoir*, dove luccicava il cilindro d'argento pieno d'acqua calda destinato a tener tiepidi i piccoli piedi ducali. «Essere là, con lei, in quella intimità così raccolta, in quel tepore fatto dal suo alito, nel profumo delle violette appassite, intravedendo appena da' cristalli appannati le vie coperte di fango, le case grige, la gente oscura!»

Ma ella inchinò lievemente il capo allo sportello, senza sorridere; e la carrozza partì, verso il palazzo Barberini, lasciandogli nell'anima una vaga tristezza, uno scoramento indefinito.

— Ella aveva detto «forse». Poteva dunque non venire al palazzo Farnese. E allora?

Questo dubbio l'affliggeva. Il pensiero di non rivederla gli era insopportabile: tutte le ore passate lontano da lei già gli pesavano. Egli chiedeva a sé stesso: «L'amo io dunque già tanto?». Il suo spirito pareva chiuso in un cerchio, entro cui turbinavano confusamente tutti i fantasmi delle sensazioni avute nella presenza di quella donna. D'un tratto, emergevano dalla sua memoria, con una singolare esattezza, una frase di lei, una intonazione di voce, un'attitudine, un movimento degli occhi, la forma d'un divano sul quale ella sedeva, il *Finale* della Sonata del Beethoven, una nota di Mary Dyce, la figura del servo che stava allo sportello, una qualunque particolarità, un qualunque frammento, ed oscuravano con la vivezza della loro imagine le cose della esistenza in corso, si sovrapponevano alle cose presenti. Egli le parlava, mentalmente; le diceva, mentalmente, tutto quello che poi le avrebbe detto in realtà, ne' futuri colloqui. Prevedeva le scene, i casi, le vicende, tutto lo svolgimento dell'amore, secondo le suggestioni del suo desiderio. — In che modo si sarebbe ella data a lui, la prima volta?

Mentre saliva le scale del palazzo Zuccari, per rientrare nel suo appartamento, gli balenava questo pensiero. — Ella, certo, sarebbe venuta là. La via Sistina, la via Gregoriana, la piazza della Trinità de' Monti, specialmente in certe ore, erano quasi deserte. La casa non era abitata che da stranieri. Ella avrebbe dunque potuto avventurarsi senza timori. Ma come attirarla? — La sua impazienza era tanta ch'egli avrebbe voluto poter dire: «Verrà domani!».

«Ella è libera» pensò. «Non la tiene la vigilanza d'un marito. Nessuno può chiederle conto delle assenze anche lunghe, anche insolite. Ella è padrona d'ogni suo atto, sempre.» Gli si presentarono allo spirito, subitamente, interi giorni e intere notti di voluttà. Si guardò intorno, nella stanza calda, profonda, segreta; e quel lusso intenso e raffinato, tutto fatto di arte, gli piacque, per *lei*. Quell'aria aspettava il *suo* respiro; quei tappeti chiedevano d'esser premuti dal *suo* piede; quei cuscini volevano l'impronta del *suo* corpo.

«Ella amerà la mia casa» pensò. «Amerà le cose ch'io amo.» Il pensiero gli dava una indicibile dolcezza; e gli pareva che già un'anima nuova, consapevole della imminente gioia, palpitasse sotto gli alti soffitti.

Chiese il tè al servo; e s'adagiò d'innanzi al caminetto, per meglio godere le finzioni della sua speranza. Trasse dall'astuccio il piccolo teschio gemmato e si mise ad esaminarlo attentamente. Al chiaror del fuoco l'esile dentatura adamantina brillava su l'avorio giallastro e i due rubini illuminavano l'ombra delle occhiaie. Sotto il cranio polito risonava il battito incessante del tempo. RUIT HORA. — Quale artefice mai poteva avere avuta per una sua Ippolita quella superba e libera fantasia di morte, nel secolo in cui i maestri smaltisti ornavan di teneri idillii pastorali gli orioletti destinati a segnar pe' cicisbei l'ora de' ritrovi ne' parchi del Watteau? La scoltura rivelava una mano dotta, vigorosa, padrona d'uno stile proprio: era in tutto degna d'un quattrocentista penetrante come il Verrocchio.

«Vi consiglio questo orologio.» Andrea sorrideva un poco, ricordando le parole di Elena pronunziate in un modo così strano, dopo un così freddo silenzio. — Senza dubbio, dicendo quella frase, ella pensava all'amore: ella pensava ai prossimi convegni d'amore, senza dubbio. Ma perché poi, di nuovo, era diventata impenetrabile? Perché non s'era curata più di lui? Che aveva ella? — Andrea si smarrì nell'indagine. Però l'aria calda, la mollezza della poltrona, la luce discreta, le variazioni del fuoco, l'aroma del tè, tutte quelle sensazioni grate ricondussero il suo spirito agli errori dilettosi. Egli andava errando senza mèta, come in un fantastico laberinto. In lui il pensiero assumeva talvolta la virtù dell'oppio: poteva inebriarlo.

— Mi permetto di ricordare al signor conte che per le sette è atteso in casa Doria — disse a voce bassa il servo, che aveva anche l'ufficio di rammentatore. — Tutto è preparato.

Egli andò a vestirsi, nella camera ottagonale ch'era, in verità, il più elegante e comodo spogliatoio desiderabile per un giovine signore moderno. Vestendosi, aveva una infinità di minute cure della sua persona. Sopra un gran sarcofago romano, trasformato con molto gusto in una tavola per abbigliamento, erano disposti in ordine i fazzoletti di batista, i guanti da ballo, i portafogli, gli astucci delle sigarette, le fiale delle essenze, e cinque o sei gardenie fresche in piccoli vasi di porcellana azzurra. Egli scelse un fazzoletto con le cifre bianche e ci versò due o tre gocce di *pao rosa*; non prese alcuna gardenia perché l'avrebbe trovata alla mensa di casa Doria; empì di sigarette russe un astuccio d'oro martellato, sottilissimo, ornato d'uno zaffiro su la sporgenza della molla, un po' curvo per aderire alla coscia nella tasca de' calzoni. Quindi uscì.

In casa Doria, tra un discorso e l'altro, la duchessa Angelieri, a proposito del recente parto della Miano, disse:

— Pare che Laura Miano e la Muti sieno in rotta.

— Forse per Giorgio? — chiese un'altra dama, ridendo.

— Si dice. È una storia incominciata a Lucerna, quest'estate...

— Ma Laura non era a Lucerna.

— Appunto. C'era suo marito...

— Credo che sia una malignità; null'altro — interruppe la contessa fiorentina, Donna Bianca Dolcebuono. — Giorgio è ora a Parigi.

Andrea aveva udito, sebbene al suo lato destro la loquace contessa Starnina l'occupasse di continuo. Le parole della Dolcebuono non bastavano a lenirgli la puntura acutissima. Egli avrebbe voluto, almeno, sapere fino in fondo. Ma l'Angelieri rinunziava a seguitare; e altre conversazioni si mescolavano fra i trionfi delle magne rose di Villa Pamphily.

«Chi era questo Giorgio? Forse l'ultimo amante di Elena? Ella aveva passata una parte dell'estate a Lucerna. Ella veniva da Parigi. Ella, nell'uscire dalla vendita, erasi rifiutata di andare in casa Miano.» Nell'animo di Andrea le apparenze erano contro di lei tutte. Un desiderio atroce l'invase, di rivederla, di parlarle. L'invito al palazzo Farnese era per le dieci; alle dieci e mezzo egli si trovava già là, aspettando.

Aspettò molto. Le sale si empivano rapidamente; le danze incominciavano: nella galleria d'Annibale Caracci le semiddie quiriti lottavan di formosità con le Ariadne, con le Galatee, con le Aurore, con le Diane degli affreschi; le coppie turbinando esalavano profumi: le mani inguantate delle dame premevano la spalla dei cavalieri; le teste ingemmate si curvavano o si ergevano; certe bocche semiaperte brillavano come la porpora; certe spalle nude luccicavano sparse d'un velo d'umidore; certi seni parevano irrompere dal busto, sotto la veemenza dell'ansia.

— Non ballate, Sperelli? — chiese Gabriella Barbarisi, una fanciulla bruna come l'*oliva speciosa*, mentre passava a braccio d'un danzatore, agitando con la mano il ventaglio e col sorriso un neo ch'ella aveva in una fossetta presso la bocca.

— Sì, più tardi — rispose Andrea. — Più tardi.

Incurante delle presentazioni e dei saluti, egli sentiva crescere il suo tormento nell'attesa inutile; e girava di sala in sala alla ventura. Il «forse» gli faceva temere ch'Elena non venisse.

— E s'ella proprio non veniva? Quando l'avrebbe egli riveduta? — Passò Donna Bianca Dolcebuono; e, senza sapere perché, egli le si mise a fianco dicendole molte frasi cortesi, provando quasi un poco di sollievo in compagnia di lei. Avrebbe voluto parlarle di Elena, interrogarla, rassicurarsi. L'orchestra dié principio a una *Mazurka* assai molle; e la contessa fiorentina col suo cavaliere entrò nella danza.

Allora Andrea si volse a un gruppo di giovini signori, che stava presso una porta. Eravi Ludovico Barbarisi, eravi il duca di Beffi, con Filippo del Gallo, con Gino Bommìnaco. Guardavano le coppie girare e malignavano, un po' grossolanamente. Il Barbarisi raccontava d'aver vedute ambedue le rotondità del petto alla contessa di Lùcoli, ballando il *Walzer*. Il Bommìnaco domandò:

— Ma come?

— Provaci. Basta chinare gli occhi nel *corsage*. Ti assicuro che vale la pena...

— Avete badato alle ascelle di Madame Chrysoloras? Guardate!

Il duca di Beffi mostrava una danzatrice che aveva in su la fronte bianca come il marmo di Luni un'accensione di chiome rosse, a similitudine d'una sacerdotessa d'Alma Tadema. Il suo busto era congiunto agli omeri da un semplice nastro, e si scorgevano sotto le ascelle due ciuffi rossastri troppo abondanti.

Il Bommìnaco si mise a ragionare dell'odor singolare che hanno le donne rosse.

— Tu lo conosci bene, quell'odore — disse con malizia il Barbarisi.

— Perché?

— La Micigliano...

Il giovine si compiacque manifestamente di sentir nominare una delle sue amanti. Non protestò, ma rise; poi volgendosi allo Sperelli:

— Che hai stasera? Ti cercava tua cugina, un momento fa.
Ora balla con mio fratello. Eccola.

— Guarda! — esclamò Filippo del Gallo. — È tornata l'Albónico. Balla con Giannetto.

— È tornata anche la Muti, da una settimana — fece Ludovico. — Che bella creatura!

— È qui?

— Non l'ho veduta ancóra.

Andrea ebbe al cuore un sussulto, temendo che da qualcuna
di quelle bocche fosse per uscire una malignità anche contro di
lei. Ma il passaggio della principessa Issé, a braccio del ministro di Danimarca, divagò gli amici. Egli nondimeno sentivasi
spingere da una temeraria curiosità a riallacciare il discorso sul
nome dell'amata, per sapere, per iscoprire; ma non osò. La
Mazurka finiva; il gruppo disperdevasi. «Ella non viene! Ella
non viene!» L'inquietudine interiore gli cresceva così fieramente che egli pensò d'abbandonare le sale, poiché il contatto
di quella folla eragli insoffribile.

Volgendosi, vide apparire su l'ingresso della galleria la duchessa di Scerni a braccio dell'ambasciatore di Francia. In un
attimo, egli incontrò lo sguardo di lei; e gli occhi d'ambedue,
in quell'attimo, parvero mescersi, penetrarsi, beversi. Ambedue sentirono che l'uno cercava l'altra e l'altra l'uno; ambedue
sentirono, ad un punto, scendere su l'anima un silenzio, in
mezzo a quel romore, e quasi direi aprirsi un abisso in cui tutto
il mondo circostante scomparve sotto la forza d'un pensiero
unico.

Ella s'avanzava nell'istoriata galleria del Caracci, dov'era
minore la calca, portando un lungo strascico di broccato bianco
che la seguiva come un'onda grave sul pavimento. Così bianca
e semplice, nel passare volgeva il capo ai molti saluti, mostrando un'aria di stanchezza, sorridendo con un piccolo sforzo
visibile che le increspava gli angoli della bocca, mentre gli
occhi sembravan più larghi sotto la fronte esangue. Non la
fronte sola ma tutte le linee del volto assumevano dall'estremo
pallore una tenuità quasi direi psichica. Ella non era più né la
donna seduta alla mensa degli Ateleta, né quella al banco delle
vendite, né quella diritta un istante sul marciapiede della via
Sistina. La sua bellezza aveva ora un'espressione di sovrana
idealità, che meglio splendeva in mezzo alle altre dame accese
in volto dalla danza, eccitate, troppo mobili, un po' convulse.
Alcuni uomini, guardandola, rimanevan pensosi. Ella metteva
anche negli spiriti più ottusi o più fatui un turbamento, una inquietudine, un'aspirazione indefinibile. Chi aveva il cuor libero
imaginava con un fremito profondo l'amore di lei; chi aveva
un'amante provava un oscuro rammarico sognando una

ebrezza sconosciuta, nel cuore non pago; chi recava entro di sé
la piaga d'una gelosia o d'un inganno aperta da un'altra donna,
sentiva ben che avrebbe potuto guarire.

Ella s'avanzava così, tra gli omaggi, avvolta dallo sguardo
degli uomini. All'estremità della galleria, si unì ad un gruppo
di dame che parlavano vivamente agitando i ventagli, sotto la
pittura di Perseo e di Fineo impietrato. Eranvi la Ferentino, la
Massa d'Albe, la marchesa Daddi–Tosinghi, la Dolcebuono.

— Perché così tardi? — le chiese quest'ultima.

— Ho esitato molto, prima di venire, perché non mi sento
bene.

— Infatti, sei pallida.

— Credo che riavrò le nevralgie alla faccia, come l'anno
scorso.

— Non sia mai!

— Guarda, Elena, Madame de la Boissière — disse Giovanella Daddi, con quella sua strana voce rauca. — Non sembra
un cammello vestito da cardinale, con un parrucchino giallo?

— Mademoiselle Vanloo stasera perde la testa per tuo cugino — disse la Massa d'Albe alla principessa, vedendo passare Sofia Vanloo a braccio di Ludovico Barbarisi. — L'ho
sentita dianzi che supplicava, dopo un giro di *Polka* accanto a
me: «*Ludovic, ne faites plus ça en dansant; je frissonne
toute...*» [10]

Le dame si misero a ridere in coro, tra l'agitazion de' ventagli. Giungevano dalle sale contigue le prime note d'un *Walzer*
ungherese. I cavalieri si presentarono. Andrea poté finalmente
offerire il braccio ad Elena e trarla seco.

— Aspettandovi, ho creduto di morire! Se voi non foste venuta, Elena, io vi avrei cercata ovunque. Quando vi ho vista
entrare, ho trattenuto a stento un grido. Questa è la seconda
sera ch'io vi vedo, ma mi par già di amarvi non so da che
tempo. Il pensiero di voi, unico, incessante, è ora la vita della
mia vita...

Egli proferiva le parole d'amore sommessamente, senza
guardarla, tenendo gli occhi fissi d'innanzi a sé; ed ella le
ascoltava nella stessa attitudine, impassibile in vista, quasi
marmorea. Nella galleria rimanevano poche persone. Lungo le
pareti, tra i busti dei Cesari, i cristalli opachi de' lumi, in
forma di gigli, versavano un chiarore eguale, non troppo forte.
La profusione delle piante verdi e fiorite dava imagine di una
serra suntuosa. Le onde della musica si propagavano nell'aria
calda, sotto le volte concave e sonore, passando su tutta quella
mitologia come un vento su un giardino opulento.

[10] «Ludovico, non fate più questo ballando; rabbrividisco tutta.» (*N.d.C.*).

— Mi amerete voi? — chiese il giovine. — Ditemi che mi amerete!

Ella rispose, con lentezza:

— Son venuta qui per voi soltanto.

— Ditemi che mi amerete! — ripeté il giovine, sentendo tutto il sangue delle sue vene affluire al cuore come un torrente di gioia.

Ella rispose:

— Forse.

E lo guardò con lo sguardo medesimo che la sera innanzi era a lui parso una divina promessa, con quell'indefinibile sguardo che quasi dava alla carne la sensazione del tócco amoroso d'una mano. Poi ambedue tacquero; ed ascoltarono l'avviluppante musica della danza, che a tratti a tratti facevasi piana come un susurro o levavasi come un turbine improvviso.

— Volete che balliamo? — domandò Andrea, che dentro tremava al pensiero di tenerla fra le braccia.

Ella esitò un poco. Quindi rispose:

— No; non voglio.

Vedendo entrare nella galleria la duchessa di Bugnara, sua zia materna, e la principessa Alberoni con l'ambasciatrice di Francia, soggiunse:

— Ora, siate prudente; lasciatemi.

Ella gli tese la mano inguantata; e andò incontro alle tre dame, sola, con un passo ritmico e leggero. Dava una sovrana grazia alla sua persona e al suo passo il lungo strascico bianco, poiché l'ampiezza e la pesantezza del broccato contrastavano con l'esilità della cintura. Andrea, seguendola con gli occhi, ripeteva mentalmente la frase di lei: «Son venuta per voi soltanto». — Ella era pur così bella, per lui, per lui solo! — Subitamente, dal fondo del cuore gli si levò un resto dell'amarezza che vi avevano messa le parole dell'Angelieri. L'orchestra lanciavasi con impeto in una ripresa. Ed egli non dimenticò mai né quelle note, né quell'improvvisa angoscia, né l'attitudine della donna, né lo splendor della stoffa trascinata, né una minima piega, né una minima ombra, né alcuna particolarità di quel momento supremo.

IV.

Elena, dopo poco, aveva lasciato il palazzo Farnese, quasi di nascosto, senza prender congedo né da Andrea né da alcun altro. Era dunque rimasta al ballo appena mezz'ora. L'amante l'aveva cercata per tutte le sale, a lungo e invano.

La mattina seguente, egli mandò un servo al palazzo Barberini per aver notizie di lei; e seppe ch'ella stava male. La sera andò di persona, sperando d'esser ricevuto; ma una camerista gli disse che la signora soffriva molto e che non poteva veder nessuno. Il sabato, verso le cinque del pomeriggio, tornò, sempre sperando.

Egli usciva dalla casa Zuccari, a piedi. Era un tramonto paonazzo e cinereo, un po' lugubre, che a poco a poco si stendeva su Roma come un velario greve. Intorno alla fontana della piazza Barberini i fanali già ardevano, con fiammelle pallidissime, come ceri intorno a un feretro; e il Tritone non gittava acqua, forse per causa d'un restauro o d'una pulitura. Venivano giù per la discesa carri tirati da due o da tre cavalli messi in fila e torme d'operai tornanti dalle opere nuove. Alcuni, allacciati per le braccia, si dondolavano cantando a squarciagola una canzone impudica.

Egli si fermò, per lasciarli passare. Due o tre di quelle figure rossastre e bieche gli rimasero impresse. Notò che un carrettiere aveva una mano fasciata e le fasce macchiate di sangue. Anche, notò un altro carrettiere in ginocchio sul carro, che aveva la faccia livida, le occhiaie cave, la bocca contratta, come un uomo attossicato. Le parole della canzone si mescevano ai gridi gutturali, ai colpi delle fruste, al romore delle ruote, al tintinnio dei sonagli, alle ingiurie, alle bestemmie, alle aspre risa.

La sua tristezza s'aggravò. Egli si trovava in una disposizion di spirito strana. La sensibilità de' suoi nervi era così acuta che ogni minima sensazione a lui data dalle cose esteriori pareva una ferita profonda. Mentre un pensiero fisso occupava e tormentava tutto il suo essere, egli aveva tutto il suo essere esposto agli urti della vita circostante. Contro ogni alienazione della mente ed ogni inerzia della volontà, i suoi sensi rimanevano vigili ed attivi; e di quell'attività egli aveva una conscienza non esatta. I gruppi delle sensazioni gli attraversavano d'improvviso lo spirito, simili a grandi fantasmagorie in una oscurità; e lo turbavano e sbigottivano. Le nuvole del tramonto, la forma del Tritone cupa in un cerchio di fanali smorti, quella discesa barbarica d'uomini bestiali e di giumenti enormi, quelle grida, quelle canzoni, quelle bestemmie esasperavano la sua tristezza, gli suscitavano nel cuore un timor vago, non so che presentimento tragico.

Una carrozza chiusa usciva dal giardino. Egli vide chinarsi al cristallo un volto di donna, in atto di saluto; ma non lo riconobbe. Il palazzo levavasi d'innanzi a lui, ampio come una reggia; le vetrate del primo piano brillavano di riflessi violacei; su la sommità indugiava un bagliore fievole; dal vestibolo usciva un'altra carrozza chiusa.

«Se potessi vederla!» egli pensò, soffermandosi. Rallentava

il passo, per prolungare l'incertezza e la speranza. Ella gli pareva assai lontana, quasi perduta, in quell'edifizio così vasto.

La carrozza si fermò; e un signore mise il capo fuori dello
sportello, chiamando:

— Andrea!

Era il duca di Grimiti, un parente.

— Vai dalla Scerni? — chiese colui con un sorriso fine

— Sì, — rispose Andrea — a prendere notizie. Tu sai, è malata.

— Lo so. Vengo di là. Sta meglio.

— Riceve?

— Me, no. Ma potrà forse ricever te.

E il Grimiti si mise a ridere maliziosamente, tra il fumo
della sua sigaretta.

— Non capisco — fece Andrea, serio.

— Bada; si dice già che tu sia in favore. L'ho saputo iersera,
in casa Pallavicini; da una tua amica: te lo giuro.

Andrea fece un atto d'impazienza e si voltò per andarsene.

— *Bonne chance!*[11] — gli gridò il duca.

Andrea entrò sotto il portico. In fondo a lui, la vanità godeva
di quella diceria già sorta. Egli ora si sentiva più sicuro, più
leggero, quasi lieto, pieno d'un intimo compiacimento. Le parole del Grimiti gli avevano d'un tratto sollevato gli spiriti,
come un sorso d'un liquor cordiale. Mentre saliva le scale, gli
cresceva la speranza. Giunto avanti alla porta, aspettò per contenere l'ansia. Suonò.

Il servo lo riconobbe; e disse sùbito:

— Se il signor conte ha la bontà d'attendere un momento,
vado ad avvertire *Mademoiselle*.

Egli assentì; e si mise a passeggiare su e giù per la vasta anticamera ove gli pareva ripercuotersi forte il tumulto del suo
sangue. Le lanterne di ferro battuto illuminavano inegualmente
il cuoio delle pareti, le cassapanche scolpite, i busti antichi su'
piedistalli di broccatello. Sotto un baldacchino splendeva di ricami l'impresa ducale: un liocorno d'oro in campo rosso. In
mezzo a un tavolo, un piatto di bronzo era colmo di biglietti; e,
gittandovi gli occhi sopra, Andrea vide quello recente del Grimiti. «*Bonne chance!*» Gli risonava ancor negli orecchi l'augurio ironico.

Mademoiselle apparve, dicendo:

— La duchessa sta un poco meglio. Credo che il signor
conte potrà passare, un momento. Venga, di grazia, con me.

Ella era una donna di gioventù già sfiorita, piuttosto sottile,
vestita di nero, con due occhi grigi che scintillavano singolar-

---

[11] «Buona fortuna!» (*N.d.C.*).

mente tra i falsi ricci biondicci. Aveva il passo e il gesto lievissimi, quasi furtivi, come di chi abbia la consuetudine di vivere intorno agli infermi o di attendere ad uffici delicati o di eseguire ordini in segretezza.

— Venga, signor conte.

Ella precedeva Andrea, lungo le stanze appena rischiarate, su i tappeti folti che attenuavano ogni romore; e il giovine, pur nell'infrenabile tumulto del suo spirito, provava contro di lei un senso istintivo di repulsione, senza sapere perché.

Giunta innanzi a una porta che coprivano due bande di tappezzeria medìcea orlate di velluto rosso, ella si fermò, dicendo:

— Entro prima io, ad annunziarla. Attenda qui.

Una voce di dentro, la voce di Elena, chiamò:

— Cristina!

Andrea si sentì tremar le vene con tal furia a quel suono inaspettato, che pensò: «Ecco, ora vengo meno». Aveva come l'antiveggenza indistinta d'una qualche felicità soprannaturale, superante la sua aspettazione, avanzante i suoi sogni, soverchiante le sue forze. — Ella era là, oltre quella soglia. — Ogni nozione della realtà fuggiva dal suo spirito. Gli pareva d'avere, un tempo, pittoricamente o poeticamente imaginata una simile avventura d'amore, in quello stesso modo, con quello stesso apparato, con quello stesso fondo, con quello stesso mistero; e *un altro*, un suo personaggio imaginario, n'era l'eroe. Ora, per uno strano fenomeno fantastico, quella ideal finzione d'arte confondevasi col caso reale; ed egli provava un senso inesprimibile di smarrimento. — Ciascuna banda di arazzo recava una figura simbolica. Il Silenzio e il Sonno, due efebi, svelti e lunghi quali avrebbe potuto disegnarli il Primaticcio bolognese, custodivano la porta. Ed egli, egli proprio, eravi d'innanzi, in attesa; ed oltre la soglia, forse nel letto, respirava la divina amante. — Egli credeva udire il respiro di lei nel palpito delle sue arterie.

Mademoiselle uscì, alfine. Tenendo sollevato con la mano il grave tessuto, disse a voce bassa, con un sorriso:

— Può entrare.

E si ritrasse. Andrea entrò.

Ebbe, da prima, l'impressione d'un'aria assai calda, quasi soffocante: sentì nell'aria l'odor singolare del cloroformio; scorse qualche cosa di rosso nell'ombra, il damasco rosso delle pareti, i cortinaggi del letto; udì la voce stanca di Elena, che mormorava:

— Vi ringrazio, Andrea, d'esser venuto. Sto meglio.

Un poco esitando, poiché non vedeva distintamente le cose a quel lume fievole, s'avanzò fino al letto.

Ella sorrideva, col capo affondato su i guanciali, supina,

nella mezz'ombra. Una zona di lana bianca le fasciava la
fronte e le gote, passando di sotto al mento, come un soggólo
monacale; né la pelle del volto era men bianca di quella fascia.
Gli angoli esterni delle palpebre si restringevano per la contra-
zion dolorosa dei nervi infiammati; a intervalli la palpebra inferiore aveva un piccolo tremolio involontario; e l'occhio era
umido, infinitamente soave, come velato da una lacrima che
non potesse sgorgare, quasi implorante, fra i cigli che trepida-
vano.

Una immensa tenerezza invase il cuore del giovine, quando
la vide da presso. Elena trasse fuori una mano e gliela tese, con
un gesto assai lento. Egli si chinò, quasi in ginocchio contro la
proda del letto; e si mise a coprir di baci rapidi e leggeri quella
mano che ardeva, quel polso che batteva forte.

— Elena! Elena! Mio amore!

Elena aveva chiuso gli occhi, come per gustare più intimamente il rivo di piacere che le saliva pel braccio e le si effondeva a sommo del petto e le s'insinuava nelle fibre più segrete.
Volgeva la mano, sotto la bocca di lui, per sentire i baci su la
palma, sul dosso, tra le dita, intorno intorno al polso, su tutte le
vene, in tutti i pori.

— Basta! — mormorò, riaprendo gli occhi; e con la mano
che le parve un po' intorpidita sfiorò i capelli d'Andrea.

In quella carezza così tenue era tanto abbandono che fu su
l'anima di lui la foglia di rosa sul calice colmo. La passione
traboccò. Gli tremavano le labbra, sotto l'onda confusa di parole ch'egli non conosceva, ch'egli non profferiva. Aveva la
sensazione violenta e divina come d'una vita che si dilatasse
oltre le sue membra.

— Che dolcezza! È vero? — disse Elena, sommessa, ripetendo quel gesto blando. E un brivido visibile le corse la persona, a traverso le coperte pesanti.

Poiché Andrea fece l'atto di prenderle di nuovo la mano,
ella pregava...

— No... Così, resta così! Mi piaci!

Premendogli la tempia, lo costrinse a posare il capo su la
sponda, per modo ch'egli sentiva contro una guancia la forma
del ginocchio di lei. Lo guardò quindi ella un poco, pur sempre
accarezzandogli i capelli; e con una voce morente di delizia,
mentre le passava tra' cigli qualche cosa come un baleno
bianco, soggiunse, allungando le parole:

— Quanto mi piaci!

Un inesprimibile allettamento voluttuoso era nell'apertura
delle sue labbra, quando pronunziava la prima sillaba di quel
verbo così liquido e sensuale in bocca a una donna.

— Ancóra! — mormorò l'amante, i cui sensi languivano di

passione, alla carezza delle dita, alla lusinga della voce di lei.
— Ancóra! Dimmi! Parla!

— Mi piaci! — ripeteva Elena, vedendo ch'egli la guardava
fiso nelle labbra e forse conoscendo il fascino ch'ella emanava
con quella parola.

Poi tacquero ambedue. L'uno sentiva la presenza dell'altra
fluire e mescersi nel suo sangue, finché questo divenne la vita
di lei e il sangue di lei la vita sua. Un silenzio profondo ingrandiva la stanza; il crocifisso di Guido Reni faceva religiosa
l'ombra dei cortinaggi; il romore dell'Urbe giungeva come il
murmure d'un flutto assai lontano.

Allora, con un movimento repentino, Elena si sollevò sul
letto, strinse fra le due palme il capo del giovine, l'attirò, gli
alitò sul volto il suo desiderio, lo baciò, ricadde, gli si offerse.

Dopo, una immensa tristezza la invase; la occupò l'oscura
tristezza che è in fondo a tutte le felicità umane, come alla foce
di tutti i fiumi è l'acqua amara. Ella, giacendo, teneva le braccia fuori della coperta abbandonate lungo i fianchi, le mani su-
pine, quasi morte, agitate di tratto in tratto da un lieve sussulto;
e guardava Andrea, con gli occhi bene aperti, con uno sguardo
continuo, immobile, intollerabile. A una a una, le lacrime incominciarono a sgorgare; e scendevano per le gote a una a una,
silenziosamente.

— Elena, che hai! Dimmi: che hai? — le chiese l'amante,
prendendole i polsi, chinandosi a suggerle dai cigli le lacrime.

Ella stringeva forte i denti e le labbra per contenere il singulto.

— Nulla. Addio. Lasciami; ti prego! Mi vedrai domani. Va.

La sua voce e il suo gesto furono così supplichevoli che Andrea obbedì.

— Addio — egli disse; e la baciò in bocca, teneramente,
provando il sapore delle stille salse, bagnandosi di quel caldo
pianto. — Addio. Amami! Ricòrdati!

Gli parve, rivarcando la soglia, di udire dietro di sé uno
scoppio di singulti. Andò innanzi, un po' incerto, titubante
come un uomo che abbia la vista malsicura. Gli persisteva nel
senso l'odore del cloroformio, simile a un vapore d'ebbrezza;
ma ad ogni passo qualche cosa d'intimo gli sfuggiva, si disperdeva nell'aria; ed egli, per un istintivo impulso, avrebbe
voluto restringersi, chiudersi, invilupparsi, impedire quella di-
spersione. Le stanze erano deserte e mute, d'innanzi. A una
porta, *Mademoiselle* comparve, senza alcun rumore di passi,
senza alcun fruscìo di vesti, come un fantasma.

— Di qua, signor conte. Ella non ritrova la via.

Sorrideva in una maniera ambigua e irritante; e la curiosità
rendeva più pungenti i suoi occhi grigi. Andrea non parlò. Di

nuovo la presenza di quella donna gli era molesta, lo turbava, gli suscitava quasi un vago ribrezzo, gli faceva ira.

Appena fu sotto il portico, respirò come un uomo liberato da un'angoscia. La fontana metteva tra gli alberi un chiocciolìo sommesso, rompendo a tratti in uno strepito sonoro; tutto il cielo risfavillava di stelle che certe nuvole lacere avvolgevano come in lunghe capigliature cineree o in vaste reti nere; fra i colossi di pietra, a traverso i cancelli, apparivano e sparivano i fanali delle vetture in corsa; spandevasi nell'aria fredda il soffio della vita urbana; le campane sonavano, da lungi e da presso. Egli aveva alfine la conscienza intera della sua felicità.

Una felicità piena, obliosa, libera, sempre novella, tenne ambedue, dopo d'allora. La passione li avvolse, e li fece incuranti di tutto ciò che per ambedue non fosse un godimento immediato. Ambedue, mirabilmente formati nello spirito e nel corpo all'esercizio di tutti i più alti e i più rari diletti, ricercavano senza tregua il Sommo, l'Insuperabile, l'Inarrivabile; e giungevano così oltre, che talvolta una oscura inquietudine li prendeva pur nel colmo dell'oblio, quasi una voce d'ammonimento salisse dal fondo dell'esser loro ad avvertirli d'un ignoto castigo, d'un termine prossimo. Dalla stanchezza medesima il desiderio risorgeva più sottile, più temerario, più imprudente; come più s'inebriavano, la chimera del loro cuore ingigantiva, s'agitava, generava nuovi sogni; parevano non trovar riposo che nello sforzo, come la fiamma non trova la vita che nella combustione. Talvolta, una fonte di piacere inopinata aprivasi dentro di loro, come balza d'un tratto una polla viva sotto le calcagna d'un uomo che vada alla ventura per l'intrico d'un bosco; ed essi vi bevevano senza misura, finché non l'avevano esausta. Talvolta, l'anima, sotto l'influsso dei desiderii, per un singolar fenomeno d'allucinazione, produceva l'imagine ingannevole d'una esistenza più larga, più libera, più forte, «oltrapiacente»; ed essi vi s'immergevano, vi godevano, vi respiravano come in una loro atmosfera natale. Le finezze e le delicatezze del sentimento e dell'imaginazione succedevano agli eccessi della sensualità.

Ambedue non avevano alcun ritegno alle mutue prodigalità della carne e dello spirito. Provavano una gioia indicibile a lacerare tutti i veli, a palesare tutti i segreti, a violare tutti i misteri, a possedersi fin nel profondo, a penetrarsi, a mescolarsi, a comporre un essere solo.

— Che strano amore! — diceva Elena, ricordando i primissimi giorni, il suo male, la rapida dedizione. — Mi sarei data a te la sera stessa ch'io ti vidi.

Ella ne provava una specie d'orgoglio. E l'amante diceva:

— Quando udii, quella sera, annunziare il mio nome accanto

al tuo, su la soglia, ebbi, non so perché, la certezza che la mia vita era legata alla tua, per sempre!

Essi credevano quel che dicevano. Rilessero insieme l'elegìa romana del Goethe: «*Lass dich, Geliebte, nicht reun, dass du mir so schnell dich ergeben!...* [12] Non ti pentire, o diletta, d'esserti così prontamente concessa! Credimi, io di te non serbo alcun pensiero basso e impuro. Gli strali d'Amore han vario effetto: gli uni graffiano appena, e del tossico che s'insinua il cuor soffre molt'anni; bene pennuti e armati d'un ferro aguzzo e vivo, gli altri penetrano nel midollo e subitamente infiammano il sangue. Ai tempi eroici, quando gli dei e le dee amavano, il desio seguiva lo sguardo, il godimento seguiva il desio. Credi tu che la dea dell'Amore abbia a lungo meditato quando, sotto i boschetti d'Ida, Anchise un giorno le piacque? E la Luna? S'ella esitava, l'Aurora gelosa avrebbe presto risvegliato il bel pastore! Ero vede Leandro in piena festa, e l'acceso amante si tuffa nell'onda notturna. Rea Silvia, la vergine regia, va ad attinger acqua nel Tevere e la ghermisce il dio...».

Come per il divino elegiopèo di Faustina, per essi Roma s'illuminava d'una voce novella. Ovunque passavano, lasciavano una memoria d'amore. Le chiese remote dell'Aventino: Santa Sabina su le belle colonne di marmo pario, il gentil verziere di Santa Maria del Priorato, il campanile di Santa Maria in Cosmedin, simile a un vivo stelo roseo nell'azzurro, conoscevano il loro amore. Le ville dei cardinali e dei principi: la Villa Pamphily, che si rimira nelle sue fonti e nel suo lago tutta graziata e molle, ove ogni boschetto par chiuda un nobile idillio ed ove i balaustri lapidei e i fusti arborei gareggian di frequenza; la Villa Albani, fredda e muta come un chiostro, selva di marmi effigiati e museo di bussi centenarii, ove dai vestiboli e dai portici, per mezzo alle colonne di granito, le cariatidi e le erme, simboli d'immobilità, contemplano l'immutabile simetria del verde; e la Villa Medici che pare una foresta di smeraldo ramificante in una luce soprannaturale; e la Villa Ludovisi, un po' selvaggia, profumata di viole, consacrata dalla presenza della Giunone cui Wolfgang adorò, ove in quel tempo i platani d'Oriente e i cipressi dell'Aurora, che parvero immortali, rabbrividivano nel presentimento del mercato e della morte; tutte le ville gentilizie, sovrana gloria di Roma, conoscevano il loro amore. Le gallerie dei quadri e delle statue: la sala borghesiana della Danae d'innanzi a cui Elena sorrideva quasi rivelata, e la sala degli specchi ove l'imagine di lei pas-

---

[12] «Non ti rimorda, o cara, che a me così presto ti sia abbandonata», Goethe, *Elegie romane*, III (*N.d.C.*).

sava tra i putti di Ciro Ferri e le ghirlande di Mario de' Fiori; la camera dell'Eliodoro, prodigiosamente animata della più forte palpitazion di vita che il Sanzio abbia saputo infondere nell'inerzia d'una parete, e l'appartamento dei Borgia, ove la grande fantasia del Pinturicchio si svolge in un miracoloso tessuto d'istorie, di favole, di sogni, di capricci, di artifizi e di ardiri; la stanza di Galatea, per ove si diffonde non so che pura freschezza e che serenità inestinguibile di luce, e il gabinetto dell'Ermafrodito, ove lo stupendo mostro, nato dalla voluttà d'una ninfa e d'un semidio, stende la sua forma ambigua tra il rifulgere delle pietre fini; tutte le solitarie sedi della Bellezza conoscevano il loro amore.

Essi comprendevano l'alto grido del poeta: «*Eine Welt zwar bist Du, o Rom!* Tu sei un mondo, o Roma! Ma senza l'amore il mondo non sarebbe il mondo, Roma stessa non sarebbe Roma». E la scala della Trinità, glorificata dalla lenta ascensione del Giorno, era la scala della Felicità, per l'ascensione della bellissima Elena Muti.

Elena spesso piacevasi di salire per quei gradini al *buen retiro* del palazzo Zuccari. Saliva piano, seguendo l'ombra; ma l'anima sua correva rapida alla cima. Ben molte ore gaudiose misurò il piccolo teschio d'avorio dedicato a Ippolita, che Elena talvolta accostava all'orecchio con un gesto infantile, mentre premeva l'altra guancia sul petto dell'amante, per ascoltare insieme la fuga degli attimi e il battito di quel cuore. Andrea le pareva sempre nuovo. Talvolta, ella rimaneva quasi attonita d'innanzi all'infaticabile vitalità di quello spirito e di quel corpo. Talvolta, le carezze di lui le strappavano un grido in cui esalavasi tutto il terribile spasimo dell'essere sopraffatto dalla violenza della sensazione. Talvolta, fra le braccia di lui, la occupava una specie di torpore quasi direi veggente, in cui ella credeva divenire, per la transfusione d'un'altra vita, una creatura diafana, leggera, fluida, penetrata d'un elemento immateriale, purissima; mentre tutte le pulsazioni nella lor moltitudine le davano imagine del tremito innumerevole d'un mar calmo in estate. Anche, talvolta, fra le braccia, sul petto di lui, dopo le carezze, ella sentiva dentro di sé la voluttà acquietarsi, agguagliarsi, addormentarsi, a similitudine di un'acqua estuante che a poco a poco si posi; ma se l'amato respirava più forte o appena appena si moveva, ella sentiva di nuovo un'onda ineffabile attraversarla dal capo a' piedi, vibrare diminuendo, e infine morire. Questa «spiritualizzazione» del gaudio carnale, causata dalla perfetta affinità dei due corpi, era forse il più saliente tra i fenomeni della loro passione. Elena, talvolta, aveva lacrime più dolci dei baci.

E nei baci, che dolcezza profonda! Ci sono bocche di donne

le quali paiono accendere d'amore il respiro che le apre. Le invermigli un sangue ricco più d'una porpora o le geli un pallor d'agonia, le illumini la bontà d'un consenso o le oscuri un'ombra di disdegno, le dischiuda il piacere o le torca la sofferenza, portano sempre in loro un enigma che turba gli uomini intellettuali e li attira e li captiva. Un'assidua discordia tra l'espression delle labbra e quella degli occhi genera il mistero; par che un'anima duplice vi si riveli con diversa bellezza, lieta e triste, gelida e passionata, crudele e misericorde, umile e orgogliosa, ridente e irridente; e l'ambiguità suscita l'inquietudine nello spirito che si compiace delle cose oscure. Due quattrocentisti meditativi, perseguitori infaticabili d'un Ideale raro e superno, psicologi acutissimi a cui si debbon forse le più sottili analisi della fisionomia umana, immersi di continuo nello studio e nella ricerca delle difficoltà più ardue e de' segreti più occulti, il Botticelli e il Vinci, compresero e resero per vario modo nell'arte loro tutta l'indefinibile seduzione di tali bocche.

Ne' baci d'Elena era, in verità, per l'amato, l'elisire sublimissimo. Di tutte le mescolanze carnali quella pareva loro la più completa, la più appagante. Credevano, talvolta, che il vivo fiore delle loro anime si disfacesse premuto dalle labbra, spargendo un succo di delizie per ogni vena insino al cuore; e, talvolta, avevano al cuore la sensazione illusoria come d'un frutto molle e roscido che vi si sciogliesse. Tanto era la congiunzion perfetta, che l'una forma sembrava il natural complemento dell'altra. Per prolungare il sorso, contenevano il respiro finché non si sentivan morire d'ambascia, mentre le mani dell'una tremavan su le tempie dell'altro smarritamente. Un bacio li prostrava più d'un amplesso. Distaccati, si guardavano, con gli occhi fluttuanti in una nebbia torpida. Ed ella diceva, con la voce un po' roca, senza sorridere: — Moriremo.

Talvolta, riverso, egli chiudeva le palpebre aspettando. Ella, che conosceva quell'artifizio, chinavasi sopra di lui con meditata lentezza, a baciarlo. Non sapeva l'amato dove avrebbe ricevuto quel bacio ch'egli, nella sua volontaria cecità, vagamente presentiva. In quel minuto d'aspettazione e d'incertezza, un'ansia indescrivibile gli agitava tutte le membra, simile nell'intensità al raccapriccio d'un uomo bendato che sia sotto la minaccia d'un suggello di fuoco. Quando infine le labbra lo toccavano, frenava a stento un grido. E la tortura di quel minuto gli piaceva; poiché non di rado la sofferenza fisica nell'amore attrae più della blandizia. Elena anche, per quel singolare spirito imitativo che spinge gli amanti a rendere esattamente una carezza, voleva provare.

— Mi sembra — diceva ad occhi chiusi — che tutti i pori della mia pelle sieno come un milione di piccole bocche anelanti alla tua, spasimanti per essere elette, invidiose l'una dell'altra...

Egli allora, per equità, si metteva a coprirla di baci rapidi e fitti, trascorrendo tutto il bel corpo, non lasciando intatto alcun minimo spazio, non allentando la sua opera mai. Ella rideva, felice, sentendosi cingere come d'una veste invisibile; rideva e gemeva, folle, sentendo la furia di lui imperversare; rideva e piangeva, perduta, non potendo più reggere al divorante ardore. Poi, con uno sforzo repentino, faceva prigione il collo di lui fra le sue braccia, l'allacciava con i suoi capelli, lo teneva, tutto palpitante, simile a una preda. Egli, stanco, era contento di cedere e di rimaner così preso in quei vincoli. Guardandolo, ella esclamava:

— Come sei giovine! Come sei giovine!

La giovinezza in lui, contro tutte le corruzioni, contro tutte le dispersioni, resisteva, persisteva, a somiglianza d'un metallo inalterabile, d'un aroma indistruttibile. Lo splendor sincero della giovinezza era, appunto, la qualità sua più preziosa. Alla gran fiamma della passione, quanto in lui era più falso, più tristo, più arteficiato, più vano, si consumava come un rogo. Dopo la resoluzion delle forze, prodotta dall'abuso dell'analisi e dall'azion *separata* di tutte le sfere interiori, egli tornava ora all'unità delle forze, dell'azione, della vita; riconquistava la confidenza e la spontaneità; amava e godeva giovenilmente. Certi suoi abbandoni parevano d'un fanciullo inconsapevole; certe sue fantasie erano piene di grazia, di freschezza e di ardire.

— Qualche volta — gli diceva Elena — la mia tenerezza per te si fa più delicata di quella d'un'amante. Io non so... Diventa quasi materna.

Andrea rideva, perché ella era maggiore appena di tre anni.

— Qualche volta — egli diceva a lei — la comunione del mio spirito col tuo mi par così casta ch'io ti chiamerei sorella, baciandoti le mani.

Queste fallaci purificazioni ed elevazioni del sentimento avvenivano sempre nei languidi intervalli del piacere, quando sul riposo della carne l'anima provava un bisogno vago d'idealità. Allora, anche, risorgevano nel giovine le idealità dell'arte ch'egli amava; e gli tumultuavano nell'intelletto tutte le forme un tempo create e contemplate, chiedendo di uscire; e le parole del monologo goethiano l'incitavano. «Che può sotto i tuoi occhi l'accesa natura? Che può la forma dell'arte intorno a te, se la passionata forza creatrice non t'empie l'anima e non affluisce alla punta delle tue dita, incessantemente, per riprodurre?» Il pensiero di dar gioia all'amante, con un verso numeroso o con una linea nobile, lo spinse all'opera. Egli scrisse *La*

Simona; e fece le due acqueforti, dello *Zodiaco* e della *Tazza d'Alessandro*.

Eleggeva, nell'esercizio dell'arte, gli strumenti difficili, esatti, perfetti, incorruttibili: la metrica e l'incisione; e intendeva proseguire e rinnovare le forme tradizionali italiane, con severità, riallacciandosi ai poeti dello *stil novo* e ai pittori che precorrono il Rinascimento. Il suo spirito era essenzialmente *formale*. Più che il pensiero, amava l'espressione. I suoi saggi letterarii erano esercizii, giuochi, studii, ricerche, esperimenti tecnici, curiosità. Egli pensava, con Enrico Taine, fosse più difficile compor sei versi belli che vincere una battaglia in campo. La sua *Favola d'Ermafrodito* imitava nella struttura la *Favola di Orfeo* del Poliziano; ed aveva strofe di straordinaria squisitezza, potenza e musicalità specialmente nei cori cantati da mostri di duplice natura: dai Centauri, dalle Sirene e dalle Sfingi. Questa sua nuova tragedia, *La Simona,* di breve misura, aveva un sapor singolarissimo. Sebbene rimata negli antichi modi toscani, pareva imaginata da un poeta inglese del secolo d'Elisabetta, sopra una novella del *Decamerone*; chiudeva in sé qualche parte del dolce e strano incanto ch'è in certi drammi minori di Guglielmo Shakespeare.

Il poeta segnò così la sua opera, nel frontespizio dell'Esemplare Unico: A. S. CALCOGRAPHUS AQUA FORTI SIBI TIBI FECIT.

Il rame l'attraeva più della carta; l'acido nitrico, più dell'inchiostro; il bulino, più della penna. Già uno de' suoi maggiori, Giusto Sperelli, aveva esperimentata l'incisione. Alcune stampe di lui, eseguite intorno l'anno 1520, rivelavano manifestamente l'influenza di Antonio Pollajuolo, per la profondità e quasi direi acerbità del segno. Andrea praticava la maniera rembrandtesca *a tratti liberi* e la *maniera nera* prediletta dagli acquafortisti inglesi della scuola del Green, del Dixon, dell'Earlom. Egli aveva formata la sua educazione su tutti gli esemplari, aveva studiata partitamente la ricerca di ciascuno intagliatore, aveva imparato da Alberto Durero e dal Parmigianino, da Marc'Antonio e dall'Holbein, da Annibale Caracci e dal Mac-Ardell, da Guido e dal Callotta, dal Toschi e da Gerardo Audran; ma l'intendimento suo, d'innanzi al rame, era questo: rischiarare con gli effetti di luce del Rembrandt le eleganze di disegno de' Quattrocentisti fiorentini appartenenti alla seconda generazione come Sandro Botticelli, Domenico Ghirlandajo e Filippino Lippi.

I due rami recenti rappresentavano, in due episodii d'amore, due attitudini della bellezza d'Elena Muti; e prendevano il titolo dagli accessorii.

Tra le cose più preziose possedute da Andrea Sperelli era una coperta di seta fina, d'un colore azzurro disfatto, intorno a

cui giravano i dodici segni dello Zodiaco in ricamo, con le de-
nominazioni *Aries, Taurus, Gemini, Cancer, Leo, Virgo, Libra,
Scorpius, Arcitenens, Caper, Amphora, Pisces* a caratteri gotici.
Il Sole trapunto d'oro occupava il centro del cerchio; le figure
degli animali, disegnate con uno stile un po' arcaico che ricordava quello de' musaici, avevano uno splendore straordinario;
tutta quanta la stoffa pareva degna d'ammantare un talamo imperiale. Essa, infatti, proveniva dal corredo di Bianca Maria
Sforza, nipote di Ludovico il Moro; la quale andò sposa
all'imperator Massimiliano.

La nudità di Elena non poteva, in verità, avere una più ricca
ammantatura. Talvolta, mentre Andrea stava nell'altra stanza,
ella si svestiva in furia, si distendeva nel letto, sotto la coperta
mirabile; e chiamava forte l'amante. Ed a lui che accorreva
ella dava imagine d'una divinità avvolta in una zona di firmamento. Anche, talvolta, volendo andare innanzi al camino, ella
levavasi dal letto traendo seco la coperta. Freddolosa, si stringeva addosso la seta, con ambo le braccia; e camminava a
piedi nudi, con passi brevi, per non implicarsi nelle pieghe ab-
bondanti. Il Sole splendevale su la schiena, a traverso i capelli
disciolti; lo Scorpione le prendeva una mammella; un gran
lembo zodiacale strisciava dietro di lei, sul tappeto, traspor-
tando le rose, s'ella le aveva già sparse.

L'acquaforte rappresentava appunto Elena dormente sotto i
segni celesti. La forma muliebre appariva secondata dalle pieghe della stoffa, col capo abbandonato un poco fuor della
proda del letto, con i capelli pioventi fino a terra, con un braccio pendulo e l'altro posato lungo il fianco. Le parti non nascoste, ossia la faccia, il sommo del petto e le braccia erano
luminosissime; e il bulino aveva reso con molta potenza lo
scintillio dei ricami nella mezz'ombra e il mistero dei simboli.
Un alto levriere bianco, *Famulus*, fratel di quello che posa la
testa su le ginocchia della contessa d'Arundel nel quadro di
Pietro Paolo Rubens, tendeva il collo verso la signora, gua-
tando, fermo su le quattro zampe, disegnato con una felice ar-
ditezza di scorcio. Il fondo della stanza era opulento e oscuro.

L'altra acquaforte riferivasi al gran bacino d'argento che
Elena Muti aveva ereditato da sua zia Flaminia.

Questo bacino era storico: e si chiamava la *Tazza d'Alessandro*. Fu donato alla principessa di Bisenti da Cesare Borgia
prima ch'ei partisse per la terra di Francia a portare la bolla di
divorzio e le dispense di matrimonio a Luigi XII; e doveva
esser compreso fra le salmerie favolose che il Valentino portò
seco nel suo ingresso a Chinon descritto dal signor di Bran-
tôme. Il disegno delle figure che giravano a torno e di quelle

che sorgevano dal margine delle due estremità era attribuito al Sanzio.

La tazza si chiamava di Alessandro perché fu composta in memoria di quella prodigiosa a cui nei vasti conviti soleva prodigiosamente bere il Macedone. Stuoli di Sagittarii giravano intorno ai fianchi del vaso, con tesi gli archi, tumultuando, nelle attitudini mirabili di quelli i quali Raffaello dipinse ignudi saettanti contro l'Erma nel fresco che sta nella sala borghesiana ornata da Giovan Francesco Bolognesi. Inseguivano una gran Chimera che sorgeva su dall'orlo, come un'ansa, alla estremità del vaso, mentre dalla parte opposta balzava il giovine sagittario Bellerofonte con l'arco teso contro il mostro nato di Tifone. Gli ornamenti della base e dell'orlo erano d'una rara leggiadria. L'interno era dorato, come quel d'un ciborio. Il metallo era sonoro come uno strumento. Il peso era di trecento libbre. La forma tutta quanta era armoniosa.

Spesso, per capriccio, Elena Muti prendeva in quella tazza il suo bagno mattutino. Ella vi si poteva bene immergere, se non distendere, con tutta la persona; e nulla, in verità, eguagliava la suprema grazia di quel corpo raccolto nell'acqua che la doratura tingeva d'un'indescrivibile tenuità di riflessi, poiché il metallo non era argento ancóra e l'oro moriva.

Invaghito di tre forme diversamente eleganti, cioè della donna, della tazza e del veltro, l'acquafortista trovò una composizion di linee bellissima. La donna, ignuda, in piedi, entro il bacino, appoggiandosi con una mano su la sporgenza della Chimera e con l'altra su quella di Bellerofonte, protendevasi innanzi ad irridere il cane che, piegato in arco su le zampe anteriori abbassate e su le posteriori diritte, a simiglianza di un felino quando spicca il salto, ergeva verso di lei il muso lungo e sottile come quel d'un luccio, argutamente.

Non mai Andrea Sperelli aveva con più ardore goduta e sofferta l'intenta ansietà dell'artefice in vigilare l'azion dell'acido cieca e irreparabile; non mai aveva con più ardore acuita la pazienza nella sottilissima opera della punta secca su le asprezze dei passaggi. Egli era *nato*, in verità, calcografo, come Luca d'Olanda. Possedeva una scienza mirabile (ch'era forse un raro senso) di tutte le minime particolarità di tempo e di grado le quali concorrono a infinitamente variare sul rame l'efficacia dell'acqua forte. Non la pratica, non la diligenza, non la intelligenza soltanto, ma specie quel natio senso quasi infallibile l'avvertiva del momento giusto, dell'attimo puntuale, in cui la corrosione giungeva a dare tal preciso valor d'ombra che nell'intenzion dell'artefice doveva avere la stampa. E nel padroneggiar così spiritualmente quella energia bruta e quasi direi nell'infonderle uno spirito d'arte e nel sentire non so che occulta rispondenza di misura tra il battere del polso e il progressivo mordere dell'acido, era il suo inebriante orgoglio, la sua tormentosa gioia.

Pareva ad Elena esser deificata dall'amante, come l'Isotta riminese nelle indistruttibili medaglie che Sigismondo Malatesta fece coniare in gloria di lei.

Ma ella, ne' giorni appunto in cui Andrea attendeva all'opera, diveniva triste e taciturna e sospirosa, quasi l'occupasse un'interna angoscia. Aveva, d'improvviso, effusioni di tenerezza così struggenti, miste di lacrime e di singhiozzi mal frenati, che il giovine rimaneva attonito, in sospetto, senza comprendere.

Una sera, tornavano a cavallo, dall'Aventino, giù per la via di Santa Sabina, avendo ancóra negli occhi la gran visione dei palazzi imperiali incendiati dal tramonto, rossi di fiamma tra i cipressi nerastri che penetrava una polvere d'oro. Cavalcavano in silenzio, poiché la tristezza di Elena erasi comunicata all'amante. D'innanzi a Santa Sabina, questi fermò il baio, dicendo:

— Ti ricordi?

Alcune galline, che beccavano in pace tra i ciuffi d'erba, si dispersero ai latrati di *Famulus*. Lo spiazzo, invaso dalle gramigne, era tranquillo e modesto come il sagrato d'un villaggio; ma i muri avevano quella luminosità singolare che riflettesi dagli edifizi di Roma «nell'ora di Tiziano».

Elena anche sostò.

— Come pare lontano, quel giorno! — disse, con un po' di tremito nella voce.

Infatti, quella memoria si perdeva nel tempo indefinitamente, quasi che il loro amore durasse da molti mesi, da molti anni. Le parole di Elena avevan suscitato nell'animo di Andrea la strana illusione e, insieme, una inquietudine. Ella si mise a ricordare tutte le particolarità di quella visita, fatta in un pomeriggio di gennaio, sotto un sole primaverile. Si diffondeva nelle minuzie, insistendo; e di tratto in tratto interrompevasi come chi segua, oltre le sue parole, un pensiero non espresso. Andrea credé sentire nella voce di lei il rimpianto. — Che rimpiangeva ella mai? Il loro amore non vedeva d'innanzi a sé giorni anche più dolci? La primavera non teneva già Roma? — Egli, perplesso, quasi non l'ascoltava più. I cavalli scendevano, al passo, l'uno a fianco dell'altro, talvolta respirando forte dalle froge o accostando i musi come per confidarsi un secreto. *Famulus* andava su e giù, in perpetua corsa.

— Ti ricordi — seguitava Elena — ti ricordi di quel frate che ci venne ad aprire, quando sonammo la campanella?

— Sì, sì...

— Come ci guardò stupefatto! Era piccolo piccolo, senza

barba, tutto rugoso. Ci lasciò soli nell'atrio, per andare a prendere le chiavi della chiesa; e tu mi baciasti. Ti ricordi?

— Sì.

— E tutti quei barili, nell'atrio! E quell'odore di vino, mentre il frate ci spiegava le storie intagliate nella porta di cipresso! E poi, la *Madonna del Rosario*! Ti ricordi? La spiegazione ti fece ridere; e io sentendoti ridere, non potei frenarmi; e ridemmo tanto innanzi a quel poveretto che si confuse e non aprì più bocca neanche all'ultimo per dirti grazie...

Dopo un intervallo, ella riprese:

— E a Sant'Alessio, quando tu non volevi lasciarmi vedere la cupola pel buco della serratura! Come ridemmo, anche là!

Tacque, di nuovo. Veniva su per la strada una compagnia d'uomini con una bara, seguitata da una carrozza publica, piena di parenti che piangevano. Il morto andava al cimitero degli Israeliti. Era un funerale muto e freddo. Tutti quegli uomini, dal naso adunco e dagli occhi rapaci, si somigliavan tra loro come consanguinei.

Affinché la compagnia passasse, i due cavalli si divisero, prendendo ciascuno un lato, rasente il muro; e gli amanti si guardarono, al di sopra del morto, sentendo crescere la tristezza.

Quando si riaccostarono, Andrea domandò:

— Ma tu che hai? A che pensi?

Ella esitò, prima di rispondere. Teneva gli occhi abbassati sul collo dell'animale, accarezzandolo col pomo del frustino, irresoluta e pallida.

— A che pensi? — ripeté il giovine.

— Ebbene, te lo dirò. Io parto mercoledì, non so per quanto tempo; forse per molto, per sempre; non so... Quest'amore si rompe, per colpa mia; ma non mi chiedere come, non mi chiedere perché, non mi chiedere nulla: ti prego! Non potrei risponderti.

Andrea la guardò, quasi incredulo. La cosa gli pareva così impossibile che non gli fece dolore.

— Tu dici per gioco; è vero, Elena?

Ella scosse la testa, negando, poiché le si era chiusa la gola; e subitamente spinse al trotto il cavallo. Dietro di loro, le campane di Santa Sabina e di Santa Prisca cominciarono a suonare, nel crepuscolo. Essi trottavano in silenzio, suscitando gli echi sotto gli archi, sotto i templi, nelle ruine solitarie e vacue. Lasciarono a sinistra San Giorgio in Velabro che aveva ancóra un bagliore vermiglio su i mattoni del campanile, come nel giorno della felicità. Costeggiarono il Fòro romano, il Fòro di Nerva, già occupati da un'ombra azzurrognola, simile a quella de'

ghiacciai nella notte. Si fermarono all'Arco dei Pantani, dove li
attendevano gli staffieri e le carrozze.

Appena fuor di sella, Elena tese la mano ad Andrea, evitando di guardarlo negli occhi. Pareva ch'ella avesse gran
fretta di allontanarsi.

— Ebbene? — le chiese Andrea, aiutandola a montar nel
legno.

— A domani. Stasera, no.

V.

Il commiato su la via Nomentana, quell'*adieu au grand air*[13]
voluto da Elena, non isciolse alcuno de' dubbii che Andrea
aveva nell'animo. — Quali eran mai le cagioni occulte di
quella partenza subitanea? — Invano egli cercava di penetrare
il mistero; i dubbii l'opprimevano.

Ne' primi giorni, gli assalti del dolore e del desiderio furono
così crudeli ch'egli credeva morirne. La gelosia, che dopo le
prime apparite erasi dileguata innanzi all'assiduo ardore di
Elena, risorgeva in lui destata dalle imaginazioni impure; e il
sospetto, che un uomo potesse nascondersi in quell'oscuro intrico, gli dava un tormento insopportabile. Talvolta, contro la
donna lontana, l'invadeva una bassa ira, un rancore pien d'a-
marezza, e quasi un bisogno di vendetta, come s'ella lo avesse
ingannato e tradito per abbandonarsi a un altro amante. Anche,
talvolta credeva di non desiderarla più, di non amarla più, di
non averla mai amata; ed era in lui un fenomeno non nuovo
questa cessazion momentanea d'un sentimento, questa specie
di sincope spirituale che, per esempio, gli rendeva completamente estranea in mezzo a un ballo la donna diletta e gli per-
metteva d'assistere a un gaio pranzo un'ora dopo aver bevute
le lacrime di lei. Ma quegli oblii non duravano. La primavera
romana fioriva con inaudita letizia: la città di travertino e di
mattone sorbiva la luce, come un'avida selva; le fontane papali
si levavano in un cielo più diafano d'una gemma; la piazza di
Spagna odorava come un roseto; e la Trinità de' Monti, in
cima alla scala popolata di putti, pareva un duomo d'oro.

Alle incitazioni che gli venivano dalla nuova bellezza di
Roma, quanto in lui rimaneva del fascino di quella donna, nel
sangue e nell'anima, ravvivavasi e raccendevasi. Ed egli era
turbato, fin nel profondo, da invincibili angosce, da implacabili
tumulti, da indefinibili languori, che somigliavano un poco
quelli della pubertà. Una sera, in casa Dolcebuono, dopo un tè,
essendo rimasto ultimo nel salone tutto pieno di fiori e ancor

---

[13] «Addio all'aria aperta.» (*N.d.C.*).

vibrante d'una *Cachoucha* del Raff, egli parlò d'amore a
Donna Bianca; e non se ne pentì, né in quella sera né in seguito.

La sua avventura con Elena Muti era ormai notissima come,
o prima o poi, o più o meno, nella società elegante di Roma e
in ogni altra società son note tutte le avventure e tutte le *flirta-
tions*. Le precauzioni non valgono. Ciascuno ivi è così buon
conoscitore della mimica erotica, che gli basta sorprendere un
gesto o un'attitudine o uno sguardo per avere un sicuro indizio,
mentre gli amanti, o coloro che son per divenir tali, non sospet-
tano. Inoltre, ci sono in ogni società alcuni curiosi che fan professione di scoprire e che vanno su le vestigia degli amori altrui con non minor perseveranza de' segugi in traccia di sel-
vaggina. Essi sono sempre vigili e non paiono; colgono infalli-
bilmente una parola mormorata, un sorriso tenue, un piccolo
sussulto, un lieve rossore, un baleno d'occhi; ne' balli, nelle
grandi feste, dove son più probabili le imprudenze, girano di
continuo, sanno insinuarsi nel più fitto, con un'arte straordinaria, come nelle moltitudini i borsaiuoli; e l'orecchio è teso a
rapire un frammento di dialogo, l'occhio è pronto dietro il luccicor della lente, a notare una stretta, una languidezza, un fremito, la pression nervosa d'una mano feminea su la spalla d'un
danzatore.

Un terribile segugio era, per esempio, Don Filippo del
Monte, il commensale della marchesa d'Ateleta. Ma, in verità,
Elena Muti non si preoccupava molto delle maldicenze mondane; e in questa sua ultima passione era giunta a temerità
quasi folli. Ella copriva ogni ardimento con la sua bellezza, col
suo lusso, col suo alto nome; e passava pur sempre inchinata,
ammirata, adulata, per quella certa molle tolleranza che è una
delle più amabili qualità dell'aristocrazia quirite e che le viene
forse appunto dall'abuso della mormorazione.

Or dunque l'avventura aveva, d'un tratto, inalzato Andrea
Sperelli, in conspetto delle dame, a un alto grado di potere.
Un'aura di favore l'avvolse; e la sua fortuna, in poco tempo,
divenne meravigliosa. Un fenomeno assai frequente, nelle società moderne, è il contagio del desiderio. Un uomo, che sia
stato amato da una donna di pregi singolari, eccita nelle altre
l'imaginazione; e ciascuna arde di possederlo, per vanità e per
curiosità, a gara. Il fascino di Don Giovanni è più nella sua
fama che nella sua persona. Inoltre, giovava allo Sperelli quel
certo nome ch'egli aveva d'artista misterioso; ed erano rimasti
celebri due sonetti, scritti nell'albo della principessa di Ferentino, ne' quali come in un dittico ambiguo egli aveva lodato
una bocca diabolica e una bocca angelica, quella che perde le
anime e quella che dice *Ave*. La gente volgare non imagina

quali profondi e nuovi godimenti l'aureola della gloria, anche
pallida o falsa, porti all'amore. Un amante oscuro, avesse
anche la forza di Ercole e la bellezza d'Ippolito e la grazia
d'Ila, non mai potrà dare all'amata le delizie che l'artista, forse
inconsapevolmente, versa in abbondanza negli ambiziosi spiriti
feminili. Gran dolcezza dev'essere per la vanità di una donna il
poter dire: — In ciascuna lettera ch'egli mi scrive è forse la
più pura fiamma del suo intelletto a cui mi riscalderò io sola;
in ciascuna carezza egli perde una parte della sua volontà e
della sua forza; e i suoi più alti sogni di gloria cadono nelle
pieghe della mia veste, ne' cerchi che segna il mio respiro!

Andrea Sperelli non esitò un istante d'innanzi alle lusinghe.
A quella specie di raccoglimento, prodotto in lui dal dominio
unico di Elena, succedeva ora il dissolvimento. Non più tenute
dall'ignea fascia che le stringeva ad unità, le sue forze tornavano al primitivo disordine. Non potendo più conformarsi,
adeguarsi, assimilarsi a una superior forma dominatrice, l'a-
nima sua, camaleontica, mutabile, fluida, virtuale si trasformava, si difformava, prendeva tutte le forme. Egli passava dal-
l'uno all'altro amore con incredibile leggerezza; vagheggiava
nel tempo medesimo diversi amori; tesseva, senza scrupolo,
una gran trama d'inganni, di finzioni, di menzogne, d'insidie,
per raccogliere il maggior numero di prede. L'abitudine della
falsità gli ottundeva la conscienza. Per la continua mancanza
della riflessione, egli diveniva a poco a poco impenetrabile a
sé stesso, rimaneva fuori del suo mistero. A poco a poco egli
quasi giungeva a non veder più la sua vita interiore, in quella
guisa che l'emisfero esterno della terra non vede il sole pur es-
sendogli legato indissolubilmente. Sempre vivo, spietatamente
vivo, era in lui un istinto: l'istinto del distacco da tutto ciò che
l'attraeva senza avvincerlo. E la volontà, disutile come una
spada di cattiva tempra, pendeva al fianco di un ebro o di un
inerte.

Il ricordo di Elena talvolta, risorgendo d'improvviso, lo
riempiva; ed egli o cercava di sottrarsi alle malinconie del rimpianto o piacevasi invece rivivere nella imaginazione viziata
l'eccessività di quella vita, per averne uno stimolo ai nuovi
amori. Ripeteva a sé stesso le parole del *lied*: «Ricorda i giorni
spenti! E metti su le labbra della *seconda* baci soavi quanto
quelli che tu davi alla *prima*, non è gran tempo!». Ma già la
seconda eragli uscita dall'anima. Egli aveva parlato d'amore a
Donna Bianca Dolcebuono, da principio senza quasi pensarci,
istintivamente attratto forse per virtù di un indefinito riflesso
che a colei veniva dall'essere amica di Elena. Forse germo-
gliava il piccolo seme di simpatia che avevan gittato in lui le
parole della contessa fiorentina, al pranzo in casa Doria. Chi sa

dire per qual misterioso procedere un qualunque contatto spirituale o materiale tra un uomo e una donna, anche insignificante, può generare ed alimentare in ambedue un sentimento latente, inavvertito, insospettato, che dopo molto tempo le circostanze faranno emergere d'un tratto? È il fenomeno medesimo che noi riscontriamo nell'ordine intellettuale, quando il germe d'un pensiero o l'ombra d'una imagine si ripresentano d'un tratto, dopo un lungo intervallo, per uno sviluppo inconsciente, elaborati in imagine compiuta, in pensiero complesso. Le medesime leggi governano tutte le attività del nostro essere; e le attività di cui noi siam consapevoli non sono che una parte delle nostre attività.

Donna Bianca Dolcebuono era l'ideal tipo della bellezza fiorentina, quale fu reso dal Ghirlandajo nel ritratto di Giovanna Tornabuoni, ch'è in Santa Maria Novella. Aveva un chiaro volto ovale, la fronte larga alta e candida, la bocca mite, il naso un poco rilevato, gli occhi di quel color tanè oscuro lodato dal Firenzuola. Prediligeva disporre i capelli con abbondanza su le tempie, fino a mezzo delle guance, alla foggia antica. Ben le conveniva il cognome, poiché ella portava nella vita mondana una bontà nativa, una grande indulgenza, una cortesia per tutti eguale, e una parlatura melodiosa. Era, insomma, una di quelle donne amabili, senza profondità né di spirito né d'intelletto, un poco indolenti, che sembrano nate a vivere in piacevolezza e a cullarsi ne' discreti amori come gli uccelli in su gli alberi fiorenti.

Quando udì le frasi di Andrea, ella esclamò, con un grazioso stupore:

— Dimenticate Elena così presto?

Poi, dopo alcuni giorni di graziose esitazioni, le piacque di cedere; e non di rado ella parlava d'Elena al giovine infedele, senza gelosia, candidamente.

— Ma perché mai sarà partita prima del solito, quest'anno? — gli chiese una volta, sorridendo.

— Io non so — rispose Andrea, senza poter nascondere un po' d'impazienza e di amarezza.

— Tutto, proprio, è finito?

— Bianca, vi prego, parliamo di noi! — interruppe egli con la voce alterata, poiché quei discorsi lo turbavano e irritavano.

Ella rimase un momento pensosa, come se volesse sciogliere un enigma; quindi sorrise scotendo la testa come se rinunziasse, con una fugace ombra di malinconia su gli occhi.

— Così è l'amore.

E rese all'amante le carezze.

Andrea, possedendola, possedeva in lei tutte le gentili donne fiorentine del Quattrocento, alle quali cantava il Magnifico:

E' si vede in ogni lato
Che 'l proverbio dice il vero,
Che ciascun muta pensiero
Come l'occhio è separato.
  Vedesi cambiare amore:
Come l'occhio sta di lunge,
Così sta di lunge il core:
Perché appresso un altro il punge.
Col qual tosto e' si congiunge
Con piacere e con diletto...

Allorché, nell'estate, ella era per partire, disse, prendendo
congedo, senza nascondere la sua commozione gentile:

— Io so che, quando ci rivedremo, voi non mi amerete più.
Così è l'amore. Ma ricordatevi di un'amica!

Egli non l'amava. Pure, nelle giornate calde e tediose, certe
molli cadenze della voce di lei gli tornavan nell'anima come la
magia d'una rima e gli suscitavano la visione d'un giardin fresco d'acque pel quale ella andasse in compagnia d'altre donne
sonando e cantando come in una vignetta del *Sogno di Polifilo*.

E Donna Bianca si dileguò. E vennero altre, talvolta in coppia: Barbarella Viti, la *mascula*, che aveva una superba testa di
giovinetto, tutta quanta dorata e fulgente come certe teste giu-
dee del Rembrandt; la contessa di Lùcoli, la dama delle tur-
chesi, una Circe di Dosso Dossi, con due bellissimi occhi pieni
di perfidia, varianti come i mari d'autunno, grigi, azzurri,
verdi, indefinibili; Liliana Theed, una lady di ventidue anni, ri-
splendente di quella prodigiosa carnagione, composta di luce,
di rose e di latte, che han soltanto i *babies* delle grandi fami-
glie inglesi nelle tele del Reynolds, del Gainsborough e del
Lawrence; la marchesa Du Deffand, una bellezza del Direttorio,
una Récamier, dal lungo e puro ovale, dal collo di cigno, dalle
mammelle saglienti, dalle braccia bacchiche; Donna Isotta Cellesi, la dama degli smeraldi, che volgeva con una lenta maestà
bovina la sua testa d'imperatrice tra lo scintillio delle enormi
gemme ereditarie; la principessa Kalliwoda, la dama senza gioielli, che nella fragilità delle sue forme chiudeva nervi d'acciaio per il piacere e su la cerea delicatezza dei suoi lineamenti
apriva due voraci occhi leonini, gli occhi d'uno Scita.

Ciascuno di questi amori portò a lui una degradazione novella; ciascuno l'inebriò d'una cattiva ebrezza, senza appagarlo;
ciascuno gli insegnò una qualche particolarità e sottilità del
vizio a lui ancóra ignota. Egli aveva in sé i germi di tutte le in-
fezioni. Corrompendosi, corrompeva. La frode gli invescava
l'anima, come d'una qualche materia viscida e fredda che ogni
giorno divenisse più tenace. Il pervertimento de' sensi gli faceva ricercare e rilevare nelle sue amanti quel ch'era in loro
men nobile e men puro. Una bassa curiosità lo spingeva a sce-

glier le donne che avevan peggior fama; un crudel gusto di
contaminazione lo spingeva a sedurre le donne che avean fama
migliore. Fra le braccia dell'una egli si ricordava d'una carezza
dell'altra, d'un modo di voluttà appreso dall'altra. Talvolta (e
fu, in ispecie, quando la notizia delle seconde nozze di Elena
Muti gli riaprì per qualche tempo la ferita) piacevasi di sovrapporre alla nudità presente la evocata nudità di Elena e di
servirsi della forma reale come d'un appoggio sul qual godere
la forma ideale. Nutriva l'imagine con uno sforzo intenso, finché l'imaginazione giungeva a possedere l'ombra quasi creata.

Pur tuttavia egli non aveva culto per le memorie dell'antica
felicità. Talvolta, anzi, quelle gli davano un appiglio a una qualunque avventura. Nella Galleria Borghese, per esempio, nella
memore sala degli specchi, egli ottenne da Lilian Theed la
prima promessa; nella Villa Medici, su per la memore scala
verde che conduce al Belvedere, egli intrecciò le sue dita alle
lunghe dita d'Angélique Du Deffand; e il piccolo teschio d'a-
vorio appartenuto al cardinale Immenraet, il gioiello mortuario
segnato del nome d'una Ippolita oscura, gli suscitò il capriccio
di tentare Donna Ippolita Albónico.

Questa dama aveva nella sua persona una grande aria di nobiltà, somigliando un poco a Maria Maddalena d'Austria, moglie di Cosimo II de' Medici, nel ritratto di Giusto Suttermans,
ch'è in Firenze, dai Corsini. Amava gli abiti suntuosi, i broc-
cati, i velluti, i merletti. I larghi collari medìcei parevano la
foggia meglio adatta a far risaltare la bellezza della sua testa
superba.

In una giornata di corse, su la tribuna, Andrea Sperelli voleva ottenere da Donna Ippolita ch'ella andasse la dimane al
palazzo Zuccari per prendere il misterioso avorio dedicato a
lei. Ella si schermiva, ondeggiando tra la prudenza e la curiosità. Ad ogni frase del giovine un po' ardita, corrugava le so-
pracciglia mentre un sorriso involontario le sforzava la bocca;
e la sua testa, sotto il cappello ornato di piume bianche, sul
fondo dell'ombrellino ornato di merletti bianchi, era in un
momento di singolare armonia.

— *Tibi, Hyppolyta!* Dunque venite? Io vi aspetterò tutto il
giorno, dalle due fino a sera. Va bene?

— Ma siete pazzo?

— Di che temete? Io giuro alla Maestà Vostra di non toglierle neppure un guanto. Rimarrà seduta come in un trono,
secondo il suo regal costume; e, anche prendendo una tazza di
tè, potrà non posare lo scettro invisibile che porta sempre nella
destra imperiosa. È concessa la grazia, a questi patti?

— No.

Ma ella sorrideva, poiché compiacevasi di sentir rilevare

quell'aspetto di regalità ch'era la sua gloria. E Andrea Sperelli continuava a tentarla, sempre in tono di scherzo o di preghiera, unendo alla seduzione della sua voce uno sguardo continuo, sottile, penetrante, quello sguardo indefinibile che sembrava svestire le donne, vederle ignude a traverso le vesti, toccarle su la pelle viva.

— Non voglio che mi guardiate così — disse Donna Ippolita, quasi offesa, con un lieve rossore.

Su la tribuna eran rimaste poche persone. Signore e signori passeggiavano su l'erba, lungo lo steccato, o circondavano il cavallo vittorioso, o scommettevano coi publici scommettitori urlanti, sotto l'incostanza del sole che appariva e spariva fra i molli arcipelaghi delle nuvole.

— Scendiamo — ella soggiunse, non accorgendosi degli occhi seguaci di Giannetto Rùtolo che stava appoggiato alla ringhiera della scala.

Quando, per discendere, passarono d'innanzi a colui, lo Sperelli disse:

— Addio, marchese, a poi. Correremo.

Il Rùtolo s'inchinò profondamente a Donna Ippolita; e una sùbita fiamma gli colorò la faccia. Eragli parso di sentire nel saluto del conte una leggera irrisione. Rimase alla ringhiera, seguendo sempre con gli occhi la coppia nel recinto. Visibilmente, soffriva.

— Rùtolo, alle vedette! — fecegli, con un riso malvagio, la contessa di Lùcoli passando a braccio di Don Filippo del Monte, giù per la scala di ferro.

Egli sentì la punta nel mezzo del cuore. Donna Ippolita e il conte d'Ugenta, dopo essere giunti fin sotto la specola dei giudici, tornavano verso la tribuna. La dama teneva il bastone dell'ombrellino su la spalla, girandolo fra le dita: la cupola bianca le roteava dietro la testa, come un'aureola, e i molti merletti s'agitavano e si sollevavano incessantemente. Entro quel cerchio mobile ella di tratto in tratto rideva alle parole del giovine; e ancóra un lieve rossore tingeva la nobile pallidezza del suo volto. Di tratto in tratto, i due si soffermavano.

Giannetto Rùtolo, fingendo di voler osservare i cavalli che entravano nella pista, volse il binocolo su i due. Visibilmente, gli tremavano le mani. Ogni sorriso, ogni gesto, ogni attitudine di Ippolita gli dava un atroce dolore. Quando abbassò il binocolo, egli era assai smorto. Aveva sorpreso negli occhi dell'amata, che si posavano su lo Sperelli, quello sguardo ch'egli ben conosceva poiché n'era stato, un tempo, illuminato di speranza. Gli parve che tutto ruinasse intorno a lui. Un lungo amore finiva, troncato da quello sguardo, irreparabilmente. Il sole non era più il sole; la vita non era più la vita.

La tribuna si ripopolava rapidamente, già che il segnale della terza corsa era prossimo. Le dame salivano in piedi su i sedili. Un mormorio correva lungo i gradi, simile a un vento sopra un giardino in pendìo. La campanella squillò. I cavalli partirono come un gruppo di saette.

— Correrò in onor vostro, Donna Ippolita — disse Andrea Sperelli all'Albónico, prendendo congedo per andare a prepararsi alla seguente corsa, ch'era di gentiluomini. — *Tibi, Hyppolyta, semper!*[14]

Ella gli strinse la mano, forte, per augurio, non pensando che anche Giannetto Rùtolo stava fra i contenditori. Quando vide, poco oltre, l'amante pallido scendere giù per la scala, l'ingenua crudeltà dell'indifferenza le regnava nei belli occhi oscuri. Il vecchio amore le cadeva dall'anima, pari a una spoglia inerte, per l'invasione del nuovo. Ella non apparteneva più a quell'uomo; non gli era legata da nessun legame. Non è concepibile come prontamente e intieramente rientri nel possesso del proprio cuore la donna che non ama più.

«Egli me l'ha presa» pensò colui, camminando verso la tribuna del *Jockey-club*, su l'erba che parevagli s'affondasse sotto i suoi piedi come un'arena. Davanti, a poca distanza, camminava l'altro, con un passo disinvolto e sicuro. La persona alta e snella, nell'abito cinerino, aveva quella particolare inimitabile eleganza che sol può dare il lignaggio. Egli fumava. Giannetto Rùtolo, venendo dietro, sentiva l'odore della sigaretta, ad ogni buffo di fumo; ed era per lui un fastidio insopportabile, un disgusto che gli saliva dalle viscere, come contro un veleno.

Il duca Beffi e Paolo Caligàro stavano su la soglia, già in assetto di corsa. Il duca si chinava su le gambe aperte, con un movimento gìnnico, per provare l'elasticità de' suoi calzoni di pelle o la forza de' suoi ginocchi. Il piccolo Caligàro imprecava alla pioggia della notte, che aveva reso pesante il terreno.

— Ora — disse allo Sperelli — tu hai molte probabilità, con *Miching Mallecho*.

Giannetto Rùtolo udì quel presagio, ed ebbe al cuore una fitta. Egli riponeva nella vittoria una vaga speranza. Nella sua imaginazione vedeva gli effetti d'una corsa vinta e d'un duello fortunato, contro il nemico. Spogliandosi, ogni suo gesto tradiva la preoccupazione.

— Ecco un uomo che, prima di montare a cavallo, vede aperta la sepoltura — disse il duca di Beffi, posandogli una mano su la spalla, con un atto comico. — *Ecce homo novus.*

Andrea Sperelli, il quale in tal momento aveva gli spiriti gai,

---

[14] «Per te, Ippolita, sempre!» (*N.d.C.*).

ruppe in un di que' suoi franchi scoppi di risa, ch'erano la più
seducente effusione della sua giovinezza.

— Perché ridete, voi? — gli chiese Rùtolo, pallidissimo,
fuori di sé, fissandolo di sotto ai sopraccigli corrugati.

— Mi pare — rispose lo Sperelli, senza turbarsi — che voi
mi parliate in un tono assai vivo, caro marchese.

— Ebbene?

— Pensate del mio riso quel che più vi piace.

— Penso che è sciocco.

Lo Sperelli balzò in piedi, fece un passo, e levò contro
Giannetto Rùtolo il frustino. Paolo Caligàro giunse a trattener-
gli il braccio, per prodigio. Altre parole irruppero. Sopravvenne Don Marcantonio Spada; udì l'alterco, e disse:

— Basta, figliuoli. Sapete ambedue quel che dovrete fare
domani. Ora, dovete correre.

I due avversari compirono la lor vestizione, in silenzio.
Quindi uscirono. Già la notizia del litigio s'era sparsa nel recinto e saliva su per le tribune, ad accrescere l'aspettazion
della corsa. La contessa di Lùcoli, con raffinata perfidia, la
diede a Donna Ippolita Albónico. Questa, non lasciando trasparire alcun turbamento, disse:

— Mi dispiace. Parevano amici.

La diceria si diffondeva, transformandosi, per le belle bocche feminee. Intorno ai publici scommettitori ferveva la folla.
Miching Mallecho, il cavallo del conte d'Ugenta, e *Brummel*, il
cavallo del marchese Rùtolo, erano i favoriti; venivano poi *Satirist* del duca di Beffi e *Carbonilla* del conte Caligàro. I buoni
conoscidori però diffidavano de' due primi, pensando che la
concitazion nervosa dei due cavalieri avrebbe certamente nociuto alla corsa.

Ma Andrea Sperelli era calmo, quasi allegro.

Il sentimento della sua superiorità su l'avversario l'assicu-
rava; inoltre, quella tendenza cavalleresca alle avventure peri-
gliose, ereditata dal padre byroneggiante, gli faceva vedere il
suo caso in una luce di gloria; e tutta la nativa generosità del
suo sangue giovenile risvegliavasi, d'innanzi al rischio. Donna
Ippolita Albónico, d'un tratto, gli si levava in cima dell'anima,
più desiderabile e più bella.

Egli andò incontro al suo cavallo, con il cuor palpitante,
come incontro a un amico che gli portasse l'annunzio aspettato
d'una fortuna. Gli palpò il muso, con dolcezza; e l'occhio del-
l'animale, quell'occhio ove brillava tutta la nobiltà della razza
per una inestinguibile fiamma, l'inebriò come lo sguardo ma-
gnetico di una donna.

— *Mallecho*, — mormorava, palpandolo — è una gran giornata! Dobbiamo vincere.

Il suo *trainer*, un omuncolo rossiccio, figgendo le pupille acute su gli altri cavalli che passavano portati a mano dai palafrenieri, disse, con la voce rauca:

— No doubt[15].

Miching Mallecho esq. era un magnifico baio, proveniente dalle scuderie del barone di Soubeyran. Univa alla slanciata eleganza delle forme una potenza di reni straordinaria. Dal pelo lucido e fino, di sotto a cui apparivano gli intrichi delle vene sul petto e su le cosce, pareva esalare quasi un fuoco vaporoso, tanto era l'ardore della sua vitalità. Fortissimo nel salto, aveva portato assai spesso nelle cacce il suo signore, di là da tutti gli ostacoli della campagna di Roma, su qualunque terreno, non rifiutandosi d'innanzi a una triplice filagna o d'innanzi a una maceria mai, sempre alla coda dei cani, intrepidamente. Un *hop* del cavaliere l'incitava più d'un colpo di sperone; e una carezza lo faceva fremere.

Prima di montare, Andrea esaminò attentamente tutta la bardatura, si assicurò d'ogni fibbia e d'ogni cinghia; quindi balzò in sella, sorridendo. Il *trainer* dimostrò con un espressivo gesto la sua fiducia, guardando il padrone allontanarsi.

Intorno alle tabelle delle quote persisteva la folla degli scommettitori. Andrea sentì su la sua persona tutti gli sguardi. Volse gli occhi alla tribuna destra per vedere l'Albónico, ma non poté distinguer nulla tra la moltitudine delle dame. Salutò da presso Lilian Theed a cui eran ben noti i galoppi di *Mallecho* dietro le volpi e dietro le chimere. La marchesa d'Ateleta fece da lontano un atto di rimprovero, poiché aveva saputo l'alterco.

— Com'è quotato *Mallecho*? — chiese egli a Ludovico Barbarisi.

Andando al punto di partenza, egli pensava freddamente al metodo che avrebbe tenuto per vincere; e guardava i suoi tre competitori, che lo precedevano, calcolando la forza e la scienza di ciascuno. Paolo Caligàro era un demonio di malizia, rotto a tutte le furberie del mestiere, come un *jockey*; ma *Carbonilla*, sebbene veloce, era di poca resistenza. Il duca di Beffi, cavaliere d'alta scuola, che aveva vinto più d'un *match* in Inghilterra, montava un animale d'umor difficile, che poteva rifiutarsi innanzi a qualche ostacolo. Giannetto Rùtolo invece ne montava uno eccellente ed assai ben disciplinato; ma sebben forte, egli era troppo impetuoso e prendeva parte a una corsa publica per la prima volta. Inoltre, doveva trovarsi in uno stato di nervosità terribile, come da molti segni appariva.

Andrea pensava, guardandolo: «La mia vittoria d'oggi in-

[15] «Nessun dubbio.» (*N.d.C.*).

fluirà sul duello di domani, senza dubbio. Egli perderà la testa,
certo, qui e là. Io debbo essere calmo, su tutt'e due i campi».
Poi, anche, pensò: «Quale sarà l'animo di Donna Ippolita?».
Gli parve che intorno ci fosse un silenzio insolito. Misurò con
l'occhio la distanza fino alla prima siepe; notò su la pista un
sasso luccicante; s'accorse d'essere osservato dal Rùtolo; ebbe
un fremito per tutta la persona.

La campanella diede il segnale; ma *Brummel* aveva già
preso lo slancio; e la partenza quindi, non essendo stata contemporanea, fu ritenuta non buona. Anche la seconda fu una
falsa partenza, per colpa di *Brummel*. Lo Sperelli e il duca di
Beffi si sorrisero fuggevolmente.

La terza partenza fu valida. *Brummel*, sùbito, si staccò dal
gruppo, radendo lo steccato. Gli altri tre cavalli seguirono di
pari, per un tratto; e saltarono la prima siepe, felicemente; poi,
la seconda. Ciascuno dei tre cavalieri faceva un gioco diverso.
Il duca di Beffi cercava di mantenersi nel gruppo perché d'innanzi agli ostacoli *Satirist* fosse instigato dall'esempio. Il Caligàro moderava la foga di *Carbonilla*, a conservarle le forze per
gli ultimi cinquecento metri. Andrea Sperelli aumentava grada-
tamente la velocità, volendo incalzare il suo nemico in prossi-
mità dell'ostacolo più difficile. Poco dopo, infatti, *Mallecho*
avanzò i due compagni e si diede a serrare da presso *Brummel*.

Il Rùtolo sentì dietro di sé il galoppo incalzante, e fu preso
da tale ansietà che non vide più nulla. Tutto alla vista gli si
confuse, come s'egli fosse per perdere gli spiriti. Faceva uno
sforzo immenso per tener piantati gli speroni nel ventre del cavallo; e lo sbigottiva il pensiero che le forze lo abbandonassero.
Aveva negli orecchi un rombo continuo, e in mezzo al rombo
udiva il grido breve e secco d'Andrea Sperelli.

— *Hop! Hop!*

Sensibilissimo alla voce più che ad ogni altra instigazione,
Mallecho divorava l'intervallo di distanza, non era più che a
tre o quattro metri da *Brummel*, stava per raggiungerlo, per su-
perarlo.

— *Hop!*

Un'alta barriera attraversava la pista. Il Rùtolo non la vide,
poiché aveva smarrita ogni conscienza, conservando solo un
furioso istinto di aderire all'animale e di spingerlo innanzi, alla
ventura. *Brummel* saltò; ma, non coadiuvato dal cavaliere, urtò
le zampe posteriori e ricadde dall'altra parte così male che il
cavaliere perse le staffe, pur restando in sella. Seguitò tuttavia
a correre. Andrea Sperelli teneva ora il primo posto; Giannetto
Rùtolo, senza aver ricuperate le staffe, veniva secondo, incalzato da Paolo Caligàro; il duca di Beffi, avendo sofferto da *Sa-*

tirist un rifiuto, veniva ultimo. Passarono sotto le tribune, in quest'ordine; udirono un clamore confuso, che si dileguò.

Su le tribune, tutti gli animi stavan sospesi nell'attenzione. Alcuni indicavano ad alta voce le vicende della corsa. Ad ogni mutamento nell'ordine dei cavalli, molte esclamazioni si levavano tra un lungo mormorio; e le dame ne avevano un fremito. Donna Ippolita Albónico, ritta in piedi sul sedile, appoggiandosi alle spalle del marito il quale era sotto di lei, guardava senza mai mutarsi, con una meravigliosa padronanza; se non che le labbra troppo chiuse e un leggerissimo increspamento della fronte potevan forse rivelare a un indagatore lo sforzo. A un certo punto, ritrasse dalle spalle del marito le mani per tema di tradirsi con un qualche involontario moto.

— Sperelli è caduto — annunziò a voce alta la contessa di Lùcoli.

Mallecho, infatti, saltando, aveva messo un piede in fallo su l'erba umida ed erasi piegato su le ginocchia, rialzandosi immediatamente. Andrea gli era passato dal collo, senza danno; e con una prontezza fulminea era tornato in sella, mentre il Rùtolo e il Caligàro sopraggiungevano. *Brummel*, sebbene offeso alle zampe posteriori, faceva prodigi, per virtù del suo sangue puro. *Carbonilla* infine spiegava tutta la sua velocità, condotta con arte mirabile dal suo cavaliere. Mancavano circa ottocento metri alla mèta.

Lo Sperelli vide la vittoria fuggirgli; ma raccolse tutti gli spiriti per riafferrarla. Teso su le staffe, curvo su la criniera, gittava di tratto in tratto quel grido breve, èsile, penetrante, che aveva tanto potere sul nobile animale. Mentre *Brummel* e *Carbonilla*, affaticati dal terreno pesante, perdevano vigore, *Mallecho* aumentava la veemenza del suo slancio, stava per riconquistare il suo posto, già sfiorava la vittoria con la fiamma delle sue narici. Dopo l'ultimo ostacolo, avendo superato *Brummel*, raggiungeva con la testa la spalla di *Carbonilla*. A circa cento metri dalla mèta, radeva lo steccato, avanti, avanti, lasciando tra sé e la morella del Caligàro lo spazio di dieci «lunghezze». La campana squillò; un applauso risonò per tutte le tribune, come il crepitar sordo di una grandine; un clamore si propagò nella folla su la prateria inondata dal sole.

Andrea Sperelli rientrando nel recinto pensava: «La fortuna è con me, oggi. Sarà con me anche domani?». Sentendo venire a sé l'aura del trionfo, ebbe contro l'oscuro pericolo quasi una sollevazione d'ira. Avrebbe voluto affrontarlo sùbito, in quello stesso giorno, in quella stessa ora, senza altro indugio, per godere una duplice vittoria e per mordere quindi al frutto che gli offeriva la mano di Donna Ippolita. Tutto il suo essere accendevasi d'un orgoglio selvaggio, al pensiero di posseder quella

bianca e superba donna per diritto di conquista violenta. L'i-
maginazione gli fingeva un gaudio non mai provato, quasi
direi una voluttà d'altri tempi, quando i gentiluomini scioglie-
vano i capelli delle amasie con mani omicide e carezzevoli, af-
fondandovi la fronte ancóra grondante per la fatica dell'abbattimento e la bocca ancóra amara delle profferte ingiurie. Egli
era invaso da quella inesplicabile ebrezza che dànno a certi
uomini d'intelletto l'esercizio della forza fisica, l'esperimento
del coraggio, la rivelazione della brutalità. Quel che in fondo a
noi è rimasto della ferocia originale torna al sommo talvolta
con una strana veemenza ed anche sotto la meschina gentilezza
dell'abito moderno il nostro cuore talvolta si gonfia di non so
che smania sanguinaria ed anela alla strage. Andrea Sperelli
aspirava la calda ed acre esalazion del suo cavallo, pienamente,
e nessuno di quanti delicati profumi egli aveva fin allora prefe-
riti, nessuno aveva mai dato al suo senso un più acuto piacere.

Appena smontò, fu accerchiato da amiche e da amici che si
congratulavano. *Miching Mallecho*, sfinito, tutto fumante e
spumante, sbuffava protendendo il collo e scotendo le briglie. I
suoi fianchi s'abbassavano e si sollevavano con un moto continuo, così forte che parevano scoppiare; i suoi muscoli sotto la
pelle tremavano come le corde degli archi dopo lo scocco; i
suoi occhi iniettati di sangue e dilatati avevano ora l'atrocità di
quelli d'una fiera; il suo pelo, ora interrotto da larghe chiazze
più oscure, si apriva qua e là a spiga sotto i rivoli del sudore;
la vibrazione incessante di tutto il suo corpo faceva pena e tenerezza, come la sofferenza d'una creatura umana.

— *Poor fellow!*[16] — mormorò Lilian Theed.

Andrea gli esaminò i ginocchi per veder se la caduta li
avesse offesi. Erano intatti. Allora, battendolo pianamente in
sul collo, gli disse con un accento indefinibile di dolcezza:

— Va, *Mallecho*, va.

E lo riguardò allontanarsi.

Poi, avendo lasciato l'abito di corsa, cercò di Ludovico Barbarisi e del barone di Santa Margherita.

Ambedue accettarono l'incarico di assisterlo nella questione
col marchese Rùtolo. Egli li pregò di sollecitare.

— Stabilite, dentro questa sera, ogni cosa. Domani, all'una
dopo mezzogiorno, io debbo essere già libero. Ma domattina
lasciatemi dormire almeno fino alle nove. Io pranzo dalla Ferentino; e passerò poi in casa Giustiniani; e poi, a ora tarda, al
Circolo. Sapete dove trovarmi. Grazie, e a rivederci, amici.

Salì alla tribuna; ma evitò di avvicinarsi sùbito a Donna Ippolita. Sorrideva, sentendosi avvolgere dagli sguardi feminili.

[16] «Povero diavolo!» (*N.d.C.*).

Molte belle mani si tendevano a lui; molte belle voci lo chiamavano familiarmente Andrea; alcune anzi lo chiamavan così con una certa ostentazione. Le dame che avevano scommesso per lui gli dicevano la somma della loro vincita: dieci luigi, venti luigi. Altre gli domandarono, con curiosità:

— Vi batterete?

A lui pareva di aver raggiunto il culmine della gloria avventurosa in un sol giorno, meglio che il duca di Buckingham e il signor di Lauzun. Egli era uscito vincitore da una corsa eroica, aveva acquistata una nuova amante, magnifica e serena come una dogaressa; aveva provocato un duello mortale; ed ora passava tranquillo e cortese, né più né meno del solito, fra il sorriso di tali dame a cui egli conosceva altro che la grazia della bocca. Non poteva egli forse indicare di molte un vezzo segreto o una particolare abitudine di voluttà? Non vedeva egli, a traverso tutta quella chiara freschezza di stoffe primaverili, il neo biondo, simile a una piccola moneta d'oro, sul fianco sinistro d'Isotta Cellesi; o il ventre incomparabile di Giulia Moceto, polito come una coppa d'avorio, puro come quel d'una statua, per l'assenza perfetta di ciò che nelle sculture e nelle pitture antiche rimpiangeva il poeta del *Musée secret*? Non udiva nella voce sonora di Barbarella Viti un'altra indefinibile voce che ripeteva di continuo una parola inverecóndia; o nell'ingenuo riso di Aurora Seymour un altro indefinibile suono, rauco e gutturale, che ricordava un poco il rantolo dei gatti in su' focolari e il tubare delle tortore ne' boschi? Non sapeva le squisite depravazioni della contessa di Lùcoli che s'inspirava su i libri erotici, su le pietre incise e su le miniature; o gli invincibili pudori di Francesca Daddi che ne' supremi aneliti, come un'agonizzante, invocava il nome di Dio? Quasi tutte le donne ch'egli aveva ingannato, o che lo avevano ingannato, erano là e gli sorridevano.

— Ecco l'eroe! — disse il marito dell'Albónico, tendendogli la mano, con amabilità insolita, e stringendogliela forte.

— Eroe da vero — aggiunse Donna Ippolita, col tono insignificante d'un complimento obbligato, parendo ignorare il dramma.

Lo Sperelli s'inchinò e passò oltre, perché provava non so che imbarazzo d'innanzi a quella strana benevolenza del marito. Un sospetto gli balenò nell'animo, che il marito gli fosse grato d'aver attaccato briga con l'amante della moglie; e sorrise della viltà di quell'uomo. Come si volse, gli occhi di Donna Ippolita s'incontrarono, si mescolarono con i suoi.

Nel ritorno, dal *mail-coach* del principe di Ferentino vide fuggire verso Roma Giannetto Rùtolo con un piccolo legno a due ruote, al trotto fitto d'un gran roano ch'egli guidava chi-

nato in avanti, tenendo la testa bassa e il sigaro tra i denti,
senza curarsi delle guardie che gli intimavano di mettersi nella
fila. Roma, in fondo, si disegnava oscura sopra una zona di
luce gialla come zolfo; e le statue in sommo della basilica di
San Giovanni entro un ciel di viola, fuor della zona, grandeggiavano. Allora ebbe Andrea la conscienza intera del male
ch'egli faceva soffrire a quell'anima.

La sera, in casa Giustiniani, disse all'Albónico:

— Riman dunque fermo che domani, dalle due alle cinque,
io vi aspetterò.

Ella voleva chiedergli:

— Come? non vi battete, domani?

Ma non osò. Rispose:

— Ho promesso.

Poco tempo dopo, si accostò ad Andrea il marito, mettendo-
glisi a braccio con affettuosa premura, per chiedergli notizie
del duello. Egli era un uomo ancor giovine, biondo, elegante,
con i capelli molto radi, con l'occhio biancastro, con i due canini sporgenti fuor delle labbra. Aveva una leggera balbuzie.

— Dunque? Dunque? Domani, eh?

Andrea non sapeva vincere la ripugnanza; e teneva il braccio
teso lungo il fianco, per dimostrare che non amava quella familiarità. Come vide entrare il barone di Santa Margherita, si liberò dicendo:

— Mi preme di parlare col Santa Margherita. Scusate, conte.

Il barone l'accolse con queste parole:

— Tutto è stabilito.

— Bene. Per che ora?

— Per le dieci e mezzo, alla Villa Sciarra. Spada e guanto di
sala. A oltranza.

— Chi sono gli altri due?

— Roberto Casteldieri e Carlo de Souza. Ci siamo sbrigati
sùbito, evitando le formalità. Giannetto aveva già pronti i suoi.
Abbiamo steso il verbale di scontro, al Circolo, senza discus-
sione. Cerca di non andare a letto troppo tardi; mi raccomando.
Tu devi essere stanco.

Per millanteria, uscendo di casa Giustiniani, Andrea andò al
Circolo delle Cacce; e si mise a giocare cogli *sportsmen* napo-
letani. Verso le due il Santa Margherita lo sorprese, lo forzò ad
abbandonare il tavolo, e volle ricondurlo a piedi fino al palazzo Zuccari.

— Mio caro, — ammoniva, in cammino — tu sei troppo
temerario. In questi casi, un'imprudenza può esser fatale. Per
conservarsi intatta la vigoria, un buono spadaccino deve avere
a sé medesimo le cure che ha un buon tenore per conservarsi la
voce. Il polso è delicato quanto la laringe; le articolazioni delle

gambe son delicate quanto le corde vocali. Intendi? Il meccanismo si risente d'ogni minimo disordine; lo strumento si guasta, non obedisce più. Dopo una notte d'amore o di giuoco o di crapula, anche le stoccate di Camillo Agrippa non potrebbero andar diritte e le parate non potrebbero essere né esatte né veloci. Ora, basta sbagliare d'un millimetro per prendersi tre pollici di ferro in corpo.

Erano al principio della via de' Condotti; e vedevano, al fondo, la piazza di Spagna illuminata dalla piena luna, la scala biancheggiante, la Trinità de' Monti alta nell'azzurro soave.

— Tu, certo, — seguitò il barone — hai molti vantaggi su l'avversario: tra gli altri, il sangue freddo e la pratica del terreno. T'ho veduto a Parigi contro il Gavaudan. Ti ricordi? Gran bel duello! Ti battesti come un dio.

Andrea si mise a ridere di compiacenza. L'elogio di quell'insigne duellatore gli gonfiava il cuore d'orgoglio, gli metteva nei nervi una sovrabbondanza di forze. La sua mano, istintivamente, stringendo il bastone faceva atto di ripetere il famoso colpo che trafisse il braccio al marchese di Gavaudan il 12 dicembre del 1885.

— Fu — egli disse — una «contro di terza» e un «filo».

E il barone riprese:

— Giannetto Rùtolo, su la pedana, è un discreto tiratore; sul terreno, è di primo impeto. S'è battuto una volta sola, con mio cugino Cassìbile; e n'è uscito male. Fa molto abuso di «uno, due» e di «uno, due, tre», attaccando. Ti gioveranno gli «arresti in tempo» e specialmente le «inquartate». Mio cugino, appunto, lo bucò con una «inquartata» netta, al secondo assalto. E tu sei un tempista forte. Abbi però l'occhio sempre vigile, e cerca di conservar la misura. Sarà bene che tu non dimentichi d'avere a fronte un uomo a cui hai presa, dicono, l'amante e su cui hai levato il frustino.

Erano nella piazza di Spagna. La Barcaccia metteva un chiocciolìo roco ed umile, luccicando alla luna che vi si specchiava dall'alto della colonna cattolica. Quattro o cinque vetture pubbliche stavano ferme, in fila, coi fanali accesi. Dalla via del Babuino giungeva un tintinno di sonagli e un romor sordo di passi, come d'un gregge in cammino.

A piè della scala, il barone s'accomiatò.

— Addio, a domani. Verrò qualche minuto prima delle nove, con Ludovico. Tirerai due colpi, per scioglierti. Penseremo noi ad avvisare il medico. Va; dormi profondo.

Andrea si mise su per la scala. Al primo ripiano si soffermò, attirato dal tintinno dei sonagli, che s'avvicinava. Veramente, egli si sentiva un po' stanco; e anche un po' triste, in fondo al cuore. Dopo la fierezza suscitatagli nel sangue da quel collo-

quio di scienza d'arme e dal ricordo della sua bravura, una
specie d'inquietudine l'invadeva, non bene distinta, mista di
dubbio e di scontento. I nervi, troppo tesi in quella giornata
violenta e torbida, gli si rilassavano ora, sotto la clemenza
della notte primaverile. — Perché, senza passione, per puro
capriccio, per sola vanità, per sola prepotenza, erasi egli compiaciuto di sollevare un odio e di rendere dolorosa l'anima di
un uomo? — Il pensiero della orribile pena che certo doveva
affliggere il suo nemico, in una notte così dolce, gli mosse
quasi un senso di pietà. L'imagine di Elena gli traversò il
cuore, in un baleno; gli tornarono nella mente le angosce du-
rate un anno innanzi, quando egli l'aveva perduta, e le gelosie,
e le collere, e gli sconforti inesprimibili. — Anche allora le
notti erano chiare, tranquille, solcate di profumi; e come gli
pesavano! — Aspirò l'aria, per ove salivano i fiati delle rose
fiorite ne' piccoli giardini laterali; e guardò giù nella piazza
passare il gregge.

La folta lana biancastra delle pecore agglomerate procedeva
con un fluttuamento continuo, accavallandosi, a similitudine
d'un'acqua fangosa che inondasse il lastrico. Qualche belato
tremulo mescevasi al tintinno; altri belati, più sottili, più timidi,
rispondevano; i butteri gittavano di tratto in tratto un grido e
distendevano le aste, cavalcando dietro e a' fianchi; la luna
dava a quel passaggio d'armenti, per mezzo alla gran città addormentata, non so che mistero quasi di cosa veduta in sogno.

Andrea si ricordò che in una notte serena di febbraio,
uscendo da un ballo dell'Ambasciata inglese nella via Venti
Settembre, egli ed Elena avevano incontrata una mandra; e la
carrozza aveva dovuto fermarsi. Elena, china al cristallo, guardava le pecore passar rasente le ruote e indicava gli agnelli più
piccoli, con un'allegria infantile; ed egli teneva il suo viso ac-
costo al viso di lei, socchiudendo gli occhi, ascoltando lo scal-
picchìo, i belati, il tintinno.

Perché mai gli tornavano ora tutte quelle memorie di Elena?
— Riprese a salire, lentamente. Sentì più grave, nel salire, la
sua stanchezza; i ginocchi gli si piegavano. Gli lampeggiò
d'improvviso il pensiero della morte. «S'io rimanessi ucciso?
S'io ricevessi una cattiva ferita e n'avessi per tutta la vita un
impedimento?» La sua avidità di vivere e di godere si sollevò
contro quel pensiero lugubre. Egli disse a sé medesimo: «Bisogna vincere». E vide tutti i vantaggi ch'egli avrebbe avuti da
quest'altra vittoria: il prestigio della sua fortuna, la fama della
sua prodezza, i baci di Donna Ippolita, nuovi amori, nuovi godimenti, nuovi capricci.

Allora, dominando ogni agitazione, si mise a curare l'igiene
della sua forza. Dormì fino a che non fu risvegliato dalla ve-

nuta dei due amici; prese la doccia consueta; fece distendere
sul pavimento la striscia d'incerato; e invitò il Santa Margherita a tirar due «cavazioni» e quindi il Barbarisi a un breve assalto, durante il quale compì con esattezza parecchie azioni di
tempo.

— Ottimo pugno — disse il barone, congratulandosi.

Dopo l'assalto, lo Sperelli prese due tazze di tè e qualche bi-
scotto leggero. Scelse un paio di calzoni larghi, un paio di
scarpe comode e col tacco molto basso, una camicia poco inamidata; preparò il guanto, bagnandolo alquanto su la palma e
spargendolo di pece greca in polvere: vi unì una stringa di
cuoio per fermar l'elsa al polso; esaminò la lama e la punta
delle due spade; non dimenticò alcuna cautela, alcuna minuzia.

Quando fu pronto, disse:

— Andiamo. Sarà bene che ci troviamo sul terreno prima
degli altri. Il medico?

— Aspetta di là.

Giù per le scale, egli incontrò il duca di Grimiti che veniva
anche da parte della marchesa d'Ateleta.

— Vi seguirò nella villa, e porterò poi sùbito la notizia a
Francesca — disse il duca.

Discesero tutti insieme. Il duca salì nel suo legnetto salutando. Gli altri salirono nella carrozza coperta. Andrea non
ostentava il buon umore, perché i motti prima d'un duello
grave gli parevano di pessimo gusto; ma era tranquillissimo.
Fumava, ascoltando il Santa Margherita e il Barbarisi discutere,
a proposito d'un recente caso avvenuto in terra di Francia, se
fosse o non fosse lecito adoperar la mano sinistra contro l'avversario. Di tratto in tratto, chinavasi allo sportello per guardar
nella via.

Roma splendeva, nel mattino di maggio, abbracciata dal
sole. Lungo la corsa, una fontana illustrava del suo riso argenteo una piazzetta ancor nell'ombra; il portone d'un palazzo
mostrava il fondo d'un cortile ornato di portici e di statue; dal-
l'architrave barocco d'una chiesa di travertino pendevano i pa-
ramenti del mese di Maria. Sul ponte apparve il Tevere lucido
fuggente tra le case verdastre, verso l'isola di San Bartolomeo.
Dopo un tratto di salita, apparve la città immensa, augusta, ra-
diosa, irta di campanili, di colonne e d'obelischi, incoronata di
cupole e di rotonde, nettamente intagliata, come un'acropoli,
nel pieno azzurro.

— *Ave, Roma. Moriturus te salutat*[17] — disse Andrea Sperelli, gittando il residuo della sigaretta, verso l'Urbe.

Poi soggiunse:

---

[17] «Ave, Roma, ti saluta colui che sta per morire.» (*N.d.C.*).

— In verità, cari amici, un colpo di spada oggi mi secche-
rebbe.

Erano nella Villa Sciarra, già per metà disonorata dai fabri-
catori di case nuove; e passavano in un viale di lauri alti e
snelli, tra due spalliere di rose. Il Santa Margherita, sporgen-
dosi fuor dello sportello, vide un'altra carrozza, ferma sul
piazzale, d'innanzi alla villa; e disse:

— Ci aspettano già.

Guardò l'orologio. Mancavano dieci minuti all'ora precisa.
Fece fermare il legno; e insieme col testimone e col chirurgo si
diresse verso gli avversari. Andrea rimase nel viale, ad attendere. Mentalmente, si mise a svolgere alcune azioni d'offesa e
di difesa, ch'egli intendeva eseguire con probabilità di esito;
ma lo distraevano i vaghi miracoli della luce e dell'ombra per
l'intrico dei lauri. I suoi occhi erravano dietro le apparenze dei
rami commossi dal vento mattutino, mentre il suo animo medi-
tava la ferita; e gli alberi, gentili come nelle amorose allegorie
di Francesco Petrarca, gli facevano sospiri in sul capo ove regnava il pensiero del buon colpo.

Sopraggiunse a chiamarlo il Barbarisi, dicendo:

— Siamo pronti. Il custode ha aperto la villa. Abbiamo a disposizione le stanze terrene; una gran comodità. Vieni a spo-
gliarti.

Andrea lo seguì. Mentre si spogliava, i due medici aprivano
i loro astucci dove riscintillavano i piccoli strumenti d'acciaio.
Uno era ancor giovine, pallido, càlvo, con le mani feminee,
con la bocca un po' cruda, con un continuo visibile attrito della
mandibola inferiore sviluppata straordinariamente. L'altro era
già maturo, fatticcio, sparso di lentiggini, con una folta barba
rossastra, con un collo taurino. L'uno pareva la contraddizione
fisica dell'altro; e la lor diversità richiamava l'attenzion curiosa dello Sperelli. Preparavano, sopra un tavolo, le fasce e
l'acqua fenicata per disinfettar le lame. L'odore dell'acido
spandevasi nella stanza.

Quando lo Sperelli fu in assetto, uscì col suo testimone e
con i medici, sul piazzale. Ancóra una volta, lo spettacolo di
Roma tra le palme attrasse i suoi sguardi e gli diede un gran
palpito. L'impazienza l'invase. Egli avrebbe voluto già trovarsi
in guardia e udire il comando dell'attacco. Gli pareva d'aver
nel pugno il colpo decisivo, la vittoria.

— Pronto? — gli chiese il Santa Margherita, andandogli incontro.

— Pronto.

Il terreno scelto era a fianco della villa, nell'ombra, sparso
di fina ghiaia e battuto. Giannetto Rùtolo stava già all'altra
estremità, con Roberto Casteldieri e con Carlo de Souza. Cia-

scuno aveva assunto un'aria grave, quasi solenne. I due avversarii furono posti l'uno di fronte all'altro; e si guardarono. Il
Santa Margherita, che aveva il comando del combattimento,
notò la camicia di Giannetto Rùtolo fortemente inamidata,
troppo salda, con il colletto troppo alto; e fece osservar la cosa
al Casteldieri, ch'era il secondo. Questi parlò al suo primo; e lo
Sperelli vide il nemico accendersi d'improvviso nel volto e con
un gesto risoluto far l'atto di scamiciarsi. Egli, con tranquillità
fredda, seguì l'esempio; si rimboccò i pantaloni; prese dalle
mani del Santa Margherita il guanto, la stringa e la spada; si
armò con molta cura, e quindi agitò l'arma per accertarsi di
averla bene impugnata. In quel moto, il bicipite emerse visibi-
lissimo, rivelando il lungo esercizio del braccio e l'acquisito
vigore.

Quando i due stesero le spade per prendere la misura, quella
di Giannetto Rùtolo oscillava in un pugno convulso. Dopo
l'ammonimento d'uso intorno la lealtà, il barone di Santa Margherita comandò con una voce squillante e virile:

— Signori, in guardia!

I due scesero in guardia nel tempo medesimo, il Rùtolo bat-
tendo il piede, lo Sperelli inarcandosi con leggerezza. Il Rùtolo
era di statura mediocre, assai smilzo, tutto nervi, con una faccia olivastra a cui davan fierezza le punte de' baffi rilevate e la
piccola barba acuta in sul mento, alla maniera di Carlo I ne' ritratti del Van Dyck. Lo Sperelli era più alto, più slanciato, più
composto, bellissimo nell'attitudine, fermo e tranquillo in un
equilibrio di grazia e di forza, con in tutta la persona una
sprezzatura di grande signore. L'uno guardava l'altro entro gli
occhi; e ciascuno provava internamente un indefinibile brivido
alla vista dell'altrui carne nuda contro cui appuntavasi la lama
sottile. Nel silenzio, udivasi il mormorio fresco della fontana
misto al fruscìo del vento su per i rosai rampicanti ove le innumerevoli rose bianche e gialle tremolavano.

— A loro! — comandò il barone.

Andrea Sperelli aspettava dal Rùtolo un attacco impetuoso;
ma colui non si mosse. Per un minuto, ambedue rimasero a
studiarsi, senza avere il contatto del ferro, quasi immobili. Lo
Sperelli, chinandosi ancor più su' garretti, in guardia bassa, si
scoperse interamente, col portar la spada molto in terza; e pro-
vocò l'avversario, con l'insolenza degli occhi e col batter del
piede. Il Rùtolo venne innanzi con una finta di botta diritta, accompagnandola con una voce, alla maniera di certi spadaccini
siciliani; e l'assalto incominciò.

Lo Sperelli non isviluppava alcuna azion decisa, limitandosi
quasi sempre alle parate, costringendo l'avversario a scoprire
tutte le intenzioni, a esaurire tutti i mezzi, a svolgere tutte le

varietà del suo gioco. Parava netto e veloce, senza ceder terreno, con una precision mirabile, come s'ei fosse su la pedana,
in un'academia di scherma, d'innanzi a un fioretto innocuo;
mentre il Rùtolo attaccava con ardore, accompagnando ogni
botta con un grido spento, simile a quello degli abbattitori
d'alberi in esercitar l'accetta.

— Alt! — comandò il Santa Margherita, a' cui vigili occhi
non isfuggiva alcun moto delle due lame.

E si accostò al Rùtolo, dicendo:

— Ella è toccato, se non erro.

Infatti, colui aveva una scalfittura su l'antibraccio, ma così
lieve che non ci fu nemmen bisogno del taffetà. Alenava però;
e la sua estrema pallidezza, cupa come un lividore, era un
segno dell'ira contenuta. Lo Sperelli, sorridendo, disse a bassa
voce al Barbarisi:

— Conosco ora il mio uomo. Gli metterò un garofano sotto
la mammella destra. Sta attento al secondo assalto.

Poiché, senza badarci, egli posò a terra la punta della spada,
il dottor calvo, quel della gran mandibola, venne a lui con la
spugna imbevuta d'acqua fenicata e disinfettò di nuovo la
lama.

— Per iddio! — mormorò Andrea al Barbarisi. — M'ha
l'aria d'un iettatore. Questa lama si rompe.

Un merlo si mise a fischiare tra gli alberi. Ne' rosai qualche
rosa sfogliavasi e disperdevasi al vento. Alcune nuvole a mez-
z'aria salivano incontro al sole, rade, simili a velli di pecore; e
si disfacevano in bioccoli; e a mano a mano si dileguavano.

— In guardia!

Giannetto Rùtolo, conscio della sua inferiorità al paragon
del nemico, risolse di lavorar sotto misura, alla disperata, e di
rompere così ogni azion seguita dell'altro. Egli aveva da ciò la
bassa statura e il corpo agile, esile, flessibile, che offriva assai
poco bersaglio ai colpi.

— A loro!

Andrea Sperelli sapeva già che il Rùtolo sarebbesi avanzato
in quel modo, con le solite finte. Egli stava in guardia inarcato
come una balestra pronta a scoccare, intento per scegliere il
tempo.

— Alt! — gridò il Santa Margherita.

Il petto del Rùtolo faceva un po' di sangue. La spada del-
l'avversario eragli penetrata sotto la mammella destra, ledendo
i tessuti fin quasi alla costola. I medici accorsero. Ma il ferito
disse sùbito al Casteldieri, con voce rude, in cui sentivasi un
tremito di collera:

— Non è nulla. Voglio seguitare.

Egli si rifiutò di rientrar nella villa per la medicatura. Il dottor calvo, dopo aver spremuto il piccolo fòro appena sanguinante e dopo avergli fatta una lavanda antisettica, applicò un semplice pezzo di drappo; e disse:

— Può seguitare.

Il barone, per invito del Casteldieri, senza indugio comandò il terzo assalto.

— In guardia!

Andrea Sperelli s'avvide del pericolo. Di fronte a lui il nemico, tutto raccolto su i garretti, quasi direi nascosto dietro la punta della sua lama, appariva risoluto a un supremo sforzo. Gli occhi gli brillavano singolarmente e la coscia sinistra, per l'eccessiva tension de' muscoli, gli tremava forte. Andrea questa volta, contro l'impeto, si preparava a gittarsi da banda per ripetere il colpo decisivo del Cassìbile, e il disco bianco del drappo sul petto ostile servivagli di bersaglio. Egli ambiva rimettere ivi la stoccata ma trovar lo spazio intercostale, non la costa. D'intorno, il silenzio pareva più profondo; tutti gli astanti avevano conscienza della volontà micidiale che animava que' due uomini; e l'ansietà li teneva, e li stringeva il pensiero di dover forse ricondurre a casa un morto o un morente. Il sole, velato dalle pecorelle, spandeva una luce quasi lattea; le piante, or sì or no, stormivano; il merlo fischiava ancóra, invisibile.

— A loro!

Il Rùtolo si precipitò sotto misura, con due giri di spada e con una botta in seconda. Lo Sperelli parò e rispose, facendo un passo indietro. Il Rùtolo incalzava, furioso, con stoccate velocissime, quasi tutte basse, non accompagnandole più con i gridi. Lo Sperelli, senza sconcertarsi a quella furia, volendo evitare un incontro, parava forte e rispondeva con tale acredine che ogni sua botta avrebbe potuto passar fuor fuora il nemico. La coscia del Rùtolo, presso l'inguine, sanguinava.

— Alt! — tuonò il Santa Margherita quando se n'accorse.

Ma in quell'attimo appunto lo Sperelli, facendo una parata di quarta bassa e non trovando il ferro avversario, ricevé in pieno torace un colpo; e cadde tramortito su le braccia del Barbarisi.

— Ferita toracica, al quarto spazio intercostale destro, penetrante in cavità, con lesione superficiale del polmone — annunziò nella stanza, quand'ebbe osservato, il chirurgo taurino.

Libro secondo

I.

La convalescenza è una purificazione e un rinascimento. Non mai il senso della vita è soave come dopo l'angoscia del male; e non mai l'anima umana più inclina alla bontà e alla fede come dopo aver guardato negli abissi della morte. Comprende l'uomo, nel guarire, che il pensiero, il desiderio, la volontà, la conscienza della vita non sono la vita. Qualche cosa è in lui più vigile del pensiero, più continua del desiderio, più potente della volontà, più profonda anche della conscienza; ed è la sostanza, la natura dell'essere suo. Comprende egli che la sua vita reale è quella, dirò così, non vissuta da lui; è il complesso delle sensazioni involontarie, spontanee, inconscienti, istintive; è l'attività armoniosa e misteriosa della vegetazione animale; è l'impercettibile sviluppo di tutte le metamorfosi e di tutte le rinnovellazioni. Quella vita appunto in lui compie i miracoli della convalescenza: richiude le piaghe, ripara le perdite, riallaccia le trame infrante, rammenda i tessuti lacerati, ristaura i congegni degli organi, rinfonde nelle vene la ricchezza del sangue, riannoda su gli occhi la benda dell'amore, rintreccia d'intorno al capo la corona de' sogni, riaccende nel cuore la fiamma della speranza, riapre le ali alle chimere della fantasia.

Dopo la mortale ferita, dopo una specie di lunga e lenta agonia, Andrea Sperelli ora a poco a poco rinasceva, quasi con un altro corpo e con un altro spirito, come un uomo nuovo, come una creatura uscita da un fresco bagno letèo, immemore e vacua. Parevagli d'essere entrato in una forma più elementare. Il passato per la sua memoria aveva una sola lontananza, come per la vista il cielo stellato è un campo eguale e diffuso sebbene gli astri sien diversamente distanti. I tumulti si pacificavano, il fango scendeva all'imo, l'anima facevasi monda; ed egli rientrava nel grembo della natura madre, sentivasi da lei maternamente infondere la bontà e la forza.

Ospitato da sua cugina nella villa di Schifanoja, Andrea Sperelli si riaffacciava all'esistenza in conspetto del mare. Poiché ancóra in noi la natura *simpatica* persiste e poiché la nostra vecchia anima abbracciata dalla grande anima naturale palpita

ancóra a tal contatto, il convalescente misurava il suo respiro
sul largo e tranquillo respiro del mare, ergeva il suo corpo a
similitudine de' validi alberi, serenava il suo pensiero alla serenità degli orizzonti. A poco a poco, in quegli ozii intenti e
raccolti, il suo spirito si stendeva, si svolgeva, si dispiegava, si
sollevava dolcemente come l'erba premuta in su' sentieri; diveniva infine verace, ingenuo, originale, libero, aperto alla
pura conoscenza, disposto alla pura contemplazione; attirava in
sé le cose, le concepiva come modalità del suo proprio essere,
come forme della sua propria esistenza; si sentiva infine penetrato dalla verità che proclama l'Oupanischad dei Veda: «*Hae
omnes creaturae in totum ego sum, et praeter me aliud ens non
est*»[1]. Il gran soffio d'idealità che esalano i libri sacri indiani,
studiati e amati un tempo, pareva lo sollevasse. E tornava a ri-
splendergli singolarmente la formula sanscrita, chiamata Ma-
havakya cioè la Gran Parola: «TAT TWAM ASI»; che significa:
«*Questa cosa vivente sei tu*».

Erano i giorni ultimi di agosto. Una quiete estatica teneva il
mare; le acque avean tal transparenza che ripetevan con perfetta esattezza qualunque imagine; l'estrema linea delle acque
perdevasi nel cielo così che i due elementi parevano un elemento unico, impalpabile, innaturale. Il vasto anfiteatro dei
colli, popolato d'olivi, d'aranci, di pini, di tutte le più nobili
forme della vegetazione italica, abbracciando quel silenzio,
non era più una moltitudine di cose ma una cosa unica, sotto il
comune sole.

Il giovine, disteso all'ombra o addossato a un tronco o seduto su una pietra, credeva sentire in sé medesimo scorrere il
fiume del tempo; con una specie di tranquillità catalettica, credeva sentir vivere nel suo petto l'intero mondo; con una specie
di religiosa ebrietà, credeva posseder l'infinito. Quel ch'ei provava era ineffabile, non esprimibile neppur con le parole del
mistico: «Io sono ammesso dalla natura nel più secreto delle
sue divine sedi, alla sorgente della vita universa. Quivi io sor-
prendo la causa del moto e odo il primo canto degli esseri in
tutta la sua freschezza». La vista a poco a poco mutàvaglisi in
visione profonda e continua; i rami degli alberi sul suo capo gli
parevan sollevare il cielo, ampliare l'azzurro, risplendere come
corone d'immortali poeti; ed egli contemplava ed ascoltava,
respirando col mare e con la terra, placido come un dio.

Dov'eran mai tutte le sue vanità e le sue crudeltà e i suoi artifici e le sue menzogne? Dov'erano gli amori e gli inganni e i
disinganni e i disgusti e le incurabili ripugnanze dopo il pia-

---

[1] «Io sono completamente in tutte queste creature, e all'infuori di me non c'è
altro essere.» (*N.d.C.*).

cere? Dov'erano quegli immondi e rapidi amori che gli lascia-
van nella bocca come la strana acidezza di un frutto tagliato
con un coltello d'acciaio? Egli non si ricordava più di nulla. Il
suo spirito avea fatto una grande renunziazione. Un altro principio di vita entrava in lui; *qualcuno* entrava in lui, segreto, il
quale sentiva la pace profondamente. Egli riposava, poiché non
desiderava più.

Il desiderio aveva abbandonato il suo regno; l'intelletto nel-
l'attività seguiva libero le sue proprie leggi e rispecchiava il
mondo oggettivo come un puro soggetto della conoscenza; le
cose apparivano nella lor forma vera, nel lor vero colore, nella
vera ed intera lor significazione e bellezza, precise, chiarissime;
spariva ogni sentimento della persona. In questa temporanea
morte del desiderio, in questa temporanea assenza della memoria, in questa perfetta oggettività della contemplazione appunto
era la causa del non mai provato godimento.

> *Die Sterne, die begehrt man nicht,*
> *Man freut sich ihrer Pracht.*

«Le stelle, uom non le desidera, — ma gioisce del lor fulgore.» Per la prima volta, infatti, il giovine conobbe tutta l'armoniosa poesia notturna de' cieli estivi.

Erano le ultime notti d'agosto, senza luna. Innumerevole,
nella profonda conca, palpitava la vita ardente delle constella-
zioni. Le Orse, il Cigno, Ercole, Boote, Cassiopea riscintillavano con un palpito così rapido e così forte che quasi parevano
essersi appressati alla terra, essere entrati nell'atmosfera ter-
rena. La Via Lattea svolgevasi come un regal fiume aereo,
come un adunamento di riviere paradisiache, come una immensa correntìa silenziosa che traesse nel suo «miro gurge»
una polvere di minerali siderei, passando sopra un àlveo di cristallo, tra falangi di fiori. Ad intervalli, meteore lucide riga-
vano l'aria immobile, con la discesa lievissima e tacita d'una
goccia d'acqua su una lastra di diamante. Il respiro del mare,
lento e solenne, bastava solo a misurare la tranquillità della
notte, senza turbarla; e le pause eran più dolci del suono.

Ma questo periodo di visioni, di astrazioni, di intuizioni, di
contemplazioni pure, questa specie di misticismo buddhistico e
quasi direi cosmogonico, fu brevissimo. Le cause del raro fenomeno, oltre che nella natura plastica del giovine e nella sua
attitudine alla oggettività, eran forse da ricercarsi nella singolar
tensione e nella estrema impressionabilità del suo sistema nervoso cerebrale. A poco a poco, egli incominciò a riprender
consciènza di sé stesso, a ritrovare il sentimento della sua persona, a rientrare nella sua corporeità primitiva. Un giorno, nel-
l'ora meridiana, mentre la vita delle cose pareva sospesa, il

grande e terribile silenzio gli lasciò veder dentro, d'improvviso, abissi vertiginosi, bisogni inestinguibili, indistruttibili ricordi, cumuli di sofferenza e di rimpianto, tutta la sua miseria d'un tempo, tutti i vestigi del suo vizio, tutti gli avanzi delle sue passioni.

Da quel giorno, una malinconia pacata ed uguale gli occupò l'anima; ed egli vide in ogni aspetto delle cose uno stato dell'anima sua. Invece di transmutarsi in altre forme di esistenza o di mettersi in altre condizioni di conscienza o di perdere l'esser suo particolare nella vita generale, ora egli presentava i fenomeni contrarii, involgendosi d'una natura ch'era una concezion tutta soggettiva del suo intelletto. Il paesaggio divenne per lui un simbolo, un emblema, un segno, una scorta che lo guidava a traverso il laberinto interiore. Segrete affinità egli scopriva tra la vita apparente delle cose e l'intima vita de' suoi desiderii e de' suoi ricordi. *«To me High mountains are a feeling.»*[2]. Come nel verso di Giorgio Byron le montagne, per lui erano *un sentimento* le marine.

Chiare marine di settembre! — Il mare, calmo e innocente come un fanciullo addormentato, si distendeva sotto un cielo angelico di perla. Talvolta appariva tutto verde, del fino e prezioso verde d'una malachite; e, sopra, le piccole vele rosse somigliavano fiammelle erranti. Talvolta appariva tutto azzurro, d'un azzurro intenso, quasi direi araldico, solcato di vene d'oro, come un lapislàzuli; e, sopra, le vele istoriate somigliavano una processione di stendardi e di gonfaloni e di palvesi cattolici. Anche, talvolta prendeva un diffuso luccicore metallico, un color pallido di argento, misto del color verdiccio d'un limone maturo, qualche cosa d'indefinibilmente strano e delicato; e, sopra, le vele erano pie ed innumerevoli come le ali de' cherubini ne' fondi delle ancóne giottesche.

Il convalescente rinveniva sensazioni obliate della puerizia, quell'impression di freschezza che dànno al sangue puerile gli aliti del vento salso, quegli inesprimibili effetti che fanno le luci, le ombre, i colori, gli odori delle acque su l'anima vergine. Il mare non soltanto era per lui una delizia degli occhi, ma era una perenne onda di pace a cui si abbeveravano i suoi pensieri, una magica fonte di giovinezza in cui il suo corpo riprendeva la salute e il suo spirito la nobiltà. Il mare aveva per lui l'attrazion misteriosa d'una patria; ed egli vi si abbandonava con una confidenza filiale, come un figliuol debole nelle braccia d'un padre onnipossente. E ne riceveva conforto; poiché nessuno mai ha confidato il suo dolore, il suo desiderio, il suo sogno al mare invano.

---

[2] «Per me le alte montagne sono un sentimento.» (*N.d.C.*).

Il mare aveva sempre per lui una parola profonda, piena di
rivelazioni subitanee, d'illuminazioni improvvise, di significazioni inaspettate. Gli scopriva nella segreta anima un'ulcera
ancor viva sebben nascosta e glie la faceva sanguinare; ma il
balsamo poi era più soave. Gli scoteva nel cuore una chimera
dormente e glie la incitava così ch'ei ne sentisse di nuovo le
unghie e il rostro; ma glie la uccideva poi e glie la seppelliva
nel cuore per sempre. Gli svegliava nella memoria una ricor-
danza e glie l'avvivava così ch'ei sofferisse tutta l'amarezza
del rimpianto verso le cose irrimediabilmente fuggite; ma gli
prodigava poi la dolcezza d'un oblio senza fine. Nulla entro
quell'anima rimaneva celato, al conspetto del gran consolatore.
Alla guisa che una forte corrente elettrica rende luminosi i metalli e rivela la loro essenza dal color della loro fiamma, la
virtù del mare illuminava e rivelava tutte le potenze e le poten-
zialità di quell'anima umana.

In certe ore il convalescente, sotto l'assiduo dominio d'una
tal virtù, sotto l'assiduo giogo d'un tal fascino, provava una
specie di smarrimento e quasi di sbigottimento, come se quel
dominio e quel giogo fossero per la sua debolezza insostenibili.
In certe ore aveva dal colloquio incessante tra la sua anima e il
mare un senso vago di prostrazione, come se quel gran verbo
gli facesse troppa violenza all'angustia dell'intelletto avido di
comprendere l'incomprensibile. Una tristezza delle acque lo
sconvolgeva come una sventura.

Un giorno, egli si vide perduto. Vapori sanguigni e maligni
ardevano all'orizzonte, gittando sprazzi di sangue e d'oro sul
fosco delle acque; un viluppo di nuvoli paonazzi ergevasi da'
vapori, simile a una zuffa di centauri immani sopra un vulcano
in fiamme; e per quella luce tragica un corteo funebre di vele
triangolari nereggiava su l'ultimo limite. Erano vele d'una tinta
indescrivibile, sinistre come le insegne della morte; segnate di
croci e di figure tenebrose; parevano vele di navigli che portas-
sero cadaveri di appestati a una qualche maledetta isola popolata di avvoltoi famelici. Un senso umano di terrore e di dolore
incombeva su quel mare, un accasciamento d'agonia gravava
su quell'aria. Il fiotto sgorgante dalle ferite de' mostri azzuffati
non restava mai, anzi cresceva in fiumi che arrossavano le
acque per tutto lo spazio, sino alla sponda, facendosi qua e là
violaceo e verdastro come per corruzione. Di tratto in tratto il
viluppo crollava, i corpi si deformavano o si squarciavano,
lembi sanguinosi pendevano giù dal cratere o sparivano in-
ghiottiti dall'abisso. Poi, dopo il gran crollo, rigenerati, i giganti balzavan di nuovo alla lotta, più atroci; il cumulo si ri-
componeva, più enorme; e ricominciava la strage, più rossa,

finché i combattenti rimanevan esangui tra la cenere del crepuscolo, esanimi, disfatti, sul vulcano semispento.

Pareva un episodio d'una qualche titanomachia primitiva, uno spettacolo eroico, visto, a traverso un lungo ordine di età, nel cielo della favola. Andrea, con l'animo sospeso, seguiva tutte le vicende. Abituato alle tranquille discese dell'ombra, in quella declinazion serena dell'estate, ora si sentiva dall'insolito contrasto riscuotere e sollevare e intorbidare con una strana violenza. Da prima, fu come un'angoscia confusa, tumultuaria, piena di palpiti inconsapevoli. Affascinato dal tramonto bellicoso, egli non anche giungeva a veder chiaramente in sé medesimo. Ma, quando la cenere del crepuscolo piovve spegnendo ogni guerra e il mare sembrò un'immensa palude plumbea, egli credé udire nell'ombra il grido dell'anima sua, il grido d'altre anime.

Era dentro di lui, come un cupo naufragio nell'ombra. Tante tante voci chiamavano al soccorso, imploravano aiuto, imprecavano alla morte; voci note, voci ch'egli aveva un tempo ascoltate (voci di creature umane o di fantasmi?); ed ora non distingueva l'una dall'altra! Chiamavano, imploravano, imprecavano inutilmente, sentendosi perire; s'affievolivano soffocate dall'onda vorace; divenivano deboli, lontane, interrotte, irriconoscibili; divenivano un gemito; s'estinguevano; non risorgevano più.

Egli restava solo. Di tutta la sua giovinezza, di tutta la sua vita interiore, di tutte le sue idealità non restava nulla. Dentro di lui non restava che un freddo abisso vacuo; d'intorno a lui, una natura impassibile, fonte perenne di dolore per l'anima solitaria. Ogni speranza era spenta; ogni voce era muta; ogni àncora era rotta. A che vivere?

Subitamente, l'imagine di Elena gli risorse nella memoria. Altre imagini di donne si sovrapposero a quella, si confusero con quella, la dispersero, si dispersero. Egli non riuscì a fermarne alcuna. Tutte parevano sorridere, d'un sorriso nemico, nel dileguarsi; e tutte, nel dileguarsi, parevano portar seco qualche cosa di lui. Che cosa? Egli non sapeva. Un avvilimento indicibile l'oppresse; lo gelò quasi un senso di vecchiezza; gli occhi gli si empirono di lacrime. Una tragica ammonizione gli sonò nel cuore: «Troppo tardi!».

Le dolcezze recenti della pace e della malinconia gli sembrarono già lontane, gli sembrarono un'illusion già fuggita; quasi gli sembrarono essere state godute da un altro spirito, nuovo, straniero, entrato in lui e poi scomparso. Gli sembrò che il suo vecchio spirito non potesse più omai rinnovellarsi né risollevarsi. Tutte le ferite, ch'egli senza ritegno aveva aperte nella dignità del suo essere interiore, sanguinarono. Tutte le

degradazioni, ch'egli senza ripugnanza aveva inflitte alla sua
conscienza, vennero fuori come macchie e si dilatarono come
una lebbra. Tutte le violazioni, ch'egli senza pudore aveva
fatte alle sue idealità, gli suscitarono un rimorso acuto, disperato, terribile, come se dentro di lui piangessero anime di sue
figliuole a cui egli padre avesse tolta la verginità mentre dormivano sognando.

Ed egli piangeva con loro; e gli sembrava che le sue lacrime
non gli scendessero sul cuore come un balsamo ma gli rimbal-
zassero come sopra una materia viscida e fredda onde il cuor
suo fosse fasciato. L'ambiguità, la simulazione, la falsità, l'i-
pocrisia, tutte le forme della menzogna e della frode nella vita
del sentimento, tutte aderivano al suo cuore come un vischio
tenace.

Egli aveva troppo mentito, aveva troppo ingannato, s'era
troppo abbassato. Un ribrezzo di sé e del suo vizio l'invase.
— Vergogna! Vergogna! — La disonorante bruttura gli pareva
indelebile; le piaghe gli parevano immedicabili; gli pareva
ch'egli dovesse portarne la nausea per sempre, per sempre,
come un supplizio senza termine. — Vergogna! — Piangeva,
chino sul davanzale, abbandonato sotto il peso della sua miseria, affranto come un uomo che non veda salvezza; e non vedeva le stelle riscintillare a una a una sul suo povero capo,
nella sera profonda.

Al nuovo giorno egli ebbe un grato risveglio, un di que' freschi e limpidi risvegli che ha soltanto l'Adolescenza nelle sue
primavere trionfanti. Il mattino era una meraviglia; respirare il
mattino era una beatitudine immensa. Tutte le cose vivevano
nella felicità della luce; i colli parevano avvolti in un velario
diafano d'argento, scossi da un agile fremito; il mare pareva attraversato da riviere di latte, da fiumi di cristallo, da ruscelli di
smeraldo, da mille vene che formavano come il mobile intrico
d'un laberinto liquido. Un senso di letizia nuziale e di grazia
religiosa emanava dalla concordia del mare, del cielo e della
terra.

Egli respirava, guardava, ascoltava, un poco attonito. Nel
sonno, la sua febbre era guarita. Egli aveva chiuso gli occhi,
nella notte, cullato dal coro delle acque come da una voce
amica e fedele. Chi s'addormenta al suono di quella voce ha
un riposo pieno di riparatrice tranquillità. Neanche le parole
della madre inducono un sonno così puro e così benefico al figliuolo che soffre.

Guardava, ascoltava, muto, raccolto, intenerito, lasciando
entrare in sé quell'onda di vita immortale. Non mai la musica
sacra d'un altro maestro, un *Offertorio* di Giuseppe Haydn o
un *Te Deum* di Volfango Mozart, gli aveva data la commo-

zione che ora gli davano le semplici campane delle chiese di
lunghi, salutanti l'ascension del Giorno ne' cieli del Signore
Uno e Trino. Egli sentiva il suo cuore colmarsi e traboccar di
commozione. Qualche cosa come un sogno vago ma grande gli
si levava su l'anima, qualche cosa come un velo ondeggiante a
traverso il quale splendesse il misterioso tesoro della felicità.
Finora egli aveva sempre saputo quel che desiderava e non
aveva quasi mai trovato piacere da desiderare invano. Ora, non
poteva dire il suo desiderio; non sapeva. Ma, certo, la cosa desiderata doveva essere infinitamente soave, poiché era una
soavità anche desiderarla.

I versi della Chimera nel *Re di Cipro*, antichi versi, quasi
obliati, gli ritornarono alla memoria, gli sonarono come una lusinga.

> «*Vuoi tu pugnare?*
> *Uccidere? Veder fiumi di sangue?*
> *gran mucchi d'oro? greggi di captive*
> *femmine? schiavi? altre, altre prede? Vuoi*
> *tu far vivere un marmo? Ergere un tempio?*
> *Comporre un immortale inno? Vuoi (m'odi,*
> *giovine, m'odi) vuoi divinamente*
> *amare?*»

La Chimera gli ripeteva, nel cuor segreto, sommessa, con
oscure pause:

> «*M'odi,*
> *giovine, m'odi; vuoi divinamente*
> *amare?*».

Egli un poco sorrise. E pensò: «Amare chi? l'Arte? una
donna? quale donna?». Elena gli apparve lontana, perduta,
morta, non più sua; le altre gli apparvero anche più lontane,
morte per sempre. Egli era libero, dunque. Perché mai avrebbe
di nuovo seguita una ricerca inutile e perigliosa? Era in fondo
al suo cuore il desiderio di darsi, liberamente e per riconoscenza, a un essere più alto e più puro. Ma dov'era questo essere? L'Ideale avvelena ogni possesso imperfetto; e nell'amore
ogni possesso è imperfetto e ingannevole, ogni piacere è misto
di tristezza, ogni godimento è dimezzato, ogni gioia porta in sé
un germe di sofferenza, ogni abbandono porta in sé un germe
di dubbio; e i dubbii guastano, contaminano, corrompono tutti i
diletti come le Arpie rendevano immangiabili tutti i cibi a
Fineo. Perché mai dunque avrebbe egli di nuovo stesa la mano
all'albero della scienza?

> «*The tree of knowledge has been pluck'd, — all's*
> *known.*»

«L'albero della scienza è stato spogliato, — tutto è conosciuto» come canta Giorgio Byron nel *Don Juan*. In verità, per l'avvenire, la sua salute stava nella «εὐλάβεια», cioè nella prudenza, nella finezza, nella cautela, nella sagacità. Questo suo intendimento gli pareva bene espresso in un sonetto d'un poeta contemporaneo che, per certa affinità di gusti letterarii e comunanza di educazione estetica, egli prediligeva.

> *Sarò come colui che si distende*
> *sotto l'ombra d'un grande albero carco,*
> *omai sazio di trar balestra od arco;*
> *e in sul capo il maturo frutto pende.*
>
> *Non ei scuote quel ramo, né protende*
> *la man, né veglia in su le prede al varco.*
> *Giace; e raccoglie con un gesto parco*
> *i frutti che quel ramo al suolo rende.*
>
> *Di tal soave polpa ei nel profondo*
> *non morde, a ricercar l'intima essenza,*
> *perché teme l'amaro; anzi la fiuta,*
>
> *poi sugge, con piacer limpido, senza*
> *avidità, né triste né giocondo.*
> *La sua favola breve è già compiuta.*

Ma la «εὐλάβεια», se può valere ad escludere in parte dalla vita il dolore, esclude anche ogni alta idealità. La salute dunque stava in una specie di equilibrio goethiano tra un cauto e fine epicureismo pratico e il culto profondo e appassionato dell'Arte.

— L'Arte! L'Arte! — Ecco l'Amante fedele, sempre giovine, immortale; ecco la Fonte della gioia pura, vietata alle moltitudini, concessa agli eletti; ecco il prezioso Alimento che fa l'uomo simile a un dio. Come aveva egli potuto bevere ad altre coppe dopo avere accostate le labbra a quell'una? Come aveva egli potuto ricercare altri gaudii dopo aver gustato il supremo? Come il suo spirito aveva potuto accogliere altre agitazioni dopo aver sentito in sé l'indimenticabile tumulto della forza creatrice? Come le sue mani avevan potuto oziare e lascivire su i corpi delle femmine dopo aver sentito erompere dalle dita una forma sostanziale? Come, infine, i suoi sensi avean potuto indebolirsi e pervertirsi nella bassa lussuria dopo essere stati illuminati da una sensibilità che coglieva nelle apparenze le linee invisibili, percepiva l'impercettibile, indovinava i pensieri nascosti della Natura?

Un improvviso entusiasmo l'invase. In quel mattin religioso, egli voleva di nuovo inginocchiarsi all'altare e, secondo il verso del Goethe, leggere i suoi atti di divozione nella liturgìa d'Omero.

«Ma se la mia intelligenza fosse decaduta? Se la mia mano avesse perduta la prontezza? S'io non fossi più *degno*?» A

questo dubbio, l'assalse uno sbigottimento così forte ch'egli,
con una smania puerile, si mise a cercare qual potesse essere
una prova immediata per aver la certezza che il suo era un irragionevole timore. Avrebbe voluto sùbito fare un esperimento
reale: comporre una strofa difficile, disegnare una figura, inci-
dere un rame, sciogliere un problema di forme. Ebbene? E poi?
Non sarebbe stato quello un esperimento fallace? La lenta decadenza dell'ingegno può anche essere inconsciente: qui sta il
terribile. L'artista che a poco a poco perde le sue facoltà non si
accorge della sua debolezza progressiva; poiché insieme con la
potenza di produrre e di riprodurre lo abbandona anche il giudizio critico, il criterio. Egli non distingue più i difetti dell'o-
pera sua, non sa che la sua opera è cattiva o mediocre; s'illude;
crede che il suo quadro, che la sua statua, che il suo poema
sieno nelle leggi dell'Arte mentre son fuori. Qui sta il terribile.
L'artista colpito nell'intelletto può non aver conscienza della
propria imbecillità, come il pazzo non ha conscienza della propria aberrazione. E allora?

Fu pel convalescente una specie di pànico. Egli si strinse le
tempie fra le palme; e rimase alcuni istanti sotto l'urto di quel
pensiero spaventevole, sotto l'orrore di quella minaccia, come
annientato. — Meglio, meglio morire! — Non mai, come in
quel momento, aveva sentito il divino pregio del *dono*; non
mai come in quel momento, la *scintilla* gli era parsa sacra.
Tutto il suo essere tremava con una strana violenza, al solo
dubbio che quel dono potesse struggersi, che quella scintilla
potesse spegnersi. — Meglio morire!

Levò il capo; scosse da sé ogni inerzia; discese nel parco;
camminò lentamente sotto gli alberi, non avendo un pensiero
determinato. Un soffio leggero correva su le cime; a intervalli,
le foglie si scompigliavano con un fruscìo forte, come se per
mezzo vi passasse una torma di scoiattoli; piccoli frammenti di
cielo apparivano tra i rami, come occhi cerulei sotto palpebre
verdi. In un luogo favorito, ch'era una specie di *lucus* minimo
in signoria di una Erma quadrifronte intenta a una quadruplice
meditazione, egli sostò; e si mise a sedere su l'erba, con le
spalle appoggiate alla base del simulacro, con la faccia rivolta
al mare. D'innanzi a lui, certi fusti, diritti e digradanti come le
canne della fistola di Pane, secavano l'oltramarino; intorno, gli
acanti aprivano con sovrana eleganza i cesti delle loro foglie,
intagliate simetricamente come nel capitello di Callimaco.

I versi di Salmace nella *Favola d'Ermafrodito* gli vennero
alla memoria.

> «*Nobili acanti, o voi ne le terrestri*
> *selve indizi di pace, alte corone,*
> *di pura forma; o voi, snelli canestri*

> *che il Silenzio con lieve man compone*
> *a raccogliere il fiore de' silvestri*
> *Sogni, qual mai virtù sul bel garzone*
> *versaste da le foglie oscura e dolce?*
> *Ei dorme, nudo; e il braccio il capo folce.*»

Altri versi gli vennero alla memoria, altri ancóra, altri ancóra, tumultuariamente. La sua anima si empì tutta d'una musica di rime e di sillabe ritmiche. Egli gioiva; quella spontanea
improvvisa agitazion poetica gli dava un inesprimibile diletto.
Egli ascoltava in sé medesimo que' suoni, compiacendosi delle
ricche imagini, degli epiteti esatti, delle metafore lucide, delle
armonie ricercate, delle squisite combinazioni di iati e di die-
resi, di tutte le più sottili raffinatezze che variavano il suo stile
e la sua metrica, di tutti i misteriosi artifizii dell'endecasillabo
appresi dagli ammirabili poeti del XIV secolo e in ispecie dal
Petrarca. La magia del verso gli soggiogò di nuovo lo spirito; e
l'emistichio sentenziale d'un poeta contemporaneo gli sorrideva singolarmente. — «Il Verso è tutto.»

Il verso è tutto. Nella imitazion della Natura nessuno istrumento d'arte è più vivo, agile, acuto, vario, moltiforme, plastico, obediente, sensibile, fedele. Più compatto del marmo, più
malleabile della cera, più sottile d'un fluido, più vibrante d'una
corda, più luminoso d'una gemma, più fragrante d'un fiore, più
tagliente d'una spada, più flessibile d'un virgulto, più carezzevole d'un murmure, più terribile d'un tuono, il verso è tutto e
può tutto. Può rendere i minimi moti del sentimento e i minimi
moti della sensazione; può definire l'indefinibile e dire l'ineffabile; può abbracciare l'illimitato e penetrare l'abisso; può
avere dimensioni d'eternità; può rappresentare il sopraumano,
il soprannaturale, l'oltramirabile; può inebriare come un vino,
rapire come un'estasi; può nel tempo medesimo possedere il
nostro intelletto, il nostro spirito, il nostro corpo; può, infine,
raggiungere l'Assoluto. Un verso perfetto è assoluto, immutabile, immortale; tiene in sé le parole con la coerenza d'un diamante; chiude il pensiero come in un cerchio preciso che nessuna forza mai riuscirà a rompere; diviene indipendente da
ogni legame e da ogni dominio; non appartiene più all'artefice,
ma è di tutti e di nessuno, come lo spazio, come la luce, come
le cose immanenti e perpetue. Un pensiero esattamente
espresso in un verso perfetto è un pensiero che già esisteva
preformato nella oscura profondità della lingua. Estratto dal
poeta, *séguita* ad esistere nella conscienza degli uomini. Maggior poeta è dunque colui che sa discoprire, disviluppare,
estrarre un maggior numero di codeste preformazioni ideali.
Quando il poeta è prossimo alla scoperta d'uno di tali versi

eterni, è avvertito da un divino torrente di gioia che gli invade
d'improvviso tutto l'essere.

Quale gioia è più forte? — Andrea socchiuse un poco gli
occhi, quasi per prolungare quel particolar brivido ch'era in lui
foriero della inspirazione quando il suo spirito si disponeva
all'opera d'arte, specialmente al poetare. Poi, pieno d'un diletto non mai provato, si mise a trovar rime con la èsile matita
su le brevi pagine bianche del taccuino. Gli vennero alla memoria i primi versi d'una canzone del Magnifico:

> *Parton leggieri e pronti*
> *dal petto i miei pensieri...*

Quasi sempre, per incominciare a comporre, egli aveva bisogno d'una intonazione musicale datagli da un altro poeta; ed
egli usava prenderla quasi sempre dai verseggiatori antichi di
Toscana. Un emistichio di Lapo Gianni, del Cavalcanti, di
Cino, del Petrarca, di Lorenzo de' Medici, il ricordo d'un
gruppo di rime, la congiunzione di due epiteti, una qualunque
concordanza di parole belle e bene sonanti, una qualunque
frase numerosa bastava ad aprirgli la vena, a dargli, per così
dire, il *la*, una nota che gli servisse di fondamento all'armonia
della prima strofa. Era una specie di topica applicata non alla
ricerca degli argomenti ma alla ricerca dei preludii. Il primo
settenario medìceo gli offerse infatti la rima; ed egli *vide* distintamente tutto ciò ch'egli voleva mostrare al suo imaginario
uditore in persona dell'Erma; e, insieme con la visione, nel
tempo medesimo, si presentò spontaneamente al suo spirito la
forma metrica in cui egli doveva versare, come un vino in una
coppa, la poesia. Poiché quel suo sentimento poetico era duplice, o meglio, nasceva da un contrasto, cioè dal contrasto fra
l'abiezion passata e la presente risurrezione, e poiché nel suo
movimento lirico procedeva per elevazione, egli elesse il sonetto; la cui architettura consta di due ordini: del superiore
rappresentato dalle due quartine e dell'inferiore rappresentato
dalle due terzine. Il pensiero e la passione dunque, dilatandosi
nel primo ordine, si sarebber raccolti, rinforzati, elevati nel secondo. La forma del sonetto, pur essendo meravigliosamente
bella e magnifica, è in qualche parte manchevole; perché somiglia una figura con il busto troppo lungo e le gambe troppo
corte. Infatti le due terzine non soltanto sono *in realtà* più
corte delle quartine, per numero di versi; ma anche *sembrano*
più corte delle quartine, per quel che la terzina ha di rapido e
di fluido nell'andatura sua in confronto alla lentezza e alla
maestà della quartina. Quegli è migliore artefice, il quale sa
coprire la mancanza; il quale, cioè, serbando alle terzine la
imagine più precisa e più visibile e le parole più forti e più so-

nore, ottiene che le terzine grandeggino e armonizzino con le
superiori strofe senza però nulla perdere della lor leggerezza e
rapidità essenziali. I dipintori del Rinascimento sapevano equi-
librare una intera figura con il semplice svolazzo d'un nastro o
d'un lembo o d'una piega.

Andrea, nel comporre, studiava sé medesimo curiosamente.
Non aveva fatto versi da gran tempo. Quell'intervallo d'ozio
aveva nociuto alla sua abilità tecnica? Gli pareva che le rime,
uscenti a mano a mano dal suo cervello, avessero un sapor
nuovo. La consonanza gli veniva spontanea, senza ch'ei la cer-
casse; e i pensieri gli nascevano rimati. Poi, d'un tratto, un in-
toppo arrestava il fluire; un verso gli si ribellava; tutto il resto gli
si scomponeva come un musaico sconnesso; le sillabe lottavano
contro la constrizion della misura; una parola musicale e luminosa, che gli piaceva, era esclusa dalla severità del ritmo ad onta
d'ogni sforzo; da una rima nasceva un'idea nuova, inaspettata, a
sedurlo, a distrarlo dall'idea primitiva; un epiteto, pur essendo
giusto ed esatto, aveva un suono debole; la tanto cercata qualità,
la coerenza, mancava completamente; e la strofa era come una
medaglia riuscita imperfetta per colpa d'un fonditore inesperto
il qual non avesse saputo calcolare la quantità di metallo fuso
necessaria a riempirne il cavo. Egli, con acuta pazienza, rimetteva di nuovo nel crogiuolo il metallo; e ricominciava l'opera da
capo. La strofa alla fine gli usciva intera e precisa; qualche
verso, qua e là, aveva una certa asprezza piacente; a traverso le
ondulazioni del ritmo appariva evidentissima la simetria; la ripe-
tizion delle rime faceva una musica chiara, richiamando allo
spirito con l'accordo de' suoni l'accordo de' pensieri e rafforz-
zando con un legame fisico il legame morale; tutto il sonetto viveva e respirava come un organismo indipendente, nell'unità.
Per passare da un sonetto all'altro egli *teneva* una nota, come in
musica la modulazione da un tono all'altro è preparata dall'accordo di settima, nel qual si tiene la nota fondamentale per farne
la dominante del nuovo tono.

Così componeva, or rapido or lento, con un diletto non mai
provato; e il luogo raccolto, in verità, pareva escito dalla fantasia d'un solitario egìpane dedito ai carmi. Il mare, mentre più
cresceva il giorno, balenava fra i tronchi come negli intercolunnii d'un portico di diaspro; gli acanti corintii eran come le
coronazioni abbattute di quelle colonne arboree; nell'aria,
glauca come l'ombra d'un antro lacustre, il sole gittava a
quando a quando strali e anelli e dischi d'oro. Certo, Alma Tadema avrebbe ivi imaginata una Saffo dal crin di viola, seduta
sotto l'Erma di marmo, poetante su la lira di sette corde, in
mezzo a un coro di fanciulle dal crin di fiamma pallide e in-

tente a bevere dall'adonio la compiuta armonia di ciascuna strofe.

Quando egli ebbe condotti a termine i quattro sonetti, trasse un respiro e li recitò senza voce, con una enfasi interiore. L'apparente rottura del ritmo nel quinto verso dell'ultimo, causata dalla mancanza di un accento tonico e quindi d'una posa grave della ottava sillaba, gli parve efficace e la mantenne. Quindi scrisse i quattro sonetti su la base quadrangolare dell'Erma: su ogni faccia uno, in quest'ordine.

I.

Erma quadrata, le tue quattro fronti
sanno mie novità meravigliose?
Spirti, cantando, da le sedi ascose
partono del mio cor leggieri e pronti.

Il cor mio prode tutte impure fonti
serrò, cacciò da sé tutt'altre cose
impure, tutte fiamme obbrobriose
domò, ruppe all'assedio tutti i ponti.

Spirti, cantando, salgono. Ben odo
io l'inno; e inestinguibile, possente,
del periglio di me mi prende un riso.

Pallido sì ma come un re, io godo
sentir nel core l'anima ridente,
mentre il già vinto Mal rimiro fiso.

II.

L'anima ride li amor suoi lontani
mentre fiso rimiro il Mal già vinto
che in quei di foco intrichi aveami spinto
come in boschi nudriti da vulcani.

Or nel gran cerchio de' dolori umani
entra, novizia in veste jacinto,
dietro lasciando il falso laberinto
ove i belli ruggìan mostri pagani.

Non più sfinge con unghie auree l'abbranca,
non górgone la fa pietra restare,
non sirena per lunga ode l'incanta.

Alta, in sommo del cerchio, un'assai bianca
donna, con atto di comunicare,
tien fra le pure dita l'Ostia santa.

III.

Ella, fuor de l'insidie e fuor de l'ire
e fuor de' danni, sta pacata e forte
come colei che può fino a la morte
sapere il Male, senza quel soffrire.

— O voi che fate tutti i venti aulire,
che avete in signorìa tutte le porte,
io metto a' vostri piedi la mia sorte:
Madonna, me 'l vogliate consentire!

Folgora ne la pura mano vostra
quell'Ostia desiata, come un sole.
Non vedrò dunque il gesto che consente? —

Ed ella, ch'è benigna a chi si prostra,
comunicando dice le parole:
— Offerto t'è il tuo Ben, anzi è presente.

IV.

Io — dice — son l'innaturale Rosa
generata dal sen de la Bellezza.
Io son che infondo la suprema ebrezza.
Io son colei che esalta e che riposa.

Ara con pianti, anima dolorosa,
per mietere con canti d'allegrezza.
Dopo un lungo dolor, la mia dolcezza
passerà di dolcezza ogni altra cosa. —

— Tal sia, Madonna; e dal mio cor disgorghi
gran sangue, e i fiumi scorrano sul mondo,
e il dolore immortal pur gli rinnovi,

e me stesso travolgano que' gorghi,
me coprano; ma veda io dal profondo
la luce che a la invittà anima piovi. —

DIE XII SEPTEMBRIS MDCCCLXXXVI.

II.

Schifanoja sorgeva su la collina, nel punto in cui la catena, dopo aver seguìto il litorale ed abbracciato il mare come in un anfiteatro, piegava verso l'interno e declinava alla pianura. Sebbene edificata dal cardinale Alfonso Carafa d'Ateleta, nella seconda metà del XVIII secolo, la villa aveva nella sua architettura una certa purezza di stile. Formava un quadrilatero, alto di due piani, ove i portici si alternavano con gli appartamenti; e le aperture de' portici appunto davano all'edificio agilità ed eleganza, poiché le colonne e i pilastri ionici parevano disegnati e armonizzati dal Vignola. Era veramente un palazzo d'estate, aperto ai venti del mare. Dalla parte dei giardini, sul pendio, un vestibolo metteva su una bella scala a due rami discendente in un ripiano limitato da balaustri di pietra come un vasto terrazzo e ornato di due fontane. Altre scale dalle estremità del terrazzo si prolungavano giù per il pendio arrestandosi ad altri ripiani sinché terminavano quasi sul mare e da questa inferiore

area presentavano alla vista una specie di settemplice serpeg-
giamento tra la verdura superba e tra i foltissimi rosai. Le meraviglie di Schifanoja erano le rose e i cipressi. Le rose, di tutte
le qualità, di tutte le stagioni, erano a bastanza *pour en tirer
neuf ou dix muytz d'eaue rose*[3], come avrebbe detto il poeta
del *Vergier d'honneur*. I cipressi, acuti ed oscuri, più ieratici
delle piramidi, più enigmatici degli obelischi, non cedevano né
a quelli della Villa d'Este né a quelli della Villa Mondragone
né a quanti altri simili giganti grandeggiano nelle gloriate ville
di Roma.

La marchesa d'Ateleta soleva passare a Schifanoja l'estate e
parte dell'autunno; poiché ella, pur essendo tra le dame una
delle più mondane, amava la campagna e la libertà campestre
ed ospitare amici. Ella aveva usato ad Andrea infinite cure e
premure, durante la malattia, come una sorella maggiore, quasi
come una madre, senza stancarsi. Una profonda affezione la
legava al cugino. Ella era per lui piena d'indulgenze e di per-
doni; era un'amica buona e franca, capace di comprendere
molte cose, pronta, sempre gaia, sempre arguta, a un tempo
spiritosa e spirituale. Pur avendo varcata da circa un anno la
trentina, conservava una mirabile vivacità giovenile e una
grande piacenza, poiché possedeva il segreto della signora di
Pompadour, quella *beauté sans traits*[4] che può avvivarsi d'i-
naspettate grazie. Anche possedeva una virtù rara, quella che
comunemente si chiama «il tatto». Un delicato genio feminile
erale di guida infallibile. Nelle sue relazioni con innumerevoli
conoscenti d'ambo i sessi, ella sapeva sempre, in ogni circostanza, come contenersi; e non commetteva mai errori, non pesava mai su la vita altrui, non veniva mai inopportuna né diveniva mai importuna, faceva sempre a tempo ogni suo atto e diceva a tempo ogni sua parola. Il suo contegno verso Andrea, in
questo periodo di convalescenza un po' strano e ineguale, non
poteva essere, in verità, più squisito. Ella cercava in tutti i
modi di non disturbarlo e di ottenere che nessuno lo distur-
basse; gli lasciava pienissima libertà; mostrava di non accor-
gersi delle bizzarrie e delle malinconie; non l'infastidiva mai
con domande indiscrete; faceva sì che la sua compagnia gli
fosse leggera nelle ore obbligatorie; rinunziava perfino ai
motti, in presenza di lui, per evitargli la fatica d'un sorriso for-
zato.

Andrea, che comprendeva quella finezza, era riconoscente.

Il 12 di settembre, dopo i sonetti dell'Erma, egli tornò a
Schifanoja con una insolita letizia; incontrò Donna Francesca
su la scala e le baciò le mani, dicendole con un tono di gioco:

---

[3] «Per ricavarne nove o dieci essenze d'acqua di rose». (*N.d.C.*).
[4] «Bellezza senza tratti» (*N.d.C.*).

— Cugina, ho trovato la Verità e la Via.

— Alleluia! — fece Donna Francesca, levando le belle braccia rotonde. — Alleluia!

Ed ella discese nei giardini e Andrea salì alle sue stanze, col cuor sollevato.

Dopo poco, egli udì battere leggermente all'uscio e la voce di Donna Francesca chiedere:

— Posso entrare?

Ella entrò portando nella sopravveste e tra le braccia un gran fascio di rose rosee, bianche, gialle, vermiglie, brune. Alcune, larghe e chiare, come quelle della Villa Pamphily, freschissime e tutte imperlate, avevano non so che di vitreo tra foglia e foglia; altre avevano petali densi e una dovizia di colore che faceva pensare alla celebrata magnificenza delle porpore d'Elisa e di Tiro; altre parevano pezzi di neve odorante e facevano venire una strana voglia di morderle e d'ingoiarle; altre erano di carne, veramente di carne, voluttuose come le più voluttuose forme d'un corpo di donna, con qualche sottile venatura. Le infinite gradazioni del rosso, dal cremisi violento al color disfatto della fragola matura, si mescevano alle più fini e quasi insensibili variazioni del bianco, dal candore della neve immacolata al colore indefinibile del latte appena munto, dell'ostia, della midolla d'una canna, dell'argento opaco, dell'alabastro, dell'opale.

— Oggi è festa — ella disse, ridendo; e i fiori le coprivano il petto fin quasi alla gola.

— Grazie! Grazie! Grazie! — ripeteva Andrea aiutandola a deporre il fascio sul tavolo, su i libri, su gli albi, su le custodie de' disegni. — *Rosa rosarum*!

Ella, poi che fu libera, adunò tutti i vasi sparsi per le stanze e si mise a riempirli di rose, componendo tanti singoli mazzi con una scelta che rivelava in lei un gusto raro, il gusto della gran convitatrice. Scegliendo e componendo, parlava di mille cose con quella sua gaia volubilità, quasi volesse compensarsi della parsimonia di parole e di risa usata fin allora con Andrea per riguardo alla malinconia taciturna di lui.

Tra le altre cose, disse:

— Il 15 avremo una bella ospite: Donna Maria Ferres y Capdevila, la moglie del ministro plenipotenziario di Guatemala. La conosci?

— Non mi pare.

— Infatti, non la puoi conoscere. È tornata in Italia da pochi mesi; ma passerà l'inverno prossimo a Roma perché il marito è destinato a quel posto. È una mia amica d'infanzia, molto cara. Siamo state insieme a Firenze, tre anni, all'Annunziata; ma è più giovine di me.

— Americana?

— No; italiana e di Siena, per giunta. Nasce di casa Bandinelli, battezzata con l'acqua della Fonte Gaia. Ma è piuttosto
malinconica, di natura; e tanto dolce. La storia del suo matrimonio, anche, è poco allegra. Quel Ferres non è simpatico
punto. Hanno però una bambina ch'è un amore. Vedrai; pallida
pallida, con tanti capelli, con due occhi smisurati. Somiglia
molto alla madre... Guarda, Andrea, questa rosa, se non pare di
velluto! E quest'altra? Me la mangerei. Ma guarda, proprio, se
non pare una crema ideale. Che delizia!

Ella seguitava a scegliere le rose e a parlare amabilmente.
Un profumo pieno, inebriante come un vino di cent'anni, saliva dal mucchio; alcune corolle si sfogliavano e si fermavano
tra le pieghe della gonna di Donna Francesca; innanzi alla finestra, nel sole biondissimo, la punta cupa d'un cipresso accennava appena. E nella memoria di Andrea cantava con insistenza, come una frase musicale, un verso del Petrarca:

«*Così partìa le rose e le parole*».

Due mattine dopo, egli offerì in compenso alla marchesa
d'Ateleta un sonetto curiosamente foggiato all'antica e manoscritto in una pergamena ornata con fregi in sul gusto di quelli
che ridono nei messali d'Attavante e di Liberale da Verona.

Schifanoja in Ferrara (oh gloria d'Este!),
ove il Cossa emulò Cosimo Tura
in trionfi d'iddii su per le mura,
non vide mai tanto gioconde feste.

Tante rose portò ne la sua veste
Mona Francesca all'ospite in pastura
quante mai n'ebbe il Ciel per avventura,
bianche angelelle, a cingervi le teste.

Ella parlava ed iscegliea que' fiori
con tal vaghezza ch'io pensai: — Non forse
venne una Grazia per le vie del Sole? —

Travidi, inebriato dalli odori.
Un verso del Petrarca a l'aria sorse:
«Così partìa le rose e le parole».

Così Andrea cominciava a riavvicinarsi all'Arte, curiosamente esperimentandosi in piccoli esercizii e in piccoli giuochi,
ma ben meditando opere meno lievi. Molte ambizioni, che già
un tempo l'avevano incitato, tornarono ad incitarlo; molti pro-
getti d'un tempo gli si riaffacciarono nello spirito modificati o
completi; molte antiche idee gli si ripresentarono sotto una
luce nuova o più giusta; molte imagini, una volta appena intra-
viste, gli brillarono chiare e nitide, senza ch'egli potesse ren-
dersi conto di quel loro svolgimento. Pensieri subitanei insor-

gevano dalle profondità misteriose della conscienza e lo sorprendevano. Pareva che tutti i confusi elementi accumulati in fondo a lui, ora combinati con la disposizion particolare della volontà, si transformassero in pensieri con lo stesso processo per cui la digestione stomacale elabora i cibi e li cangia in sostanza del corpo.

Egli intendeva trovare una forma di Poema moderno, questo inarrivabile sogno di molti poeti; e intendeva fare una lirica veramente moderna nel contenuto ma vestita di tutte le antiche eleganze, profonda e limpida, appassionata e pura, forte e composta. Inoltre vagheggiava un libro d'arte su i Primitivi, su gli artisti che precorrono la Rinascenza, e un libro d'analisi psicologica e letteraria su i poeti del Dugento in gran parte ignorati. Un terzo libro avrebbe egli voluto scrivere sul Bernini, un grande studio di decadenza, aggruppando intorno a quest'uomo straordinario che fu il favorito di sei papi non soltanto tutta l'arte ma anche tutta la vita del suo secolo. Per ognuna di tali opere bisognavano, naturalmente, molti mesi, molte ricerche, molte fatiche, un alto calore d'ingegno, una vasta capacità di coordinazione.

In materia di disegno, egli intendeva illustrare con acque forti la terza e la quarta giornata del *Decamerone*, prendendo ad esempio quella *Istoria di Nastagio degli Onesti* ove Sandro Botticelli rivela tanta raffinatezza di gusto nella scienza del gruppo e dell'espressione. Inoltre vagheggiava una serie di *Sogni*, di *Capricci*, di *Grotteschi*, di *Costumi*, di *Favole*, di *Allegorie*, di *Fantasie* alla maniera volante del Callot ma con un ben diverso sentimento e un ben diverso stile, per potersi liberamente abbandonare a tutte le sue predilezioni, a tutte le sue imaginazioni, a tutte le sue più acute curiosità e più sfrenate temerità di disegnatore.

Il 15 settembre, un mercoledì, giunse l'ospite nuova. La marchesa andò, insieme con il suo primogenito Ferdinando e con Andrea, ad incontrar l'amica nella prossima stazione di Rovigliano. Mentre il *phaeton* discendeva per la strada ombreggiata di alti pioppi, la marchesa parlava dell'amica ad Andrea con molta benevolenza.

— Credo che ti piacerà — ella concluse.

Poi si mise a ridere, come per un pensiero che le attraversasse lo spirito improvvisamente.

— Perché ridi? — le chiese Andrea.

— Per un'analogia.

— Quale?

— Indovina.

— Non so.

— Ecco: pensavo a un altro annunzio di presentazione e a

un'altra presentazione ch'io ti feci, son quasi due anni, accompagnandola con una profezia allegra. Ti ricordi?

— Ah!

— Rido perché anche questa volta si tratta di una incognita e anche questa volta io sarei... l'auspice involontaria.

— Ohibò.

— Ma il caso è diverso, ossia è diverso il personaggio del possibile dramma.

— Cioè?

— Maria è una *turris eburnea*.

— Io sono ora un *vas spirituale*.

— Guarda! Dimenticavo che tu hai finalmente trovato la Verità e la Via. «L'anima ride li amor suoi lontani...»

— Tu citi i miei versi?

— Li so a memoria.

— Che amabilità!

— Del resto, caro cugino, quell'«assai bianca donna» con l'Ostia in mano m'è sospetta. M'ha tutta l'aria d'una forma fittizia, d'una stola senza corpo, che sia alla mercede di quella qualunque anima d'angelo o di demonio intenzionata d'entrarci, di amministrarti la comunione e di farti «il gesto che consente».

— Sacrilegio! Sacrilegio!

— Bada a te e fa ben la guardia alla stola e fa molti esorcismi... Ricasco nelle profezie! Proprio, le profezie sono una delle mie debolezze.

— Siamo giunti, cugina.

Ridevano ambedue. Entravano nella stazione, mancando pochi minuti all'arrivo del treno. Il dodicenne Ferdinando, un fanciullo malaticcio, portava un mazzo di rose per offerirlo a Donna Maria. Andrea, dopo quel dialogo, si sentiva allegro, leggero, vivacissimo, quasi che d'un tratto fosse rientrato nella primiera vita di frivolezza e di fatuità: era una sensazione inesplicabile. Gli pareva che qualche cosa come un soffio femineo, come una tentazione indefinita, gli attraversasse lo spirito. Scelse dal mazzo di Ferdinando una rosa thea e se la mise all'occhiello; diede un'occhiata rapida al suo abbigliamento estivo; si guardò con compiacenza le mani bene curate ch'eran divenute più sottili e più bianche nella malattia. Fece tutto questo senza riflessione, quasi per un istinto di vanità risvegliatosi in lui d'un tratto.

— Ecco il treno — disse Ferdinando.

La marchesa si avanzò incontro alla ben venuta; ch'era già allo sportello e salutava con la mano e accennava con la testa tutt'avvolta d'un gran velo color di perla coprente a metà il cappello di paglia nera.

— Francesca! Francesca! — ella chiamava, con una effusione tenera di gioia.

Quella voce fece su Andrea un'impression singolare; gli ricordò vagamente una voce conosciuta. Quale?

Donna Maria discese con un atto rapido ed agile; e con un gesto pieno di grazia sollevò il velo fitto scoprendosi la bocca per baciare l'amica. Sùbito, per Andrea quella signora alta e ondulante sotto il mantello di viaggio e velata, di cui egli non vedeva che la bocca e il mento, ebbe una profonda seduzione. Tutto il suo essere, illuso in quei giorni da una parvenza di liberazione, era disposto ad accogliere il fascino dell'«eterno feminino». Appena smosse da un soffio di donna, le ceneri davano faville.

— Maria, ti presento mio cugino, il conte Andrea Sperelli-Fieschi d'Ugenta.

Andrea s'inchinò. La bocca della signora si aperse ad un sorriso, che sembrò misterioso poiché la lucentezza del velo nascondeva il resto della faccia.

Quindi la marchesa presentò Andrea a Don Manuel Ferres y Capdevila. Poi disse, accarezzando i capelli della bimba che guardava il giovine con due dolci occhi attoniti:

— Ecco Delfina.

Nel *phaeton* Andrea sedeva di fronte a Donna Maria e a fianco del marito. Ella non aveva ancor svolto il velo; teneva su le ginocchia il mazzo di Ferdinando e di tratto in tratto lo portava alle nari, mentre rispondeva alle domande della marchesa. Andrea non s'era ingannato: nella voce di lei sonavano alcuni accenti della voce di Elena Muti, perfetti. Una curiosità impaziente l'invase, di vedere il volto nascosto, l'espressione, il colore.

— Manuel — diceva ella, discorrendo — partirà venerdì. Poi verrà a riprendermi, più tardi.

— Molto tardi, speriamo — s'augurò cordialmente Donna Francesca. — Anzi la miglior cosa sarebbe d'andar via tutti in un giorno. Noi resteremo a Schifanoja sino al primo di novembre, non più oltre.

— Se la mamma non m'aspettasse, resterei volentieri con te. Ma ho promesso di trovarmi in tutti i modi a Siena pel 17 d'ottobre, ch'è il natalizio di Delfina.

— Peccato! Il 20 d'ottobre c'è la festa delle donazioni a Rovigliano, tanto bella e strana.

— Come fare? S'io mancassi, la mamma n'avrebbe certo un gran dolore. Delfina è l'adorata...

Il marito taceva: doveva essere di natura taciturno. Di mezza taglia, un poco obeso, un po' calvo, aveva la pelle d'un color singolare, d'un pallore tra verdognolo e violaceo, su cui il

bianco dell'occhio nei movimenti dello sguardo spiccava come
quel d'un occhio di smalto in certe teste di bronzo antiche. I
baffi, neri, duri ed egualmente tagliati come i peli d'una spaz-
zola, ombravano una cruda bocca sardonica. Egli pareva un
uomo tutto irrigato di bile. Poteva aver quarant'anni o poco
più. Nella sua persona era qualche cosa di ibrido e di subdolo,
che non isfuggiva a un osservatore; era quell'indefinibile
aspetto di viziosità che portano in loro le generazioni prove-
nienti da un miscuglio di razze imbastardite, crescenti nella
turbolenza.

— Guarda, Delfina, gli aranci tutti fioriti! — esclamò Donna
Maria stendendo la mano al passaggio per cogliere un rametto.

La strada infatti saliva tra due boschi d'agrumi, in vicinanza
di Schifanoja. Le piante eran così alte che facevano ombra. Un
vento marino alitava e sospirava nell'ombra, carico d'un profumo che si poteva quasi bevere a sorsi come un'acqua refrige-
rante.

Delfina aveva posate le ginocchia sul sedile e si sporgeva
fuor della carrozza per afferrare i rami. La madre la cingeva
con un braccio per reggerla.

— Bada! Bada! Puoi cadere. Aspetta un poco ch'io mi tolga
il velo — ella disse. — Scusa, Francesca; aiutami.

E chinò la testa verso l'amica per farsi districare il velo dal
cappello. In quell'atto il mazzo di rose le cadde a' piedi. Andrea fu pronto a raccoglierlo; e, nel rialzarsi a porgerlo, vide
alfine l'intero volto della signora scoperto.

— Grazie — ella disse.

Aveva un volto ovale, forse un poco troppo allungato, ma
appena appena un poco, di quell'aristocratico allungamento
che nel XV secolo gli artisti ricercatori d'eleganza esageravano.
Ne' lineamenti delicati era quell'espressione tenue di sofferenza e di stanchezza, che forma l'umano incanto delle Vergini
ne' *tondi* fiorentini del tempo di Cosimo. Un'ombra morbida,
tenera, simile alla fusione di due tinte diafane, d'un violetto e
d'un azzurro ideali, le circondava gli occhi che volgevan l'i-
ride lionata degli angeli bruni. I capelli le ingombravano la
fronte e le tempie, come una corona pesante; si accumulavano
e si attortigliavano su la nuca. Le ciocche, d'innanzi, avevan la
densità e la forma di quelle che coprono a guisa d'un casco la
testa dell'Antinoo Farnese. Nulla superava la grazia della finissima testa che pareva esser travagliata dalla profonda massa,
come da un divino castigo.

— Dio mio! — esclamò ella, provando a sollevare con le
mani il peso delle trecce constrette insieme sotto la paglia. —
Ho tutta quanta la testa addolorata come se fossi rimasta so-

spesa pe' capelli un'ora. Non posso stare molto tempo senza sciogliⁿerli; mi affaticano troppo. È una schiavitù.

— Ti ricordi, — chiese Donna Francesca — in conservatorio, quando eravamo in tante a volerti pettinare? Succedevano gran liti, ogni giorno. Figùrati, Andrea, che corse perfino il sangue! Ah, non dimenticherò mai la scena tra Carlotta Fiordelise e Gabriella Vanni. Era una mania. Pettinar Maria Bandinelli era l'aspirazione di tutte le educande, maggiori e minori. Il contagio si sparse per tutto il conservatorio; ne vennero proibizioni, ammonizioni, rigori, minacce perfin di tonsura. Ti ricordi, Maria? Tutte le nostre anime erano allacciate da quel bel serpente nero che ti pendeva fino ai calcagni. Che pianti di passione, la notte! E quando Gabriella Vanni, per gelosia, ti diede a tradimento una forbiciata? Proprio, Gabriella aveva perduta la testa. Ti ricordi?

Donna Maria sorrideva, d'un certo sorriso malinconico e quasi direi incantato come quel d'una persona che sogni. Nella sua bocca socchiusa il labbro di sopra avanzava un poco quel di sotto, ma così poco che appena pareva, e gli angoli si chinavano in giù dolenti e nel loro incavo lieve accoglievano un'ombra. Queste cose creavano un'espressione di tristezza e di bontà, ma temperata da quella fierezza che rivela l'elevazion morale di chi ha molto sofferto e saputo soffrire.

Andrea pensò che in nessuna delle sue amiche egli aveva posseduta una tal capigliatura, una così vasta selva e così tenebrosa, ove smarrirsi. La storia di tutte quelle fanciulle innamorate d'una treccia, accese di passione e di gelosia, smanianti di mettere il pettine e le dita nel vivo tesoro, gli parve un gentile e poetico episodio di vita claustrale; e la chiomata nell'imaginazione gli s'illuminò vagamente come l'eroina d'una favola, come l'eroina d'una leggenda cristiana in cui fosse descritta la puerizia d'una santa destinata a un martirio e a una glorificazione futura. Nel tempo medesimo, gli sorgeva nello spirito una finzione d'arte. Quanta ricchezza e varietà di linee avrebbe potuto dare al disegno d'una figura muliebre quella volubile e divisibile massa di capelli neri!

Non erano, veramente, neri. Egli li guardava, il giorno dopo, a mensa, nel punto in cui il riverbero del sole li feriva. Avevano riflessi di viola cupi, di que' riflessi che ha la tinta del campeggio o anche talvolta l'acciaio provato alla fiamma o anche certa specie di palissandro polito; e parevano aridi, per modo che pur nella lor compattezza i capelli rimanevan distaccati l'uno dall'altro, penetrati d'aria, quasi direi respiranti. I tre luminosi e melodiosi epiteti d'Alceo andavano a Donna Maria

naturalmente. «'Ιόπλοκ' ἄγνα μειλιχόμειδε...»[5] — Ella parlava
con finezza, mostrando uno spirito delicato e inchino alle cose
dell'intelligenza, alle rarità del gusto, al piacere estetico. Possedeva la coltura abondante e varia, l'imaginazione sviluppata,
la parola colorita di chi ha veduto molti paesi, ha vissuto in diversi climi, ha conosciuto genti diverse. E Andrea sentiva
un'aura esotica involgere la persona di lei, sentiva da lei partire una strana seduzione, un incanto composto dai fantasmi
vaghi delle cose lontane ch'ella aveva guardate, degli spettacoli ch'ella ancóra serbava negli occhi, dei ricordi che le empivano l'anima. Ed era un incanto indefinibile, inesprimibile;
era come s'ella portasse nella sua persona una traccia della
luce in cui erasi immersa, de' profumi ch'ella aveva respirati,
degli idiomi ch'ella aveva uditi; era come s'ella portasse in sé
confuse, svanite, indistinte tutte le magie di que' paesi del
Sole.

La sera, nella gran sala che dava sul vestibolo, ella s'accostò
al pianoforte e l'aperse per provarlo, dicendo:

— Suoni ancóra, tu, Francesca?

— Oh, no — rispose la marchesa. — Ho smesso di studiare,
da parecchi anni. Penso che la semplice audizione sia una voluttà preferibile. Però mi do l'aria di proteggere l'arte; e l'inverno in casa mia presiedo sempre a un po' di buona musica. È
vero, Andrea?

— Mia cugina è assai modesta, Donna Maria. È qualche
cosa più che una protettrice; è una restauratrice del buon gusto.
Proprio quest'anno, nel febbraio, in casa sua, per sua cura,
sono stati eseguiti due Quintetti, un Quartetto e un Trio del
Boccherini e un Quartetto del Cherubini: musica quasi in tutto
dimenticata, ma ammirabile e sempre giovine. Gli *Adagio* e i
Minuetti del Boccherini sono d'una freschezza deliziosa; i *Fi-
nali* soltanto mi paiono un poco invecchiati. Voi, certo, conoscete qualche cosa di lui...

— Mi ricordo d'aver sentito un Quintetto quattro o cinque
anni fa, al Conservatorio di Bruxelles; e mi parve magnifico, e
poi nuovissimo, pieno d'episodii inaspettati. Mi ricordo bene
che in alcune parti il Quintetto, per l'uso dell'unisono, si ridu-
ceva a un Duo; ma gli effetti ottenuti con la differenza dei timbri erano d'una finezza straordinaria. Non ho ritrovato nulla di
simile nelle altre composizioni strumentali.

Ella parlava di musica con sottilità d'intenditrice; e per rendere il sentimento, che una data composizione o l'intera arte di
un dato maestro suscitava in lei, aveva espressioni ingegnose
ed imagini ardite.

---

[5] «Con le trecce dai riflessi viola, sacra (Saffo) dal sorriso gentile.» Alceo, 63
(*N.d.C.*).

— Io ho eseguita ed ascoltata molta musica — diceva ella.
— E di ogni Sinfonia, di ogni Sonata, di ogni Notturno, di
ogni singolo pezzo insomma, conservo una imagine visibile,
un'impressione di forma e di colore, una figura, un gruppo di
figure, un paesaggio; tanto che tutti i miei pezzi prediletti portano un nome, secondo l'imagine. Io ho, per esempio, la *Sonata delle quaranta nuore di Priamo*, il *Notturno della Bella
addormentata nel bosco*, la *Gavotta delle dame gialle*, la *Giga
del mulino*, il *Preludio della goccia d'acqua*, e così via.

Ella si mise a ridere, d'un tenue riso che su quella bocca afflitta aveva una indicibile grazia e sorprendeva come un baleno
inatteso.

— Ti ricordi, Francesca, in collegio, di quanti comenti in
margine affliggemmo la musica di quel povero Chopin, del *nostro* divino Federico? Tu eri la mia complice. Un giorno mu-
tammo tutti i titoli allo Schumann, con gravi discussioni; e tutti
i titoli avevano una lunga nota esplicativa. Conservo ancóra
quelle carte, per memoria. Ora, quando risuono i *Myrthen* e le
Albumblätter, tutte quelle significazioni misteriose mi sono incomprensibili; la commozione e la visione sono assai diverse;
ed è un fino piacere questo, di poter paragonare il sentimento
presente con il passato, la nuova imagine con l'antica. È un
piacere simile a quello che si prova nel rileggere il proprio
Giornale; ma è forse più malinconico e più intenso. Il Giornale
in genere è la descrizione degli avvenimenti reali, la cronaca
dei giorni felici e dei giorni tristi, la traccia grigia o rosea lasciata dalla vita che fugge; le note prese in margine d'un libro
di musica, in giovinezza, sono invece i frammenti del poema
segreto d'un'anima che si schiude, sono le effusioni liriche
della nostra idealità intatta, sono la storia dei nostri sogni. Che
linguaggio! Che parole! Ti ricordi, Francesca?

Ella parlava con piena confidenza, forse con una leggera
esaltazione spirituale, come una donna che, lungamente oppressa dalla frequentazion forzata di gente inferiore o da uno
spettacolo di volgarità, abbia il bisogno irresistibile di aprire il
suo intelletto e il suo cuore a un soffio di vita più alta. Andrea
l'ascoltava, provando per lei un sentimento dolce che somigliava alla gratitudine. Gli pareva che ella, parlando di tali cose
innanzi a lui e con lui, gli desse una prova gentile di benevolenza e quasi gli permettesse di avvicinarsi. Egli credeva intra-
vedere lembi di quel mondo interiore non tanto pel significato
delle parole ch'ella diceva, quanto pe' suoni e per le modulazioni della voce. Di nuovo, egli riconosceva gli accenti dell'*altra*.

Era una voce ambigua, direi quasi bisessuale, duplice, an-
drogìnica; di due timbri. Il timbro maschile, basso e un poco

velato, s'ammorbidiva, si chiariva, s'infemminiva talvolta con passaggi così armoniosi che l'orecchio dell'uditore n'aveva sorpresa e diletto a un tempo e perplessità. Come quando una musica passa dal tono minore al tono maggiore o come quando una musica trascorrendo in dissonanze dolorose torna dopo molte battute al tono fondamentale, così quella voce ad intervalli faceva il cangiamento. Il timbro feminile appunto ricordava l'*altra*.

E il fenomeno era tanto singolare che bastava da solo ad occupare l'animo dell'uditore, indipendentemente dal senso delle parole. Le quali quanto più da un ritmo o da una modulazione acquistano di valor musicale, tanto più pèrdono di valor simbolico. L'animo infatti, dopo qualche minuto d'attenzione, si piegava al fascino misterioso; e rimaneva sospeso aspettando e desiderando la cadenza soave, come per una melodia eseguita da uno strumento.

— Cantate? — chiese Andrea alla signora, quasi con timidezza.

— Un poco — ella rispose.

— Canta, un poco — la pregò Donna Francesca.

— Sì, — consentì ella — ma appena accennando, perché proprio, da più d'un anno, ho perduta ogni forza.

Nella stanza attigua, Don Manuel giocava col marchese d'Ateleta, senza romore, senza motto. Nella sala la luce si diffondeva a traverso un gran paralume giapponese, temperata e rossa. Tra le colonne del vestibolo passava l'aria marina e moveva di tratto in tratto le alte tende di Karamanieh recando il profumo dei giardini sottoposti. Negli intercolunnii apparivano le cime dei cipressi nere, solide, come di ebano, sopra un cielo diafano, tutto palpitante di stelle.

Donna Maria si mise al pianoforte, dicendo:

— Già che siamo nell'antico accennerò una melodia del Paisiello nella *Nina pazza*, una cosa divina.

Ella cantava, accompagnandosi. Nel fuoco del canto i due timbri della sua voce si fondevano come due metalli preziosi componendo un sol metallo sonoro, caldo, pieghevole, vibrante. La melodia del Paisiello, semplice, pura, spontanea, piena di soavità accorata e di alata tristezza, su un accompagnamento chiarissimo, sgorgando dalla bella bocca afflitta s'inalzava con tal fiamma di passione che il convalescente, turbato fin nel profondo, sentì passarsi per le vene le note a una a una, come se nel corpo il sangue gli si fosse arrestato ad ascoltare. Un gelo sottile gli prendeva le radici de' capelli; ombre rapide e spesse gli cadevano su gli occhi; l'ansia gli premeva il respiro. E l'intensità della sensazione, ne' suoi nervi acuti, era tanta ch'egli doveva fare uno sforzo per contenere uno scoppio di lacrime.

— Oh, Maria mia! — esclamò Donna Francesca, baciando teneramente su i capelli la cantatrice quando tacque.

Andrea non parlò; rimase seduto nella poltrona, con le spalle rivolte al lume, col viso in ombra.

— Ancóra! — soggiunse Donna Francesca.

Ella cantò ancóra un'*Arietta* di Antonio Salieri. Poi sonò una *Toccata* di Leonardo Leo, una *Gavotta* del Rameau e una *Giga* di Sebastiano Bach. Riviveva meravigliosamente sotto le sue dita la musica del XVIII secolo così malinconica nelle arie di danza; che paion composte per esser danzate in un pomeriggio languido d'una estate di San Martino, entro un parco abbandonato, tra fontane ammutolite, tra piedestalli senza statue, sopra un tappeto di rose morte, da coppie di amanti prossimi a non amar più.

III.

— Gittatemi una treccia, ch'io salga! — gridò Andrea, ridendo, giù dal primo ripiano della scala, a Donna Maria che stava su la loggia contigua alle sue stanze, tra due colonne.

Era di mattina. Ella stava al sole per farsi asciugare i capelli umidi che l'ammantavano tutta quanta, come un velluto d'un bel violetto profondo, tra il quale appariva il pallore opaco della faccia. La tenda di tela, a metà sollevata, d'un vivo colore arancione, le metteva in sul capo il bel fregio nero del lembo nello stile de' fregi che girano intorno gli antichi vasi greci della Campania; e, s'ella avesse avuto intorno le tempie corona di narcisi e da presso una di quelle grandi lire a nove corde che portano dipinta a encausto l'effigie d'Apollo e d'un levriere, certo sarebbe parsa un'alunna della scuola di Mitilene, una lirista lesbiaca in atto di riposo, ma quale avrebbe potuto imaginarla un prerafaelita.

— Voi gittatemi un madrigale — rispose ella, per gioco, ritraendosi alquanto.

— Vado a scriverlo sul marmo d'un balaustro, all'ultima terrazza, in vostro onore. Venite a leggerlo, quando sarete pronta, poi.

Andrea seguitò a discendere lentamente le scale che conducevano all'ultima terrazza. In quel mattino di settembre, l'anima gli si dilatava col respiro. Il giorno aveva una specie di santità; il mare pareva risplendere di luce propria, come se ne' fondi vivessero magiche sorgenti di raggi; tutte le cose erano penetrate di sole.

Andrea discendeva, di tratto in tratto soffermandosi. Il pen-

siero che Donna Maria fosse rimasta su la loggia a guardarlo
gli dava un turbamento indefinito, gli metteva nel petto un palpito forte, quasi l'intimidiva, come s'ei fosse un giovinetto in
sul primo amore. Provava una beatitudine ineffabile a respirare
quella calda e limpida atmosfera ove respirava anch'ella, ove
immergevasi anche il corpo di lei. Un'onda immensa di tenerezza gli sgorgava dal cuore spargendosi su gli alberi, su le
pietre, sul mare, come su esseri amici e consapevoli. Egli era
spinto come da un bisogno di adorazione sommessa, umile,
pura; come da un bisogno di piegare i ginocchi e di congiun-
gere le mani e di offerire quell'affetto vago e muto ch'egli non
sapeva qual fosse. Credeva sentir venire a sé la bontà delle
cose e mescersi alla sua bontà e traboccare. — Dunque l'amo?
— si chiese; e non osò di guardar dentro e di riflettere, poiché
temeva che quell'incanto delicato si dileguasse e si disperdesse
come un sogno d'un'alba.

— L'amo? Ed ella che pensa? E s'ella vien sola, le dirò io
che l'amo? — Godeva interrogar sé medesimo e non rispondere e interrompere la risposta del cuore con una nuova domanda e prolungare quella fluttuazione tormentosa e deliziosa
a un tempo. — No, no, io non le dirò che l'amo. Ella è sopra
tutte le altre.

Si volse; e vide ancóra, in sommo, nella loggia, nel sole, la
forma di lei, indistinta. Ella, forse, l'aveva seguito con gli
occhi e col pensiero fin là giù, assiduamente. Per una curiosità
infantile egli pronunziò a voce chiara il nome, su la terrazza
solitaria; lo ripeté due o tre volte, ascoltandosi. — Maria!
Maria! — Nessuna parola giammai, nessun nome eragli parso
più soave, più melodioso, più carezzevole. E pensò che sarebbe stato felice s'ella gli avesse permesso di chiamarla semplicemente Maria, come una sorella.

Quella creatura così spirituale ed eletta gli inspirava un
senso di devozione e di sommessione, altissimo. Se gli avessero chiesto quale cosa sarebbegli stata più dolce, avrebbe risposto con sincerità: — Obedirla. — Nessuna cosa gli avrebbe
fatto dolore quanto l'esser da lei creduto un uomo comune. Da
nessuna altra donna quanto da lei, avrebbe voluto essere ammirato, lodato, compreso nelle opere dell'intelligenza, nel gusto,
nelle ricerche, nelle aspirazioni d'arte, negli ideali, nei sogni,
nella parte più nobile del suo spirito e della sua vita. E l'ambizione sua più ardente era di riempirle il cuore.

Già da dieci giorni ella viveva a Schifanoja; e in quei dieci
giorni come interamente l'aveva ella conquistato! Le loro conversazioni, su le terrazze o su i sedili sparsi all'ombra o lungo i
viali fiancheggiati di rosai, duravano talvolta ore ed ore, mentre Delfina correva come una gazzelletta tra gli avvolgimenti

dell'agrumeto. Ella aveva nel conversare una fluidità mirabile; profondeva un tesoro d'osservazioni delicate e penetranti; rivelavasi talvolta con un candore pieno di grazia; in proposito de' suoi viaggi, talvolta con una sola frase pittoresca suscitava in Andrea larghe visioni di paesi e di mari lontani. Ed egli poneva un'assidua cura nel mostrare a lei il suo valore, la larghezza della sua cultura, la raffinatezza della sua educazione, la squisitezza della sua sensibilità; e un orgoglio enorme gli sollevò tutto l'essere quando ella gli disse con accento di verità, dopo la lettura della *Favola d'Ermafrodito*:

— Nessuna musica mi ha inebriata come questo poema e nessuna statua mi ha data della bellezza un'impressione più armonica. Certi versi mi perseguitano senza tregua e mi perseguiteranno per lunghissimo tempo, forse; tanto sono intensi.

Egli ora, seduto su i balaustri, ripensava quelle parole. Donna Maria non era più nella loggia; anzi la tenda copriva tutto l'intercolunnio. Sarebbe forse discesa tra poco. Doveva egli scriverle il madrigale, secondo la promessa? Il piccolo supplizio del versificare a furia gli parve insoffribile, in quel grandioso e gaudioso giardino ove il sole di settembre faceva dischiudere una specie di primavera soprannaturale. Perché disperdere quella rara commozione in un giuoco affrettato di rime? Perché rimpicciolire quel vasto sentimento in un breve sospiro metrico? Risolse di mancare alla promessa; e restò seduto a guardare le vele sul limite estremo dell'acqua, che brillavano a simiglianza di fuochi soverchianti il sole.

Ma un'ansietà lo stringeva come più i minuti fuggivano; ed egli volgevasi tutti i minuti a vedere se in sommo della scala, tra le colonne del vestibolo, apparisse una forma feminile. — Era forse quello un ritrovo d'amore? Veniva forse quella donna in quel luogo a un colloquio segreto? Imaginava ella di lui quell'ansietà?

— Eccola! — il cuore gli disse. Ed era.

Era sola. Scendeva pianamente. Su la prima terrazza, presso una delle fontane, si soffermò. Andrea la seguiva con gli occhi, sospeso, provando ad ogni moto, ad ogni passo, ad ogni attitudine di lei una trepidazione come se il moto, il passo, l'attitudine avessero un significato, fossero un linguaggio.

Ella si mise per quella successione di scale e di terrazze intramezzate d'alberi e di cespugli. La sua persona appariva e scompariva, ora tutta intera, ora dalla cintola in su, ora emergente con la testa fuor d'un rosaio. A volte l'intrico dei rami la celava per un buon tratto: si vedeva soltanto negli spazii più radi passare la sua veste oscura o brillare la paglia chiara del suo cappello. Come più si avvicinava, più ella facevasi lenta, indugiando per le siepi, arrestandosi a guardare i cipressi, inchinandosi a raccogliere un pugno di foglie cadute. Dalla penultima terrazza salutò con la mano Andrea che aspettava ritto su l'ultimo gradino; e gli gettò le foglie raccolte, che si sparpagliarono come uno sciame di farfalle, tremolando, rimanendo qual più qual meno nell'aria, posandosi su la pietra con una mollezza di neve.

— Ebbene? — chiese ella, a mezzo della branca.

Andrea piegò le ginocchia sul gradino, levando le palme.

— Nulla! — egli confessò. — Chiedo perdono; ma voi e il sole stamani empite i cieli di troppa dolcezza. *Adoremus.*

La confessione era sincera e anche l'adorazione, sebbene fatte ambedue con un'apparenza di gioco; e certo Donna Maria comprese quella sincerità, poiché arrossì un poco, dicendo con una singolare premura:

— Alzatevi, alzatevi.

Egli s'alzò. Ella gli tese la mano, soggiungendo:

— Vi perdóno, perché siete in convalescenza.

Portava un abito d'uno strano color di ruggine, d'un color di croco, disfatto, indefinibile; d'uno di que' colori cosiddetti estetici che si trovano ne' quadri del divino Autunno, in quelli dei Primitivi, e in quelli di Dante Gabriele Rossetti.

La gonna componevasi di molte pieghe, diritte e regolari, che si partivano di sotto al braccio. Un largo nastro verdemare, del pallore d'una turchese malata, formava la cintura e cadeva con un solo grande cappio giù pel fianco. Le maniche ampie, molli, in fittissime pieghe all'appiccatura, si restringevano intorno i polsi. Un altro nastro verdemare, ma sottile, cingeva il collo, annodato a sinistra con un piccolo cappio. Un nastro anche eguale legava l'estremità della prodigiosa treccia cadente di sotto a un cappello di paglia coronato d'una corona di giacinti simile a quella della Pandora d'Alma Tadema. Una grossa turchese della Persia, unico gioiello, in forma d'uno scarabeo, incisa di caratteri come un talismano, fermava il collare sotto il mento. — Aspettiamo Delfina — ella disse. — Poi andremo fino al cancello della Cibele. Volete?

Ella aveva pel convalescente riguardi assai gentili. Andrea era ancóra molto pallido e molto scarno, e gli occhi gli si erano straordinariamente ingranditi in quella magrezza; e l'espression sensuale della bocca un po' tumida faceva uno strano e attirante contrasto con la parte superiore del viso.

— Sì — rispose. — Anzi vi son grato.

Poi, dopo un poco di esitazione:

— Mi permettete qualche silenzio, stamani?

— Perché mi chiedete questo?

— Mi pare di non aver la voce e di non saper dire nulla. Ma i silenzii, certe volte, possono essere gravi e infastidire e anche turbare se si prolungano. Perciò vi chiedo se mi permettete di tacere durante il cammino, e d'ascoltarvi.

— Allora, taceremo insieme — disse ella, con un sorriso tenue.

E guardò in alto, verso la villa, con una impazienza visibile.

— Quanto tarda Delfina!

— Francesca s'era già levata, quando siete discesa? domandò Andrea.

— Oh, no! È d'una pigrizia incredibile... Ecco Delfina. La vedete?

La bimba discendeva rapidamente, seguita dalla sua governante. Invisibile giù per le scale, riappariva su i terrazzi ch'ella attraversava correndo. I capelli disciolti le ondeggiavano per le spalle, nel vento della corsa, sotto una larga paglia coronata di papaveri. Quando fu all'ultimo gradino, aperse le braccia verso la madre e la baciò tante volte su le guance. Poi disse:

— Buon giorno, Andrea.

E gli porse la fronte, con un atto infantile d'adorabile grazia.

Era una creatura fragile e vibrante come uno strumento formato di materie sensibili. Le sue membra eran così delicate che parevan quasi non poter nascondere e neppur velare lo splendor dello spirito entro vivente, come una fiamma in una lampada preziosa, d'una vita intensa e dolce.

— Amore! — susurrò la madre, guardandola con uno sguardo indescrivibile, nel quale esalavasi tutta la tenerezza dell'anima occupata da quell'unico affetto.

E Andrea ebbe dalla parola, dallo sguardo, dall'espressione, dalla carezza una specie di gelosia, una specie di scoramento, come s'egli sentisse l'anima di lei allontanarsi, sfuggirgli per sempre, divenire inaccessibile.

La governante chiese licenza di risalire; ed essi presero il viale degli aranci. Delfina correva innanzi, spingendo un suo cerchio; e le sue gambe diritte, strette nella calza nera, un po' lunghe dell'affilata lunghezza d'un disegno efebico, si movevano con ritmica agilità.

— Mi sembrate un po' triste ora, — disse la senese al giovine — mentre dianzi, nello scendere, eravate lieto. Vi tormenta qualche pensiero? O non vi sentite bene?

Ella chiedeva queste cose con una maniera quasi fraterna, grave e soave, persuadente alla confidenza. Una voglia timida, quasi una vaga tentazione, prese il convalescente, di mettere il suo braccio sotto il braccio della donna e di lasciarsi condurre da lei in silenzio, per quell'ombra, per quel profumo, su quel suolo consparso di zàgare, in quel sentiere che misuravano i vecchi Termini vestiti di musco. Gli pareva quasi d'esser tornato ai primi giorni dopo la malattia, a quei giorni indimenti-

cabili di languore, di felicità, d'inconscienza; e d'aver bisogno
d'un appoggio amico, d'una guida affettuosa, d'un braccio familiare. Quel desiderio gli crebbe così che le parole gli salivano alle labbra spontaneamente per esprimerlo. Ma invece rispose:

— No, Donna Maria; mi sento bene. Grazie. È il settembre
che mi stordisce un poco...

Ella lo guardò come se dubitasse della verità di quella risposta. Quindi, per evitare il silenzio dopo la frase evasiva, domandò:

— Preferite, fra i mesi neutri, l'aprile o il settembre?

— Il settembre. È più feminino, più discreto, più misterioso.
Pare una primavera veduta in un sogno. Tutte le piante, perdendo lentamente la forza, perdono anche qualche parte della
loro realtà. Guardate il mare, là giù. Non dà imagine d'un'atmosfera piuttosto che d'una massa d'acqua? Mai, come nel settembre, le alleanze del cielo e del mare sono mistiche e profonde. E la terra? Non so perché, guardando un paese, di questo tempo, penso sempre a una bella donna che abbia partorito
e che si riposi in un letto bianco, sorridendo d'un sorriso attonito, pallido, inestinguibile. È un'impressione giusta? C'è qualche cosa dello stupore e della beatitudine puerperale in una
campagna di settembre.

Erano quasi alla fine del sentiere. Certe erme aderivano a
certi fusti così da formar con essi quasi un sol tronco, arboreo
e lapideo; e i frutti numerosi, taluni già tutti d'oro, altri macu-
lati d'oro e di verde, altri tutti verdi, pendevano in su le teste
de' Termini che parean custodire alberi intatti e intangibili, esserne i genii tutelari. — Perché Andrea fu assalito da una inquietudine e da un'ansietà improvvise avvicinandosi al luogo
dove, due settimane innanzi, aveva scritto i sonetti di liberazione? Perché lottò fra il timore e la speranza ch'ella li sco-
prisse e li leggesse? Perché alcuni di quei versi gli tornarono
alla memoria distaccati dagli altri, come rappresentando il suo
sentimento presente, la sua aspirazione presente, il nuovo
sogno ch'egli chiudeva nel cuore?

> «*O voi che fate tutti i venti aulire,*
> *che avete in signorìa tutte le porte,*
> *io metto a' vostri piedi la mia sorte:*
> *Madonna, me 'l vogliate consentire!*»

Era vero! Era vero! Egli l'amava; egli le metteva a' piedi
tutta l'anima sua; egli aveva un solo desiderio, umile e immenso: — esser terra sotto le vestigia di lei.

— Com'è bello, qui! — esclamò Donna Maria, entrando nel

dominio dell'Erma quadrifronte, nel paradiso degli acanti; —
Che odore strano!

Si spandeva all'aria infatti un odore di muschio, come per la
presenza invisibile d'un insetto d'un rettile muschiato. L'ombra era misteriosa, e le linee di luce traversanti il fogliame già
tocco dal mal d'autunno erano come raggi lunari traversanti i
vetri istoriati d'una cattedrale. Un sentimento misto, pagano e
cristiano, emanava dal luogo, come da una pittura mitologica
d'un quattrocentista pio.

— Guardate, guardate Delfina! — ella soggiunse, con nella
voce la commozione di chi vede una cosa di bellezza.

Delfina aveva intrecciata ingegnosamente con ramoscelli
d'arancio fioriti una ghirlanda; e, per una improvvisa fantasia
infantile, ora voleva inghirlandarne la divinità di pietra. Ma,
poiché non giungeva al sommo, si sforzava di riuscir nell'impresa alzandosi su le punte de' piedi, sollevando il braccio, al-
lungandosi come più poteva; e la sua forma gracile, elegante e
viva faceva contrasto con la forma rigida, quadrata e solenne
del simulacro, come uno stelo di giglio a piè d'una quercia.
Ogni sforzo era vano.

Allora, sorridendo, le venne in soccorso la madre. Le prese
dalle mani la ghirlanda e la posò su le quattro fronti pensose.
Involontariamente, il suo sguardo cadde su le inscrizioni.

— Chi ha scritto qui? Voi? — domandò ad Andrea, sorpresa
e lieta. — Sì; è la vostra scrittura.

E, sùbito, si mise in ginocchio su l'erba a leggere; curiosa,
quasi avida. Per imitazione, Delfina si chinò dietro la madre,
cingendole il collo con le braccia e avanzando il viso contro
una guancia di lei e così quasi coprendola. La madre mormorava le rime. E quelle due figure muliebri, chine a piè dell'alta
pietra ghirlandata, nella dubbia luce, tra gli acanti simbolici,
facevano un componimento di linee e di colori tanto armonioso
che il poeta per qualche istante restò sotto il dominio unico del
godimento estetico e della pura ammirazione.

Ma ancóra l'oscura gelosia lo punse. Quella creatura sottile,
così avviticchiata alla madre, così intimamente confusa con
l'anima di lei, gli parve una nemica; gli parve un insormonta-
bile ostacolo che s'inalzasse contro il suo amore, contro il suo
desiderio, contro la sua speranza. Egli non era geloso del marito ed era geloso della figlia. Egli voleva possedere non il
corpo ma l'anima, di quella donna; e possedere l'anima intera,
con tutte le tenerezze, con tutte le gioie, con tutti i timori, con
tutte le angosce, con tutti i sogni, con tutta quanta insomma la
vita dell'anima; e poter dire: — Io sono la vita della sua vita.

La figlia, invece, aveva quel possesso, incontrastato, assoluto, continuo. Pareva che mancasse alla madre un elemento

essenziale della sua esistenza, quando per poco l'adorata era lontana. Una transfigurazione subitanea avveniva nella sua faccia, visibilissima, quando dopo un'assenza breve ella riudiva la voce infantile. Talvolta, involontariamente, per una segreta rispondenza, quasi direi per legge d'un comun ritmo vitale, ella ripeteva il gesto della figlia, un sorriso, un'attitudine, un'aria del capo. Ella aveva talvolta, su la quiete o sul sonno filiale, momenti di contemplazione così intensa che pareva aver perduta la conscienza d'ogni altra cosa per divenir simile all'essere ch'ella contemplava. Quando ella rivolgeva la parola all'adorata, la parola era una carezza e la bocca perdeva ogni traccia di dolore. Quando ella riceveva i baci, un tremito le agitava le labbra e gli occhi le si empivano d'un gaudio indescrivibile tra i cigli palpitanti, come gli occhi d'una beata in assunzione. Quando ella conversava con altri o ascoltava, pareva di tratto in tratto aver come una sospension del pensiero improvvisa, come una momentanea assenza dello spirito; ed era per la figlia, per lei, sempre per lei.

«Chi mai poteva rompere quella catena? Chi poteva conquistare una parte di quel cuore, anche minima?» Andrea soffriva come d'una perdita irremediabile, come d'una rinunzia necessaria, come d'una speranza estinta. «Anche ora, anche ora, la figlia non toglieva a lui qualche cosa?»

Ella infatti, per gioco, voleva costringer la madre a restare in ginocchio. Le si abbandonava sopra e la premeva con le braccia intorno al collo, gridando fra le risa:

— No, no, no; tu non ti alzerai.

E, come la madre apriva la bocca per parlare, ella le metteva su la bocca le sue piccole mani per impedir che parlasse; e la faceva ridere; e poi la bendava con la treccia; e non voleva finire, accesa e inebriata dal gioco.

Guardandola, Andrea aveva l'impressione come s'ella con quegli atti scuotesse dalla madre e devastasse e disperdesse tutto ciò che nello spirito di lei la lettura de' versi aveva forse fatto fiorire.

Quando finalmente Donna Maria riuscì a liberarsi dalla dolce tirannella, gli disse, leggendogli sul volto la contrarietà:

— Perdonatemi, Andrea. Delfina certe volte ha di queste follie.

Quindi, con una mano leggera, ricompose le pieghe della gonna. Era soffusa d'una tenue fiamma sotto gli occhi, e anche aveva il respiro un poco alenante. Soggiunse, sorridente d'un sorriso che in quella insolita animazione del sangue fu d'una luminosità singolare:

— E perdonatela, in compenso del suo augurio inconsapevole; perché ella dianzi ha avuta l'inspirazione di mettere una

corona nuziale su la vostra poesia che canta una comunione
nuziale. Il simbolo è un suggello dell'alleanza.

— A Delfina e a voi, grazie — rispose Andrea che si sentiva
chiamar da lei per la prima volta non col titolo gentilizio ma
col semplice nome.

Quella familiarità inaspettata e le parole buone gli rimisero
nell'animo la confidenza. Delfina s'era allontanata per uno de'
viali, correndo.

— Questi versi dunque sono un documento spirituale — seguitò Donna Maria. — Me li darete, perché io li conservi.

Egli voleva dirle: — Vengono a voi, oggi, naturalmente.
Sono vostri, parlano di voi, pregano voi. — Ma disse, invece,
semplicemente:

— Ve li darò.

Ripresero il cammino, verso la Cibele. Prima d'uscir dal
dominio, Donna Maria si rivolse all'Erma, come se avesse
udito un richiamo; e la sua fronte pareva piena di pensiero.
Andrea le chiese, con umiltà:

— Che pensate?

Ella rispose:

— Penso a voi.

— Che pensate di me?

— Penso alla vostra vita d'un tempo, ch'io non conosco.
Avete molto sofferto?

— Ho molto peccato.

— E amato anche, molto?

— Non so. Forse l'amore non è quale io l'ho provato. Forse
io debbo ancóra amare. Non so, veramente.

Ella tacque. Camminarono, l'uno accanto all'altra, per un
tratto. A destra del sentiero si levavano alti lauri, interrotti da
un cipresso a intervalli eguali; e il mare or sì or no rideva in
fondo, tra i fogliami leggerissimi, azzurro come il fiore del
lino. A sinistra, contro il rialto era una specie di parete, simile
alla spalliera d'un lunghissimo sedile di pietra, portante in
cima ripetuto per tutta la lunghezza lo scudo degli Ateleta e un
alerione, alterni. A ciascuno scudo e a ciascuno alerione corri-
spondeva, più sotto, una maschera scolpita dalla cui bocca
usciva una cannella d'acqua versandosi nelle vasche sottostanti
che avean forma di sarcofaghi posti l'uno accanto all'altro, ornate di storie mitologiche in basso rilievo. Le bocche dovevan
esser cento, perché il viale si chiamava delle Cento Fontane;
ma alcune non versavano più, chiuse dal tempo, altre versavano appena. Molti scudi erano infranti e il musco aveva coperta l'impresa; molti alerioni eran decapitati; le figure dei
bassi rilievi apparivano tra il musco come pezzi d'argenteria
mal nascosti sotto un vecchio velluto lacerato. Nelle vasche, su

l'acqua più limpida e più verde d'uno smeraldo, tremolava il capelvenere o galleggiava qualche foglia di rosa caduta dai cespugli di sopra; e le cannelle superstiti facevano un canto roco e soave che correva sul romore del mare, come una melodia su l'accompagnamento.

— Udite? — chiese Donna Maria, soffermandosi, tendendo l'orecchio, presa all'incanto di quei suoni. — La musica dell'acqua amara e dell'acqua dolce!

Ella stava in mezzo del sentiero, un po' china verso le fontane, attratta più dalla melodia, con l'indice sollevato verso la bocca nell'atto involontario di chi teme sia turbata la sua ascoltazione. Andrea, ch'era più presso alle vasche, la vedeva sorgere sopra un fondo di verdura gracile e gentile quale un pittore umbro avrebbe potuto metter dietro un'Annunciazione o una Natività.

— Maria — mormorò il convalescente, che aveva il cuore gonfio di tenerezza. — Maria, Maria...

Egli provava un'indicibile voluttà a mescere il nome di lei in quella musica delle acque. Ella premé l'indice su la bocca, per indicargli di tacere; senza guardarlo.

— Perdonatemi, — egli disse, sopraffatto dalla commozione — ma io non reggo più. È l'anima mia che vi chiama!

Una strana eccitazion sentimentale l'aveva vinto; tutte le sommità liriche del suo spirito s'erano accese e fiammeggiavano; l'ora, la luce, il luogo, tutte le cose intorno gli suggerivano l'amore; dagli estremi limiti del mare insino all'umile capelvenere delle fonti, per lui si disegnava un sol circolo magico; ed egli sentiva che il centro era quella donna.

— Voi non saprete mai — soggiunse, con la voce sommessa, quasi temendo di offenderla — non saprete mai fino a qual punto la mia anima è vostra.

Ella divenne anche più pallida, come se tutto tutto il sangue delle vene le si fosse raccolto sul cuore. Non disse nulla; evitò di guardarlo. Chiamò, con la voce un poco alterata:

— Delfina!

La figlia non rispose, perché s'era forse internata fra gli alberi all'estremità del sentiero.

— Delfina! — ripeté, più forte, con una specie di sbigottimento.

Nell'aspettazione, dopo il grido, si udivano le due acque cantare in un silenzio che pareva ingrandirsi.

— Delfina!

Un fruscìo venne di tra i fogliami come pel passaggio d'un capriuolo; e la bimba sbucò dal folto dei lauri agilmente, portando tra le mani la paglia colma di piccoli frutti rossi che aveva colti da un àlbatro. La fatica e la corsa l'invermigliavano;

molti pruni le restavano tra la lana della tunica; e qualche foglia le s'impigliava nella ribellion de' capelli.

— Oh mamma, vieni, vieni meco!

Ella voleva trascinare la madre a cogliere gli altri frutti.

— Là giù, ce n'è un bosco; tanti tanti tanti. Vieni meco,
mamma; vieni!

— No, amore; ti prego. È tardi.

— Vieni!

— Ma è tardi.

— Vieni! Vieni!

Donna Maria dall'insistenza fu costretta a cedere e a farsi
condurre per mano.

— C'è una via per andare al bosco degli àlbatri, senza passare nel folto — disse Andrea.

— Hai inteso. Delfina? C'è una via migliore.

— No, mamma. Vieni meco!

Delfina la trasse tra gli allòri selvatici, dalla parte del mare.
Andrea seguiva; ed era felice di poter guardare liberamente
d'innanzi a sé la figura dell'amata, di poterla bevere con gli
occhi, di poterne cogliere tutti i moti diversi e i ritmi sempre
interrotti del passo sul pendio ineguale, tra gli ostacoli dei
tronchi, tra gli intralci dei virgulti, tra le resistenze dei rami.
Ma mentre i suoi occhi si pascevano di quelle cose, l'anima ri-
teneva sopra tutte le altre un'attitudine, un'espressione. — Oh
il pallore, il pallore di dianzi, quando egli aveva profferite le
parole sommesse! E il suono indefinibile di quella voce che
chiamava Delfina!

— È ancóra lontano? — chiese Donna Maria.

— No, no, mamma. Ecco, già ci siamo.

Una specie di timidezza invase il giovine, al termine del
cammino. Non anche, dopo le parole, i suoi occhi s'erano incontrati con gli occhi di lei. Che pensava ella? Che sentiva?
Con quale sguardo l'avrebbe ella guardato?

— Eccoci! — gridò la bimba.

Il laureto infatti andavasi diradando, il mare appariva più libero; d'un tratto il bosco dei corbezzoli andracni rosseggiò
come un bosco di coralli terrestri portanti alla sommità de'
rami ampie ciocche di fiori.

— Che meraviglia! — mormorò Donna Maria.

Il bel bosco fioriva e fruttificava entro una insenatura ri-
curva come un ippodromo, profonda e solatìa, dove tutta la mi-
tezza di quel lido raccoglievasi in delizia. I tronchi degli arbuti,
vermigli i più, taluni gialli, sorgevano svelti portando grandi
foglie lucide, verdi di sopra e glauche di sotto, immobili nell'a-
ria quieta. I grappoli floridi, simili a mazzi di mughetti, bianchi
e rosei ed innumerevoli, pendevano dalle cime dei rami giovini;

le bacche rosse e aranciate pendevano dalle cime de' rami vecchi. Ogni pianta n'era carica; e la magnifica pompa dei fiori,
dei frutti, delle foglie e degli steli dispiegavasi, contro il vivo
azzurro marino, con la intensità e la incredibilità d'un sogno
come l'avanzo d'un orto favoloso.

— Che meraviglia!

Donna Maria entrava lentamente, non più tenuta per mano
da Delfina; che correva folle di gioia, avendo un solo desiderio:
quel di spogliare tutto il bosco.

— Mi perdonate? — osò dire Andrea. — Io non voleva of-
fendervi. Anzi, vedendovi così in alto, così lontana da me, così
pura, io pensava che non vi avrei mai mai parlato del mio segreto, che non vi avrei mai chiesto un consenso né mai vi avrei
attraversato il cammino. Da che vi ho conosciuta, ho molto sognato per voi, di giorno e di notte, ma senza una speranza e
senza un fine. Io so che voi non mi amate e che non potete
amarmi. Eppure, credetemi, io rinunzierei a tutte le promesse
della vita per vivere in una piccola parte del vostro cuore...

Ella seguitava a camminare, lentamente, sotto i brillanti alberi che le stendevano in sul capo le ciocche pendule, i bianchi
e rosei grappoli delicati.

— Credetemi, Maria, credetemi. Se ora mi dicessero di abbandonare ogni vanità ed ogni orgoglio, ogni desiderio ed ogni
ambizione, qualunque più caro ricordo del passato, qualunque
più dolce lusinga del futuro, e di vivere unicamente in voi e
per voi, senza domani, senza ieri, senza alcun altro legame,
senza alcuna altra preferenza, fuor del mondo, interamente
perduto nel vostro essere, per sempre, fino alla morte, io non
esiterei, io non esiterei. Credetemi. Voi mi avete guardato, parlato, e sorriso e risposto; voi vi siete seduta accanto a me, e
avete taciuto e pensato; e avete vissuto, accanto a me, della vostra esistenza interiore, di quella invisibile e inaccessibile esistenza ch'io non conosco, ch'io non conoscerò mai; e la vostra
anima ha posseduta la mia fin nel profondo, senza mutarsi,
senza pur saperlo, come il mare beve un fiume... Che vi fa il
mio amore? Che vi fa l'amore? È una parola troppe volte pro-
fanata, un sentimento falsato troppe volte. Io non vi offro l'a-
more. Ma non accetterete voi l'umile tributo, di religione, che
lo spirito volge a un essere più nobile e più alto?

Ella seguitava a camminare, lentamente, col capo chino, pallidissima, esangue, verso un sedile che stava sul limite del
bosco riguardante la sponda. Come vi giunse, vi si piegò a sedere, con una specie di abbandono, in silenzio; e Andrea le si
mise da presso, ancóra parlandole.

Il sedile era un gran semicerchio di marmo bianco, limitato
per tutta la lunghezza da una spalliera, liscio, lucido, senz'altri

ornamenti che una zampa di leone scolpita a ciascuna estremità
in guisa di sostegno; e ricordava quelli antichi, su' quali nelle
isole dell'Arcipelago e nella Magna Grecia e in Pompei le
donne oziavano e ascoltavano lèggere i poeti, all'ombra degli
oleandri, in conspetto del mare. Qui gli àlbatri facevano ombra
di fiori e di frutti, più che di foglie; e gli steli di corallo pel
contrasto del marmo parean più vivi.

— Io amo tutte quelle cose che voi amate; voi possedete
tutte quelle cose che io cerco. La pietà che mi venisse da voi
mi sarebbe più cara della passione di qualunque altra. La vostra mano sul mio cuore farebbe, sento, germinare una seconda
giovinezza, assai più pura della prima, assai più forte. Quell'e-
terno ondeggiamento, ch'è la mia vita interiore, si riposerebbe
in voi; troverebbe in voi la calma e la sicurtà. Il mio spirito irrequieto e scontento, travagliato da attrazioni e da repulsioni e
da gusti e da disgusti in continua guerra, eternamente, irrimediabilmente solo, troverebbe nel vostro un rifugio contro il
dubbio che contamina ogni idealità e abbatte ogni volere e
scema ogni forza. Altri sono più infelici; ma io non so se ci sia
stato al mondo uomo men felice di me.

Egli faceva sue le parole d'Obermann. In quella specie d'e-
brezza sentimentale, tutte le malinconie gli risalivano alle labbra; e il suono stesso della sua voce, umile e un po' tremante,
gli aumentava la commozione.

— Io non oso dire i miei pensieri. Stando vicino a voi, in
questi pochi giorni, da che vi conosco, ho avuto momenti d'o-
blio così pieno che quasi m'è parso di tornare ai primissimi
tempi della convalescenza, quando viveva in me il sentimento
profondo d'un'altra vita. Il passato, il futuro non erano più;
anzi era come se l'uno non fosse mai stato e l'altro non dovesse mai essere. Il mondo era come un'illusione informe e
oscura. Qualche cosa come un sogno vago ma grande mi si levava su l'anima: un velo ondeggiante, ora denso ora diafano, a
traverso il quale or sì or no splendeva il tesoro intangibile della
felicità. Che sapevate voi di me, in quei momenti? Forse, eravate lontana, con l'anima; assai assai lontana! Ma pure, la sola
presenza vostra visibile bastava a darmi l'ebrezza; io la sentiva
fluire nelle mie vene, come un sangue, e invadere il mio spirito,
come un sentimento sovrumano.

Ella taceva, col capo eretto, immobile, con il busto sollevato,
con le mani posate su le ginocchia, nell'attitudine di chi sia tenuto desto da un fiero sforzo di coraggio contro un languor che
l'invada. Ma la sua bocca, l'espression della sua bocca, invano
serrata con violenza, tradiva una sorta di dolorosa voluttà.

— Io non oso dire i miei pensieri. Maria, Maria, mi perdonate voi? Mi perdonate?

Due piccole mani, di dietro al sedile, si stesero a bendarla e
una voce palpitante di gioia gridò:

— Indovina! Indovina!

Ella sorrise, abbandonata alla spalliera perché Delfina l'attirava tenendole le sue dita su le palpebre, e Andrea vide, lucidamente, con una strana chiarezza, quel sorriso lieve disperdere su quella bocca tutto l'oscuro contrasto dell'espression
primitiva, cancellar qualunque traccia che a lui potesse parere
l'indizio d'un consentimento o d'una confessione, fugar qualunque ombra dubbia che potesse nell'anima di lui convertirsi
in barlume di speranza. E restò come un uomo che sia ingannato da una coppa creduta quasi colma, la quale non offra che
aria alla sua sete.

— Indovina!

La figlia copriva di baci forti e rapidi il capo della madre,
con una specie di frenesia, forse un poco facendole male.

— So chi sei, so chi sei — diceva la bendata. — Lasciami!

— Che mi dài, se ti lascio?

— Quello che vuoi.

— Voglio un giumento, per portarmi le albatrelle a casa.
Vieni a vedere quante!

Girò il sedile e prese per mano la madre. Ella si levò con
qualche fatica; e, poi che fu in piedi, batté più volte le palpebre
come per togliersi dalla vista un barbaglio. Anche Andrea si
levò. Seguirono ambedue Delfina.

La terribile creatura aveva spogliato di frutti quasi la metà
del bosco. Le piante basse non mostravano più su i rami una
bacca. Ella s'era aiutata con una canna trovata chi sa dove e
aveva fatta una raccolta prodigiosa, riunendo infine tutte le albatrelle ad un sol mucchio che pareva un mucchio di carboni
ardenti, per la intensità della tinta, sul suolo bruno. Ma le ciocche de' fiori non l'avevano attratta: pendevano, bianche, rosee,
giallette, quasi diafane, più delicate de' grappoli d'un'acacia,
più gentili de' mughetti, immerse nella vaga luce come nella
trasparenza d'un latte ambrato.

— Oh, Delfina, Delfina! — esclamò Donna Maria, guardando quella devastazione. — Che hai fatto?

La bimba rideva, felice, d'innanzi alla piramide vermiglia.

— Bisognerà bene che tu lasci qui ogni cosa.

— No, no...

Ella non voleva, da prima. Poi ripensò; e disse quasi fra sé,
con gli occhi luccicanti:

— Verrà la cerva a mangiare.

Aveva, forse, veduto apparire la bella bestia, libera pel
parco, in quelle vicinanze; e il pensiero di aver radunato per lei
il cibo l'appagò e le accese l'imaginazione già nudrita delle fa-

vole ove le cerve sono fate benigne e possenti che giacciono su cuscini di raso e bevono in coppe di zaffiro. Ella tacque, assorta, vedendo già forse la bella bestia bionda satollarsi d'albatrelle, sotto le piante fiorite.

— Andiamo — disse Donna Maria — ch'è tardi.

Teneva Delfina per la mano, e camminava sotto le piante fiorite. Sul limite del bosco si soffermò, a guardare il mare.

Le acque, accogliendo i riflessi delle nuvole, davano apparenza d'una immensa stoffa di seta, morbida, fluida, cangiante, mossa in larghe pieghe; e le nuvole, bianche e d'oro, l'una divisa dall'altra ma emergenti da una comune zona, somigliavano statue criselefantine avvolte in veli tenui, alzate sopra un ponte senz'archi.

In silenzio, Andrea spiccò da un àlbatro una ciocca che piegava il ramo col suo peso, tanto era folta; e la offerse a Donna Maria. Ella, nel prenderla, lo guardò; ma non aprì bocca.

Si rimisero pe' sentieri. Delfina ora parlava, parlava abondantemente, ripetendo senza fine le stesse cose, infatuata della cerva, mescolando le più strane fantasie, inventando lunghe storie monotone, confondendo una favola con l'altra, componendo intrichi ne' quali si smarriva ella stessa. Parlava, parlava, con una specie d'inconscienza, quasi che l'aria del mattino l'avesse inebriata; e intorno a quella sua cerva chiamava figli e figlie di re, cenerentole, reginelle, maghi, mostri, tutti i personaggi de' regni imaginarii, in folla, in tumulto, come nella metamorfosi continua d'un sogno. Parlava allo stesso modo che un uccello gorgheggia, con modulazioni canore, talvolta con successioni di suoni che non eran parole, ne' quali esalavasi l'onda musicale già iniziata, come il fremito d'una corda nella pausa, quando in quello spirito infantile il legame tra il segno verbale e l'idea rimaneva interrotto.

Gli altri due non parlavano, né ascoltavano. Ma pareva loro che quella cantilena coprisse i lor pensieri, il murmure de' lor pensieri, poiché pensando essi avevan l'impressione come se qualche cosa di sonoro sfuggisse dall'intimo del lor cervello, qualche cosa che nel silenzio sarebbesi potuto fisicamente percepire; e, se Delfina per poco taceva, provavano uno strano senso d'inquietudine e di sospensione, come se il silenzio dovesse rivelare e quasi direi denudare l'anima loro.

Il viale delle Cento Fontane apparve in una prospettiva fuggente, ove gli spilli e gli specchi dell'acqua mettevano un fino luccichio vitreo, una mobile transparenza ialina. Un pavone, che stava posato su uno degli scudi, s'involò facendo cadere nella vasca sottostante qualche rosa sfogliata. Andrea riconobbe, alcuni passi più in là, la vasca innanzi a cui Donna Maria gli aveva detto: — Udite?

Nel dominio dell'Erma l'odor del muschio non si sentiva più. L'Erma, cogitabonda sotto la ghirlanda, era tutta constellata dai raggi che penetravano tra gli intervalli de' fogliami. I merli cantavano, rispondendosi.

Delfina, presa da un nuovo capriccio, disse:

— Mamma, rendimi la ghirlanda.

— No, lasciamola lì. Perché la rivuoi?

— Rendimela, ché la porto a Muriella.

— Muriella la guasterà.

— Rendimela; ti prego!

La madre guardò Andrea. Egli si avvicinò alla pietra, le tolse la ghirlanda e rese questa a Delfina. Ne' loro spiriti esaltati la superstizione, ch'è un degli oscuri turbamenti portati dall'amore anche nelle creature intellettuali, diede all'insignificante episodio la misteriosità di una allegoria. Parve loro che in quel semplice fatto si occultasse un simbolo. Non sapevan bene quale; ma ci pensavano. Un verso tormentava Andrea.

«*Non vedrò dunque il gesto che consente?*»

Un'ansia enorme gli premeva il cuore, come più s'avvicinava il termine del sentiere; ed egli avrebbe dato metà del suo sangue per una parola della donna. Ma fu ella cento volte sul punto di parlare, e non parlò.

— Guarda, mamma, là giù, Ferdinando, Muriella, Riccardo... — disse Delfina, scorgendo in fondo al sentiere i figli di Donna Francesca; e si spiccò a corsa, agitando la corona. — Muriella! Muriella! Muriella!

IV.

Maria Ferres era sempre rimasta fedele all'abitudine giovenile di notar cotidianamente in un suo Giornale intimo i pensieri, le gioie, le tristezze, i sogni, le agitazioni, le aspirazioni, i rimpianti, le speranze, tutte le vicende della sua vita interiore, tutti gli episodii della sua vita esterna, componendo quasi un Itinerario dell'Anima, ch'ella di tratto in tratto amava rileggere per averne una regola nel viaggio futuro e per ritrovar la traccia delle cose da gran tempo morte.

Constretta dalle circostanze a ripiegarsi di continuo su sé medesima, sempre chiusa nella sua purità come in una torre d'avorio incorruttibile e inaccessibile, ella provava un sollievo e un conforto in quella specie di confessione cotidiana affidata alla pagina bianca d'un libro segretissimo. Si lamentava de' suoi travagli, s'abbandonava alle lacrime, cercava di penetrare gli enigmi del suo cuore, interrogava la sua consciencia, riprendeva coraggio dalla preghiera, si ritemprava nella meditazione, allontanava da sé ogni debolezza ed ogni vana imagine, metteva il suo spirito nelle mani del Signore. E tutte le pagine splendevano d'una comune luce, ossia di Verità.

...

15 settembre 1886 (Schifanoja). — Come mi sento stanca! Il viaggio mi ha un poco affaticata e quest'aria nuova del mare e della campagna m'ha un poco stordita. Ho bisogno di riposo; e già mi par di pregustare la bontà del sonno e la dolcezza del risveglio di domani. Mi sveglierò in una casa amica, nella cordiale ospitalità di Francesca, in questa Schifanoja che ha rose così belle e cipressi così grandi; e mi sveglierò avendo innanzi a me qualche settimana di pace, venti giorni d'esistenza spirituale, forse più. Sono molto riconoscente a Francesca, dell'invito. Rivedendola, ho riveduta una sorella. Quante mutazioni in me, e quanto profonde, dai belli anni fiorentini!

Francesca, a proposito de' miei capelli, ricordava oggi le passioni e le malinconie di quel tempo, e Carlotta Fiordelise, e Gabriella Vanni, e tutta quella storia lontana che ora non mi par vissuta ma letta in un vecchio libro obliato o vista in sogno. I capelli non son caduti, ma son cadute da me ben altre cose più vive. Tanti capelli nel mio capo, tante spighe di dolore nel mio destino.

Ma perché mi riprende la tristezza? E perché le memorie mi dànno pena? E perché di tratto in tratto la mia rassegnazione è scossa? È inutile lamentarsi sopra una tomba; e il passato è come una tomba che non rende più i suoi morti. Dio mio, fa tu ch'io me ne ricordi una volta per sempre!

Francesca è ancóra giovine, e conserva ancóra quella sua bella e franca giovialità che in collegio aveva un fascino così strano sul mio spirito un po' oscuro. Ella ha una grande e rara virtù: è gaia, ma sa intendere i dolori altrui e sa anche lenirli con la sua misericordia consapevole. Ella è, sopra tutto, una donna intellettuale, una donna d'alti gusti, una dama perfetta, un'amica che non pesa. Si compiace forse un po' troppo dei motti e delle frasi acute, ma le sue saette hanno sempre la punta d'oro e son lanciate con una grazia inimitabile. Certo, fra quante signore mondane ho conosciute, ella è la più fine; fra le amiche, è la prediletta.

I figli non le somigliano molto, non sono belli. Ma la bimba, Muriella, è assai gentile; ha un riso chiaro e gli occhi della madre. Ha fatto gli onori di casa a Delfina con una compitezza di piccola dama. Ella, certo, erediterà la «gran maniera» materna.

Delfina sembra felice. Ha esplorata già la maggior parte del giardino, è andata giù fino al mare, è discesa per tutte le scale; è venuta a raccontarmi le meraviglie ansando, divorando le parole, con negli occhi una specie di barbaglio. Ella ripeteva spesso il nome della nuova amica: Muriella. È un grazioso nome, e su la sua bocca diventa più grazioso ancóra.

Dorme, profondamente. Quando i suoi occhi son chiusi, i cigli le fanno sul sommo della gota un'ombra lunga lunga. Si meravigliava della lunghezza, stasera, il cugino di Francesca e ripeteva un verso di Guglielmo Shakespeare nella *Tempesta*, molto bello, su i cigli di Miranda.

C'è troppo odore, qui. Delfina ha voluto ch'io le lasciassi il mazzo delle rose accanto al letto, prima d'addormentarsi. Ma io, ora che dorme, lo toglierò e lo metterò su la loggia, al sereno.

Sono stanca, eppure ho scritto tre o quattro pagine. Ho sonno, eppure vorrei prolungare la veglia per prolungare questo languore dell'anima indefinito, ondeggiante in non so che tenerezza diffusa fuori di me, intorno a me. Da tanto, da tanto tempo non avevo sentito un po' di benevolenza circondarmi!

Francesca è molto buona, e io le sono molto riconoscente.

*

Ho portato su la loggia il vaso delle rose; e son rimasta là qualche minuto ad ascoltare la notte, tenuta là dal rammarico di perdere nella cecità del sonno ore che passano sotto un cielo così bello. È strano l'accordo tra la voce delle fontane e la voce del mare. I cipressi, d'innanzi a me, parevano le colonne del firmamento: le stelle brillavan proprio su le cime, le accendevano.

Perché di notte i profumi hanno nella loro onda qualche cosa che parla, hanno un significato, hanno un linguaggio?

No, i fiori non dormono, di notte.

16 settembre. — Pomeriggio delizioso, passato quasi tutto a conversare con Francesca su le logge, su le terrazze, per i viali, in tutti i luoghi aperti di questa villa che pare edificata da un principe poeta per dimenticare un affanno. Il nome del palazzo ferrarese le convien perfettamente.

Francesca mi ha fatto leggere un sonetto del conte Sperelli, scritto su pergamena: una inezia molto fine. Questo Sperelli è uno spirito eletto ed intenso. Stamani, a tavola, ha detto due o tre cose bellissime. Egli è convalescente d'una ferita mortale avuta in un duello, a Roma, nello scorso maggio. Ha negli atti, nelle parole, nello sguardo quella specie d'abbandono affettuoso e delicato ch'è proprio de' convalescenti, di quelli che sono usciti dalle mani della morte. Dev'essere molto giovine;

ma deve aver molto vissuto, e d'una vita inquieta. Porta i segni della lotta.

*

Serata deliziosa, di conversazione intima, di musica intima, dopo il pranzo. Io, forse, ho parlato troppo; o, per lo meno, troppo caldamente. Ma Francesca mi ascoltava e mi secondava; e il conte Sperelli, anche. Uno de' più alti piaceri, nella conversazione non volgare, appunto è sentire che uno stesso grado di calore anima tutte le intelligenze presenti. Allora soltanto, le parole prendono il suono della sincerità e dànno a chi le profferisce e a chi le ode il supremo diletto.

Il cugino di Francesca, è, in musica, un conoscitore raffinato. Ama molto i maestri settecentisti e in ispecie, tra i compositori per clavicembalo, Domenico Scarlatti. Ma il suo più ardente amore è Sebastiano Bach. Lo Chopin gli piace poco; il Beethoven gli penetra troppo a dentro e lo turba troppo. Nella musica sacra non trova da paragonare al Bach altri che il Mozart. — Forse — egli ha detto — in nessuna Messa la voce del soprannaturale giunge alla religiosità e alla terribilità a cui è giunto il Mozart nel *Tuba mirum* del Requiem. Non è vero che sia un greco, un platonico, un puro ricercatore della grazia, della bellezza, della serenità, chi ebbe così profondo il senso del soprannaturale da crear musicalmente il fantasma del Commendatore e chi, creando Don Giovanni e Donna Anna, seppe spinger tant'oltre l'analisi dell'essere interno...

Egli ha detto queste parole ed altre, con quel singolare accento che hanno nel parlar d'arte gli uomini i quali sono di continuo assorti nella ricerca delle cose elevate e difficili.

Poi, nell'ascoltarmi, aveva una strana espressione, come di stupore, e qualche volta d'ansietà. Io mi rivolgevo quasi sempre a Francesca, con gli occhi; eppure, sentivo lo sguardo di lui fisso su di me con una insistenza che mi dava fastidio ma non mi offendeva. Egli dev'essere ancóra malato, debole, in preda alla sua sensibilità. M'ha chiesto infine: — Cantate? — allo stesso modo che m'avrebbe chiesto: — Mi amate?

Ho cantato un'*Aria* del Paisiello e una del Salieri. Ho suonato un po' di *settecento*. Avevo la voce calda e la mano felice.

Egli non mi ha fatto alcun elogio. È rimasto in silenzio. Perché?

Delfina dormiva già, quassù. Quando son salita a vederla, l'ho trovata che dormiva ma con le ciglia umide come s'ella avesse pianto. Povero amore! Dorothy m'ha detto che la mia voce giungeva fin qui distintamente e che Delfina s'è scossa dal primo sopore e s'è messa a singhiozzare e voleva discendere.

Sempre, quando io canto, ella piange.

Ora dorme; ma di tratto in tratto il suo respiro divien più vivo, somiglia un singhiozzo spento, e mette nel mio stesso respiro un affanno vago, quasi un bisogno di rispondere a quel singhiozzo inconscio, a quella pena che non s'è acquietata nel sonno. Povero amore!

Chi suona, giù, il pianoforte? Qualcuno accenna, con la sordina, la *Gavotta* di Luigi Rameau, una gavotta piena di affascinante malinconia, quella ch'io sonavo dianzi. Chi può essere? Francesca è risalita con me; è tardi.

Mi sono affacciata alla loggia. La sala del vestibolo è buia; è chiara soltanto la sala attigua dove il marchese e Manuel giocano ancóra.

La *Gavotta* cessa. Qualcuno scende per la scala, nel giardino.

Mio Dio, perché son così attenta, così vigilante, così curiosa? Perché i rumori mi scuotono così a dentro, questa notte?

Delfina si sveglia, mi chiama.

17 settembre. — Stamani è partito Manuel. Siamo stati ad accompagnarlo fino alla stazione di Rovigliano. Verso il 10 di ottobre egli tornerà a prendermi; e andremo a Siena, da mia madre. Io e Delfina rimarremo a Siena probabilmente fino all'anno nuovo: due o tre mesi. Rivedrò la Loggia del Papa e la Fonte Gaia e il mio bel Duomo bianco e nero, la casa diletta della Beata Vergine Assunta, dove una parte dell'anima mia è ancóra a pregare, accanto alla cappella Chigi, nel luogo che sa i miei ginocchi.

Ho sempre lucida nella memoria l'imagine del luogo; e quando tornerò m'inginocchierò nel punto preciso dove io soleva, esattamente, meglio che se ci fossero rimasti due cavi profondi. E là ritroverò quella parte dell'anima mia a pregare ancóra, sotto la volta azzurra constellata che si specchia nel marmo come un cielo notturno in un'acqua tranquilla.

Nulla, certo, è mutato. Nella cappella preziosa, piena d'un'ombra palpitante, d'una oscurità ànimata da' riflessi gemmei delle pietre, ardevano le lampade; e la luce pareva raccogliersi tutta nel breve cerchio d'olio in cui si nutriva la fiammella, come in un topazio limpido. A poco a poco, sotto il mio sguardo intento, il marmo effigiato prendeva un pallor men freddo, quasi direi un tepore d'avorio; a poco a poco entrava nel marmo la pallida vita delle creature celesti, e nelle forme marmoree si diffondeva la vaga trasparenza d'una carne angelicale.

Quanto era ardente e spontanea la mia preghiera! S'io leggeva la *Filotea* di San Francesco, mi sembrava che le parole scendessero sul mio cuore come le lacrime di miele, come stille di latte. S'io mi metteva in meditazione, mi sembrava di camminare per le vie segrete dell'anima come per un giardino di delizia ove gli usignuoli cantassero su gli alberi fiorenti e le colombe tubassero in riva ai ruscelli della Grazia divina. La divozione m'infondeva una calma piena di freschezza e di profumi, mi faceva dischiudere nel cuore le sante primavere dei *Fioretti,* m'inghirlandava di rose mistiche e di gigli soprannaturali. E nella mia vecchia Siena, nella vecchia città della Vergine, io udiva sopra tutte le voci i richiami delle campane.

18 settembre. — Ora di tortura indefinibile. Mi par d'esser condannata a riappezzare, a riappiccare, a riunire, a ricomporre i frammenti d'un sogno, del quale una parte sia per avverarsi confusamente fuori di me e l'altra si agiti confusamente in fondo al mio cuore. E m'affatico m'affatico, senza riescir mai a ricomporlo per intiero.

19 settembre. — Altra tortura. Qualcuno mi cantò, gran tempo indietro; e non terminò la sua canzone. Qualcuno ora mi canta, riprendendo la canzone dal punto in cui fu interrotta; ma da gran tempo io ho dimenticato il principio. E l'anima inquieta, mentre cerca di ricordarsene per collegarlo al proseguimento, si smarrisce; e non ritrova gli antichi accenti né gode i nuovi.

20 settembre. — Oggi, dopo la colazione, Andrea Sperelli ha fatto a me e a Francesca l'invito di andare a veder nelle sue stanze i disegni che gli giunsero ieri da Roma.

Si può dire che tutta un'arte sia passata oggi sotto i nostri occhi, tutta un'arte studiata e analizzata dalla matita d'un disegnatore. Ho avuto un de' più intensi godimenti della mia vita.

Questi disegni sono di mano dello Sperelli; sono i suoi studii, i suoi schizzi, i suoi appunti, i suoi ricordi presi qua e là in tutte le gallerie d'Europa; sono, dirò così, il suo breviario, un meraviglioso breviario nel quale ogni antico maestro ha la sua pagina suprema, la pagina ov'è compendiata la maniera, ove son notate le bellezze dell'opera più alte e più originali, ov'è colto il *punctum saliens* di tutta quanta la produzione. Scorrendo questa larga raccolta, io non soltanto mi son fatta un'idea precisa delle diverse scuole, dei diversi movimenti, delle diverse correnti, delle diverse influenze per cui si sviluppa la Pittura in una data regione; ma son penetrata nell'intimo spirito, nella essenziale sostanza dell'arte d'ogni singolo pittore. Come profondamente ora comprendo, per esempio, il XIV e il XV secolo, i Trecentisti e i Quattrocentisti, i semplici i nobili i grandi Primitivi!

I disegni sono conservati in belle custodie di cuoio inciso con borchie e fermagli d'argento imitanti quelli dei messali. La varietà della tecnica è ingegnosissima. Certi disegni, dal Rembrandt, sono eseguiti su una specie di carta un po' rossastra, riscaldata con matita sanguigna, acquerellata con bistro; e le luci son rilevate con bianco a tempera. Certi altri disegni, dai maestri fiamminghi, sono eseguiti su una carta rugosa molto simile alla carta preparata per la pittura a olio, dove l'acquerello di bistro prende il carattere degli schizzi a bitume. Altri sono a matita sanguigna, a matita nera, a tre matite con qualche tócco di pastello, acquerellati con bistro su tratti a penna, acquerellati con inchiostro di China, su carta bianca, su carta gialla, su carta grigia. Talvolta la matita sanguigna par che contenga porpora; la matita nera dà un segno vellutato; il bistro è caldo, fulvo, biondo, d'un color di tartaruga fina.

Tutte queste particolarità le ho dal disegnatore; provo uno strano piacere a ricordarle, a scriverle; mi par d'essere inebriata di arte; ho il cervello pieno di mille linee, di mille figure; e in mezzo al tumulto confuso *vedo* pur sempre le donne dei Primitivi, le indimenticabili teste delle Sante e delle Vergini, quelle che sorridevano alla mia infanzia religiosa, nella vecchia Siena, dai freschi di Taddeo e di Simone.

Nessun capolavoro d'un'arte più avanzata e più raffinata lascia nell'animo un'impressione così forte, così durevole, così tenace. Quei lunghi corpi snelli come steli di gigli; quei colli sottili e reclinati; quelle fronti convesse e sporgenti; quelle bocche piene di sofferenza e di affabilità; quelle mani (o Memling!) affilate, ceree, diafane come un'ostia, più significative di qualunque altro lineamento; e quei capelli rossi come il rame, fulvi come l'oro, biondi come il miele, quasi distinti a uno a uno dalla religiosa pazienza del pennello; e tutte quelle attitudini nobili e gravi o nel ricevere un fiore da un angelo o nel posar le dita sopra un libro aperto o nel chinarsi verso l'infante o nel sostener su' ginocchi il corpo di Gesù o nel benedire o nell'agonizzare o nell'ascendere al Paradiso, tutte quelle cose pure, sincere e profonde inteneriscono e impietosiscono fin nell'intimo spirito; e s'imprimono per sempre nella memoria, come uno spettacolo di tristezza umana veduto nella realtà della vita, nella realtà della morte.

A una a una, oggi, passavano le donne dei Primitivi, sotto i nostri occhi. Io e Francesca eravamo sedute in un divano basso, avendo d'innanzi a noi un gran leggìo sul quale posava la custodia di cuoio con i disegni che il disegnatore, seduto incontro, svolgeva lentamente, comentando. Ad ogni tratto, io vedevo la sua mano prendere il foglio e posarlo su l'altra faccia della custodia con una delicatezza singolare. Perché, ad ogni tratto, sentivo dentro di me un principio di brivido come se quella mano stesse per toccarmi?

A un certo punto, trovando forse incomoda la sedia, egli s'è messo in ginocchio sul tappeto e ha seguitato a svolgere. Parlando, si dirigeva quasi sempre a me; e non aveva l'aria di ammaestrarmi ma di ragionare con una egual conoscitrice; e in fondo a me si moveva un poco di compiacenza, mista di riconoscenza. Quando io faceva una esclamazione di meraviglia, egli mi guardava con un sorriso che ancóra ho presente e che non so definire. Due o tre volte Francesca ha appoggiato il braccio su la spalla di lui, con familiarità, senza badarci. Vedendo la testa del primogenito di Mosè, presa dal fresco di Sandro Botticelli nella Cappella Sistina, ella ha detto: — Ha un po' della tua aria, quando sei malinconico. — Vedendo la testa dell'arcangelo Michele, che è un frammento della *Madonna di Pavia*, del Perugino, ella ha detto: — Somiglia Giulia Moceto; è vero? — Egli non ha risposto; e ha voltato il foglio con minor lentezza. Allora ella ha soggiunto, ridendo: — Lungi le imagini del peccato!

Questa Giulia Moceto è forse una donna che un tempo egli amò? Voltato il foglio, ho provato un incomprensibile desiderio di rivedere l'arcangelo Michele, di esaminarlo con maggiore attenzione. Era curiosità soltanto?

Io non so. Non oso guardarmi dentro, nel segreto; amo meglio indugiare, ingannando me stessa; non penso che o prima o poi tutte le terre vaghe cadono in dominio del Nemico; non ho il coraggio di affrontare la lotta; son pusillanime.

Intanto, l'ora è dolce. Ho una imaginosa eccitazione intellettuale, come se avessi bevute molte tazze di tè forte. Non ho nessuna volontà di coricarmi. La notte è tiepidissima, come in agosto; il cielo è chiaro ma velato, simile a un tessuto di perle; il mare ha una respirazione lenta e sommessa, ma le fontane riempiono le pause. La loggia m'attira. Sogniamo un poco! Quali sogni?

Gli occhi delle Vergini e delle Sante mi perseguitano. *Vedo* ancóra quegli occhi cavi, lunghi e stretti, con le palpebre abbassate, di sotto a cui guardano con uno sguardo affascinante, mite come quel d'una colomba, un po' obliquo come quel d'una serpe. «Sii semplice come la colomba e prudente come la serpe» ha detto Gesù Cristo.

Sii prudente. Prega, còricati e dormi.

21 settembre. — Ahimè, bisogna pur sempre ricominciar

l'opera dura, risalire l'erta già salita, riconquistare il suolo già conquistato, ricombattere la battaglia già vinta!

22 settembre. — Egli mi ha donato un suo libro di poesia, *La Favola d'Ermafrodito*, il ventunesimo dei venticinque soli esemplari, tirato su pergamena, con due prove del frontispizio avanti lettera.

È una singolare opera, ove si chiude un senso misterioso e profondo, sebbene l'elemento musicale prevalga trascinando lo spirito in una magia inaudita di suoni e avvolgendo i pensieri; che splendono come una polvere d'oro e di diamante in un fiume limpido.

I cori dei Centauri, delle Sirene e delle Sfingi dànno un turbamento indefinibile, svegliano nell'orecchio e nell'anima una inquietudine e una curiosità non appagate, prodotte dal continuo contrasto d'un sentimento duplice, d'una aspirazione duplice, della natura umana e della natura bestiale. Ma con qual purezza, e come *visibile*, l'ideal forma dell'Androgine si delinea tra gli agitati cori dei mostri! Nessuna musica mi ha inebriata come questo poema e nessuna statua mi ha data della bellezza un'impressione più armonica. Certi versi mi perseguitano senza tregua e mi perseguiteranno per lunghissimo tempo, forse; tanto sono intensi.

        *

Egli mi conquista l'intelletto e l'anima, ogni giorno più, ogni ora più, senza tregua, contro la mia volontà, contro la mia resistenza. Le sue parole, i suoi sguardi, i suoi gesti, i suoi minimi moti entrano nel mio cuore.

23 settembre. — Quando parliamo insieme, talvolta io sento che la sua voce è come l'eco dell'anima mia.

Accade talvolta che io mi senta spingere da un subitaneo fascino, da un'attrazione cieca, da una violenza irragionevole, verso una frase, verso una parola che potrebbe rivelare la mia debolezza. Mi salvo per prodigio; e viene allora un intervallo di silenzio, nel quale io sono agitata da un terribile tremito interiore. Se riprendo a parlare, io dico una cosa frivola e insignificante, con un tono leggero; ma mi pare che una fiamma mi corra sotto la pelle del viso, quasi ch'io sia per arrossire. S'egli cogliesse quell'attimo per guardarmi risolutamente negli occhi, sarei perduta.

        *

Ho suonato molta musica, di Sebastiano Bach e di Roberto Schumann. Egli stava seduto, come quella sera, alla mia destra, •

un poco indietro, su la poltrona di cuoio. Di tratto in tratto, alla fine d'ogni pezzo, egli si levava e, chino alle mie spalle, sfogliava il libro per indicarmi un'altra *Fuga*, un altro *Intermezzo*, un altro *Improvviso*. Quindi si metteva di nuovo a sedere; ed ascoltava, senza muoversi, profondamente assorto, con gli occhi fissi sopra di me, facendomi *sentire* la sua presenza.

Intendeva egli quanto di mio, del mio pensiero, della mia tristezza, del mio essere intimo, passava nella musica altrui?

*

«Musica, — chiave d'argento che aprì la fontana delle lacrime, ove lo spirito beve finché la mente si smarrisce; soavissima tomba di mille timori, ove la loro madre, l'Inquietudine, simile a un fanciullo che dorma, giace sopita ne' fiori...» SHELLEY.

*

La notte è minacciosa. Un vento caldo e umido soffia nel giardino; e il fremito cupo si prolunga nell'oscurità, poi cade, poi ricomincia più forte. Le vette dei cipressi oscillano sotto un cielo quasi nero, dove le stelle appaiono semispente. Una striscia di nuvole attraversa lo spazio, dall'uno all'altro orizzonte, frastagliata, contorta, più nera del cielo, simile alla capigliatura tragica di una Medusa. Il mare nell'oscurità è invisibile; ma singhiozza, come un immenso e inconsolabile dolore, solo.

Che è mai questo sbigottimento? Mi sembra che la notte mi ammonisca d'una sciagura prossima e che all'ammonizione risponda in fondo a me un rimorso indefinito. Il *Preludio* di Sebastiano Bach ancóra m'incalza; si mesce nell'anima mia con il fremito del vento e con il singhiozzo del mare.

Non piangeva, dianzi, qualche cosa di me in quelle note?

Qualcuno piangeva, gemeva, oppresso dall'angoscia; qualcuno piangeva, gemeva, chiamava Dio, domandava il perdono, implorava l'aiuto, pregava con una preghiera che saliva al cielo come una fiamma. Chiamava ed era ascoltato, pregava ed era esaudito; riceveva la luce dall'alto, gittava gridi d'allegrezza, stringeva alfine la Verità e la Pace, si riposava nella clemenza del Signore.

*

Sempre, mia figlia mi conforta; e mi guarisce da ogni febbre, come un balsamo sublime.

Ella dorme, nell'ombra rischiarata dalla lampada che è mite come una luna. La sua faccia, bianca della fresca bianchezza d'una rosa bianca, quasi si sprofonda nell'abbondanza de' capelli oscuri. Pare che il fino tessuto delle sue palpebre appena

appena riesca a nascondere nell'interno gli occhi luminosi. Io
mi piego su lei, la riguardo; e tutte le voci della notte si estin-
guono, per me; il silenzio per me non è misurato che dalla respirazione ritmica della sua vita.

Ella sente la vicinanza della madre. Leva un braccio e lo lascia ricadere; sorride dalla bocca che si schiude come un fiore
perlifero; e per un istante tra i cigli appare uno splendore simile all'umido splendore argenteo della polpa d'un asfodelo.
Come più la contemplo, diventa alla mia vista una creatura
immateriale, un essere formato dell'elemento *as dreams are
made on.*[6]

Perché, a dare un'idea della sua bellezza e della sua spiritualità, sorgono spontanee nella memoria imagini e parole di Guglielmo Shakespeare, di questo possente selvaggio atroce poeta
che ha così melliflue labbra?

Ella crescerà, nutrita e avvolta dalla fiamma del mio amore,
del mio grande *unico* amore...

Oh Desdemona, Ofelia, Cordelia, Giulietta! Oh Titania! Oh
Miranda!

24 settembre. — Io non so prendere una risoluzione, non so
fare un proposito. Io mi abbandono un poco a questo nuovissimo sentimento, chiudendo gli occhi sul pericolo lontano,
chiudendo gli orecchi alle ammonizioni savie della conscienza,
con il trepidante ardire di chi, per cogliere le violette, s'avventura su l'orlo d'un abisso in fondo a cui rugge un fiume vorace.

Egli non saprà nulla dalla mia bocca; io non saprò nulla
dalla sua. Le Anime saliranno insieme, un breve tratto, su per
le colline dell'Ideale, beveranno qualche sorso alle fonti pe-
renni; quindi ciascuna riprenderà la sua via, con maggior confidenza, con minor sete.

*

Che tranquillità nell'aria, dopo il mezzogiorno! Il mare ha il
color bianco azzurrognolo latteo d'un opale, d'un vetro di Murano: ed è qua e là come un cristallo appannato da un alito.

*

Leggo Percy Shelley, un poeta ch'egli ama, il divino Ariele
che si nutre di luce e parla nella lingua degli Spiriti. È notte.
Questa allegoria mi si leva d'innanzi visibile.

«Una porta di cupo diamante si spalanca sul gran cammino
della vita da noi tutti esercitato, una caverna immensa e cor-

---

[6] «Così come si fabbricano i sogni» (*N.d.C.*).

rosa. Intorno imperversa una perpetua guerra di ombre, simili
alle nuvole inquiete che s'affollano nella fenditura d'una qualche montagna scoscesa, perdendosi in alto fra i turbini del
cielo superiore. E molti passano con passo incurante, d'innanzi
a quel portico, non sapendo che un'ombra segue i vestigi
d'ogni passeggero insino al luogo ove i morti aspettano in pace
il lor compagno novello. Altri però, mossi da un pensier più
curioso, si fermano a riguardare. Sono costoro in esilissimo
numero; ed ivi ben poco apprendono, se non che ombre li se-
guono ovunque eglino vadano.»

Dietro di me, così da presso che quasi mi tocca, è l'Ombra.
Io la sento, che mi guarda; allo stesso modo che ieri, sonando,
sentivo lo sguardo di lui, senza vederlo.

25 settembre. — Mio Dio, mio Dio!
Quando egli mi ha chiamata, con quella voce, con quel tremito, io ho creduto che il cuore mi si fosse disciolto nel petto e
ch'io fossi per venir meno. — Voi non saprete mai — egli ha
detto — non saprete mai fino a qual punto la mia anima è vostra.

Eravamo nel viale delle fontane. Io ascoltavo le acque. Non
ho visto più nulla; non ho udito più nulla; m'è parso che tutte
le cose si allontanassero e che il suolo si affondasse e che si dileguasse con loro la mia vita. Ho fatto uno sforzo sovrumano;
e m'è venuto alle labbra il nome di Delfina, e m'è venuto un
impeto folle di correre a lei, di fuggire, di salvarmi. Ho gridato
tre volte quel nome. Negli intervalli, il mio cuore non palpitava,
i miei polsi non battevano, dalla mia bocca non usciva il respiro...

26 settembre. — È vero? Non è un inganno del mio spirito
fuorviato? Ma perché l'ora di ieri mi par così lontana, così *ir-
reale*?

Egli parlò, di nuovo, a lungo, standomi vicino, mentre io
camminava sotto gli alberi, trasognata. Sotto quali alberi? Era
come s'io camminassi nelle vie segrete dell'anima mia, tra
fiori nati dall'anima mia, ascoltando le parole d'uno Spirito invisibile che un tempo si fosse nutrito dell'anima mia.

Odo ancóra le parole soavi e tremende.
Egli diceva: — Io rinunzierei a tutte le promesse della vita
per vivere in una piccola parte del vostro cuore...
Diceva: — ... fuor del mondo, interamente perduto nel vo-
stro essere, per sempre, fino alla morte...
Diceva: — La pietà che mi venisse da voi mi sarebbe più
cara della passione di qualunque altra...
— La sola presenza vostra visibile bastava a darmi l'ebrezza;

e io la sentiva fluire nelle mie vene, come un sangue, e invadere il mio spirito, come un sentimento sovrumano...

27 settembre. — Quando, sul limite del bosco, egli colse questo fiore e me l'offerse, non lo chiamai *Vita della mia vita*?

Quando ripassammo pel viale delle fontane, d'innanzi a quella fontana, dove egli prima aveva parlato, non lo chiamai *Vita della mia vita*?

Quando tolse la ghirlanda dall'Erma e la rese a mia figlia, non mi fece intendere che la Donna inalzata ne' versi era già decaduta, e che io sola, io sola ero la sua speranza? Ed io non lo chiamai *Vita della mia vita*?

28 settembre. — Com'è stato lungo a venire, il raccoglimento!

In tante ore, dopo quell'ora, ho lottato, ho penato per rientrar nella mia vera conscienza, per veder le cose nella vera luce, per giudicare l'accaduto con fermo e calmo giudizio, per risolvere, per decidere, per riconoscere il dovere. Io sfuggivo a me stessa; la mente si smarriva; la volontà si ripiegava; ogni sforzo era vano. Quasi per istinto, evitavo di rimaner sola con lui, mi tenevo sempre vicina a Francesca e a mia figlia, o rimanevo qui nella stanza, come in un rifugio. Quando i miei occhi s'incontravano con i suoi, mi pareva di legger ne' suoi una profonda e supplichevole tristezza. Non sa egli quanto, quanto, quanto io l'ami?

Non lo sa; non lo saprà mai. Così voglio. Debbo così. Coraggio!

Mio Signore, aiutatemi voi.

29 settembre. — Perché ha parlato? Perché ha voluto rompere l'incanto del silenzio ove l'anima mia si cullava senza quasi rimorso e senza quasi paura? Perché ha voluto strappare i veli vaghi dell'incertezza e mettermi in conspetto del suo amore svelato? Ormai non posso più indugiare, non posso più illudermi, né concedermi una mollezza, né abbandonarmi a un languore. Il pericolo è là, certo, aperto, manifesto; e m'attira con la vertigine, come un abisso. Un attimo di languore, di mollezza, e io sono perduta.

*

Io mi domando: — È un dolor sincero il mio, è un sincero rammarico, per quella rivelazione inattesa? Perché penso sempre a quelle parole? E perché, quando le ripeto in me stessa, un'onda ineffabile di voluttà mi attraversa? E perché un bri-

vido mi corre per tutte le midolle, se imagino che potrei udire
altre parole, altre parole ancóra?

*

Un verso di Guglielmo Shakespeare, nel *As you like it*:

«*Who ever lov'd, that lov'd not at first sight?*[7]»

Notte. — I moti del mio spirito prendono forma d'interrogazioni, di enigmi. Io interrogo di continuo me stessa e non ri-
spondo mai. Non ho avuto il coraggio di guardar proprio in
fondo, di conoscere con esattezza il mio stato, di prendere una
risoluzione veramente forte e leale. Io sono pusillanime, io
sono vile; ho paura del dolore, voglio soffrire il meno possibile;
voglio ancóra ondeggiare, temporeggiare, palliare, salvarmi
con sotterfugi, nascondermi, invece d'affrontare a viso aperto
la battaglia decisiva.

Il fatto è questo: che io *temo* di rimaner sola con lui, d'aver
con lui un colloquio grave, e che la mia vita qui è ridotta una
continuazione di piccole astuzie, di piccoli ripieghi, di piccoli
pretesti per evitare la sua compagnia. L'artificio è indegno di
me. O voglio assolutamente rinunziare a questo amore; ed egli
udrà la mia parola triste ma ferma. O voglio accettarlo, nella
sua purità; ed egli avrà il mio consenso spirituale.

Ora, io mi domando: — Che voglio? Quale scelgo delle due
vie? Rinunziare? Accettare?

Mio Dio, mio Dio, rispondete voi per me, illuminatemi voi!

Rinunziare è omai come strappar con le mie unghie una
parte viva del mio cuore. L'angoscia sarà suprema, lo spasimo
passerà i limiti d'ogni sofferenza; ma l'eroismo, per la grazia
di Dio, verrà coronato dalla rassegnazione, verrà premiato
dalla divina dolcezza che segue ogni forte elevazion morale,
ogni trionfo dell'anima su la paura di soffrire.

Rinunzierò. Mia figlia manterrà il possesso di tutto tutto il
mio essere, di tutta tutta la mia vita. Questo è il dovere.

«*Ara con pianti, anima dolorosa,*
per mietere con canti d'allegrezza!»

30 settembre. — Scrivendo queste pagine, mi sento un poco
più calma: riacquisto, almeno momentaneamente, un poco di
equilibrio e considero con maggior lucidità il mio infortunio e
mi par che il cuore si alleggerisca come dopo una confessione.

Oh, s'io potessi confessarmi! S'io potessi chiedere consiglio
e aiuto al mio vecchio amico, al mio vecchio consolatore!

In queste turbolenze, mi sostiene più d'ogni altra cosa il

---

[7] «Chi mai amò che non abbia amato al primo sguardo?» (*N.d.C.*).

pensiero ch'io rivedrò fra pochi giorni Don Luigi e che gli parlerò e che gli mostrerò tutte le mie piaghe, e gli scoprirò tutte le mie paure e gli chiederò un balsamo per tutti i miei mali, come un tempo; come quando la sua parola mite e profonda chiamava lacrime di tenerezza su' miei occhi che ancóra non conoscevano il sale amaro d'altre lacrime o l'arsione, ben più terribile, dell'aridità.

Mi comprenderà egli ancóra? Comprenderà le oscure angosce della donna allo stesso modo che comprendeva le malinconie della fanciulla indefinite e fugaci? Rivedrò inchinarsi verso di me, in atto di misericordia e di compatimento, la sua bella fronte incoronata di capelli bianchi, illuminata di santità, pura come l'ostia nel ciborio, benedetta dalla mano del Signore?

*

Ho sonato, su l'organo della cappella, musica di Sebastiano Bach e del Cherubini, dopo la messa. Ho sonato il *Preludio* dell'altra sera.

Qualcuno piangeva, gemeva, oppresso dall'angoscia; qualcuno piangeva, gemeva, chiamava Dio, domandava il perdono, implorava l'aiuto, pregava con una preghiera che saliva al cielo come una fiamma. Chiamava ed era ascoltato, pregava ed era esaudito; riceveva la luce dall'alto, gittava gridi d'allegrezza, stringeva alfine la Verità e la Pace, si riposava nella clemenza del Signore.

Quest'organo non è grande, la cappella non è grande; eppure la mia anima s'è dilatata come in una basilica, s'è inalzata come in una cupola immensa, ha toccato il culmine dell'aguglia ideale ove splende il segno dei segni, nell'azzurro paradisiaco, nell'etere sublime.

Io penso ai massimi organi delle cattedrali massime, a quelli di Amburgo, di Strasburgo, di Siviglia, della badia di Weingarten, della badia di Subiaco, dei Benedettini in Catania, di Montecassino, di San Dionigi. Qual voce, qual coro di voci, qual moltitudine di grida e di preghiere, qual canto e qual pianto di popoli eguaglia la terribilità e la soavità di questo prodigioso istrumento cristiano che può riunire in sé tutte le intonazioni da orecchio umano percettibili e le impercettibili ancóra?

Io sogno: — un Duomo solitario, immerso nell'ombra, misterioso, nudo, simile alla profondità d'un cratere spento che riceva dall'alto una luce siderale; e un'Anima ebra d'amore, ardente come quella di San Paolo, dolce come quella di San Giovanni, molteplice come mille anime in una, bisognosa d'esalar la sua ebrietà in una voce sopraumana; e un organo vasto come una foresta di legno e di metallo, che, come quel di San

Sulpizio, abbia cinque tastiere, venti pedali, cento otto registri, più di settemila canne, tutti i suoni.

Notte. — Invano! Invano! Nessuna cosa mi calma; nessuna cosa mi dà un'ora, un minuto, un attimo di oblìo; nessuna cosa mai mi guarirà; nessun sogno della mia mente cancellerà il sogno del mio cuore. Invano!

La mia angoscia è mortale. Io sento che il mio male è incurabile; il cuore mi duole come se proprio me l'avessero stretto, me l'avessero premuto, me l'avessero guasto per sempre; il dolore morale è così intenso che si cangia in dolore fisico, in uno spasimo atroce, insostenibile. Io sono esaltata, lo so; io sono in preda a una specie di follìa; e non posso vincermi, non posso contenermi, non posso riprendere la mia ragione; non posso, non posso.

Questo è dunque l'amore?

Egli è partito stamani, a cavallo, con un servo, senza ch'io l'abbia veduto. La mia mattina è passata quasi tutta nella cappella. Per l'ora della colazione egli non è ritornato. La sua assenza mi faceva soffrire così ch'io era stupita dell'acutezza di quel soffrire. Son venuta qui nella stanza; per diminuir la pena, ho scritta una pagina del Giornale, una pagina religiosa, riscaldandomi al ricordo della mia fede matutina; poi ho letto qualche brano dell'*Epipsychidion* di Percy Shelley; poi son discesa nel parco a cercar di mia figlia. In tutti questi atti, il pensiero vivo di lui mi tenèva, mi occupava, mi tormentava senza tregua.

Quando ho riudita la sua voce, io era sulla prima terrazza. Egli parlava con Francesca, sul vestibolo. Francesca s'è affacciata, chiamandomi dall'alto: — Vieni su.

Risalendo la scala, sentivo che le ginocchia mi si piegavano. Salutandomi, egli mi ha tesa la mano; e deve aver notato il tremito della mia perché ho visto qualche cosa passargli nello sguardo, rapidamente. Ci siamo seduti su le lunghe sedie di paglia, nel vestibolo, rivolti al mare. Egli ha detto d'essere molto stanco; e s'è messo a fumare, raccontando la sua cavalcata. — Era giunto sino a Vicomìle, dove aveva fatto una sosta.

— Vicomìle — ha detto — possiede tre meraviglie: una pineta, una torre, e un ostensorio del Quattrocento. Figuratevi una pineta tra il mare e il colle, tutta piena di stagni che moltiplicano il bosco all'infinito; un campanile di stil lombardo barbaro, che risale certo al XI secolo, uno stelo di pietra carico di sirene, di paoni, di serpenti, di Chimere, d'ippogrifi, di mille mostri e di mille fiori; e un ostensorio d'argento dorato, smaltato, intagliato e cesellato, di foggia gotico-bizantina con un presentimento della Rinascenza, opera del Gallucci, artefice quasi ignoto, ch'è un gran precursore di Benvenuto...

Egli si rivolgeva a me, parlando. È strano come io ricordo esattamente tutte le sue parole. Potrei scrivere per intera la sua conversazione, con le particolarità più insignificanti e minute; se ci fosse un mezzo, potrei riprodurre ogni modulazione della sua voce.

Egli ci ha mostrato due o tre piccoli disegni a matita, sul suo taccuino. Poi ha seguitato a parlare delle meraviglie di Vico-mìle, con quel calore ch'egli ha quando parla di cose belle, con quell'entusiasmo d'arte, ch'è una delle sue più alte seduzioni.

— Ho promesso al Canonico che sarei tornato domenica. Andremo; è vero, Francesca? Bisogna che Donna Maria conosca Vicomìle.

Oh, il mio nome su la sua bocca! Se ci fosse un modo, potrei riprodurre esattamente l'attitudine, l'apertura delle sue labbra nel profferire ciascuna sillaba delle due parole: — Donna Maria. — Ma non mai potrei esprimere la mia sensazione; non potrei mai mai ridire tutto ciò che di sconosciuto, d'inopinato, d'insospettato si va risvegliando nel mio essere alla presenza di quell'uomo.

Siamo rimasti là seduti, fino all'ora del pranzo. Francesca pareva, contro il suo solito, un poco malinconica. A un certo punto, il silenzio è caduto su noi, gravemente. Ma tra lui e me è incominciato un di que' *colloqui di silenzio*, ove l'anima esala l'Ineffabile e intende il murmure dei pensieri. Egli mi diceva cose che mi facevano languir di dolcezza sopra il cuscino: cose che la sua bocca non potrà mai ripetermi e il mio orecchio non potrà mai udire.

D'innanzi, i cipressi immobili, leggeri alla vista quasi fossero immersi in un etere sublimante, accesi dal sole, parevano portare una fiamma alla sommità, come i torchi votivi. Il mare aveva il color verde d'una foglia d'aloe, e qua e là il color mavì d'una turchina liquefatta: una indescrivibile delicatezza di pallori, una diffusion di luce angelicata, ove ogni vela dava imagine d'un angelo che nuotasse. E la concordia dei profumi illanguiditi dall'Autunno era come lo spirito e il sentimento di quello spettacolo pomeridiano.

Oh morte serena di settembre!

Anche questo mese è finito, è perduto, è caduto nell'abisso. Addio.

Una tristezza immensa mi opprime. Quanta parte di me porta seco questa parte di tempo! Ho vissuto più in quindici giorni che in quindici anni; e mi sembra che nessuna delle mie lunghe settimane di dolore eguagli in acutezza di spasimo questa breve settimana di passione. Il cuore mi duole; la testa mi

si perde; una cosa oscura e bruciante è in fondo a me, una cosa
ch'è apparsa d'improvviso come un'infezione di morbo e che
incomincia a contaminarmi il sangue e l'anima, contro ogni
volontà, contro ogni rimedio: il Desiderio.

Io n'ho vergogna e raccapriccio, come d'un disonore, come
d'un sacrilegio, come d'una violazione; io n'ho una paura disperata e folle, come d'un nemico fraudolento che a penetrar
nella cittadella conosca vie da me stessa non conosciute.

E intanto io veglio, nella notte; e, scrivendo questa pagina
nell'orgasmo in cui gli amanti scrivono le loro lettere d'amore,
non odo il respiro di mia figlia che dorme. Ella dorme in pace;
ella non sa quanto l'anima della madre sia lontana...

1 ottobre. — I miei occhi vedono in lui quel che prima non
vedevano. Quando egli parla, io guardo la sua bocca; e l'attitudine e il colore delle labbra mi occupano più che il suono e il
significato delle parole.

2 ottobre. — Oggi è sabato: oggi è l'ottavo giorno dal giorno
indimenticabile: — 25 SETTEMBRE 1886.

*

Per un caso singolare, sebbene io ora non eviti di trovarmi
sola con lui, sebbene anzi io desideri che venga il momento
terribile ed eroico; per un caso singolare, il momento non è
venuto.

Francesca è rimasta sempre con me, oggi. Stamani abbiamo
fatto una cavalcata per la via di Rovigliano. E abbiamo passato
il pomeriggio quasi tutto al pianoforte. Ella ha voluto ch'io le
sonassi alcune danze del XVI secolo, poi la *Sonata in fa diesis
minore* e la celebre *Toccata* di Muzio Clementi, poi due o tre
Capricci di Domenico Scarlatti; e ha voluto ch'io le cantassi
alcune parti dei *Frauenliebe* di Roberto Schumann. Che contrasti!

Francesca non è più gaia, come una volta, com'era anche ai
primi giorni della mia dimora qui. Spesso, ella è pensosa;
quando ride, quando scherza, la sua gaiezza mi sembra artifiziale. Le ho chiesto: — Hai qualche pensiero che ti tormenta?
— Ella mi ha risposto, mostrando di meravigliarsi: — Perché?
— Io ho soggiunto: — Ti vedo un po' triste. — Ed ella: —
Triste? Oh no; t'inganni. — Ed ha riso, ma d'un riso involontariamente amaro.

Questa cosa mi affligge e mi dà una inquietudine vaga.

*

Andremo dunque domani a Vicomìle, dopo mezzogiorno.

Egli mi ha domandato: — Avreste forza di venire a cavallo? A cavallo potremmo traversare tutta la pineta...

Poi anche mi ha detto: — Rileggete, tra le liriche dello Shelley a Jane, la *Recollection*.

Dunque andremo a cavallo; verrà a cavallo anche Francesca. Gli altri, compresa Delfina, verranno in *mail-coach*.

In che disposizion di spirito strana mi trovo io stasera! Ho come un'ira sorda e acre in fondo al cuore, e non so perché; ho come una insofferenza di me e della mia vita e di tutto. L'eccitazion nervosa è così forte che mi prende di tratto in tratto un pazzo impeto di gridare, di ficcarmi le unghie nella carne, di rompermi le dita contro la parete, di provocare un qualunque spasimo materiale per sottrarmi a questo insopportabile malessere interiore, a questo insopportabile affanno. Mi par d'avere un nodo di fuoco a sommo del petto, la gola chiusa da un singhiozzo che non vuole uscire, la testa vacua, ora fredda ora ardente; e di tratto in tratto mi sento attraversare da una specie d'ansietà subitanea, da uno sbigottimento irragionevole che non riesco a respingere mai né a reprimere. E, a volte, a traverso il mio cervello guizzano imagini e pensieri involontarii che sorgono chi sa da quali profondità dell'essere: imagini e pensieri indegni. E languo e vengo meno, come una che sia immersa in un amore allacciante; e pur tuttavia non è un piacere, non è un piacere!

3 ottobre. — Com'è debole e misera l'anima nostra, senza difesa contro i risvegli e gli assalti di quanto men nobile e men puro dorme nella oscurità della nostra vita inconsciente, nell'abisso inesplorato ove i ciechi sogni nascono dalle cieche sensazioni!

Un sogno può avvelenare un'anima; un sol pensiero involontario può corrompere una volontà.

*

Andiamo a Vicomìle. Delfina è in letizia. La giornata è religiosa. Oggi è la festa di Maria Vergine del Rosario. Coraggio, anima mia!

4 ottobre. — Nessun coraggio.

La giornata di ieri fu per me così piena di piccoli episodii e di grandi commozioni, così lieta e così triste, così stranamente agitata che io mi smarrisco nel ricordarla. E già tutti tutti gli altri ricordi impallidiscono e si dileguano innanzi ad un solo.

Dopo aver visitata la torre ed avere ammirato l'ostensorio, ci accingemmo a ripartir da Vicomìle verso le cinque e mezzo. Francesca era stanca; e le piacque, piuttosto che rimontare a cavallo, tornar col *mail-coach*. Noi seguimmo per un tratto, cavalcando ora indietro ora ai lati. Di sul legno, Delfina e Muriella agitavano verso noi lunghe canne fiorite e ridevano minacciandoci con i bei pennacchi violacei.

Era una sera tranquillissima, senza vento. Il sole stava per cadere dietro il colle di Rovigliano, in un cielo tutto rosato come un cielo dell'Estremo Oriente. Rose rose rose piovevano da per tutto, lente, spesse, molli, a simiglianza d'una nevata in un'aurora. Quando il sole scomparve, le rose si moltiplicarono, si diffusero fin quasi all'orizzonte opposto, perdendosi, sciogliendosi in un azzurro chiarissimo, in un azzurro argentino, indefinibile, simile a quello che s'incurva su le cime delle montagne coperte di ghiacci.

Era egli che di tratto in tratto mi diceva: — Guardate la torre di Vicomìle. Guardate la cupola di San Consalvo...

Quando la pineta fu in vista, egli mi chiese: — Attraversiamo?

La strada maestra costeggiava il bosco, descrivendo una larga curva e avvicinandosi al mare, fin quasi sul lido, nella sommità dell'arco. Il bosco appariva già tutto cupo, d'un verde tenebroso, come se l'ombra si fosse accumulata su le chiome degli alberi lasciando ancor limpida l'aria superiore; ma, per entro, gli stagni risplendevano d'una luce intensa e profonda, come frammenti d'un cielo assai più puro di quello che si diffondeva sul nostro capo.

Senza aspettare la mia risposta, egli disse a Francesca:

— Noi attraversiamo la pineta. Ci ritroveremo su la strada, al ponte del Convito, dall'altra parte.

E trattenne il cavallo.

Perché acconsentii? Perché entrai con lui? Io aveva negli occhi una specie di abbagliamento; mi pareva d'essere sotto l'influenza d'una fascinazione confusa; mi pareva che quel paesaggio, quella luce, quel fatto, tutta quella combinazione di circostanze non fossero per me nuovi ma già un tempo esistiti, quasi direi in una mia esistenza anteriore, ed ora riesistenti... L'impressione è inesprimibile. Mi pareva dunque che quell'ora, che quei momenti, essendo stati già da me vissuti, non si svolgessero, fuori di me, indipendenti da me, ma mi appartenessero, ma avessero con la mia persona un legame naturale e indissolubile così ch'io non potessi sottrarmi a riviverli in quel dato modo ma dovessi anzi *necessariamente* riviverli. Io aveva chiarissimo il sentimento di questa necessità. L'inerzia della mia volontà era assoluta. Era come quando un fatto della vita ritorna in un sogno con qualche cosa di più della verità, e di diverso dalla verità. Non riesco nemmeno a rendere una minima parte di quel fenomeno straordinario.

E una segreta rispondenza, un'affinità misteriosa era tra l'anima mia e il paesaggio. L'imagine del bosco nelle acque degli stagni pareva infatti l'imagine *sognata* della scena reale. Come nella poesia di Percy Shelley ciascuno stagno pareva essere un breve cielo che s'ingolfasse in un mondo sotterraneo; un firmamento di luce rosea, disteso su la terra oscura, più infinito dell'infinita notte e più puro del giorno; dove gli alberi si sviluppavano allo stesso modo che nell'aria superiore ma di forme e di tinte più perfetti che qualunque altro di quelli in quel luogo ondeggianti. E vedute soavi, quali non mai si videro nel nostro mondo di sopra, v'eran dipinte dall'amor dell'acque per la bella foresta; e tutta la lor profondità era penetrata d'un chiarore elisio, d'un'atmosfera senza mutamento, d'un vespro più dolce che quel di sopra.

Da che lontananza del tempo era venuta a noi quell'ora?

Andavamo al passo, nel silenzio. I rari gridi delle gazze, l'andatura e il respiro dei cavalli non turbavano la tranquillità che pareva di minuto in minuto farsi più grande e più magica.

Perché volle egli rompere la magia da noi stessi generata?

Egli parlò; egli mi versò sul cuore un'onda di parole ardenti, folli, quasi insensate, che in quel silenzio degli alberi mi sbigottivano poiché prendevano qualche cosa di non umano, qualche cosa d'indefinibilmente strano e affascinante. Non fu umile e sommesso come nel parco; non mi disse le sue speranze timide e scorate, le sue aspirazioni quasi mistiche, le sue tristezze incurabili; non pregò, non implorò. Egli aveva la voce della passione, audace e forte; una voce ch'io non gli conosceva.

— Voi mi amate, voi mi amate; voi *non potete non amarmi*! Ditemi che mi amate!

Il suo cavallo camminava rasente al mio. Ed io mi sentivo da lui sfiorare; e credevo anche di sentire su la guancia il suo alito, l'ardore delle sue parole; e credevo di venir meno per il grande orgasmo e di cadergli fra le braccia.

— Ditemi che mi amate! — egli ripeteva, ostinatamente, senza pietà. — Ditemi che mi amate!

Nella terribile esasperazione datami dalla sua voce incalzante, io credo che dissi, non so se con un grido o con un singulto, fuori di me:

— Vi amo, vi amo, vi amo!

E spinsi il cavallo di carriera per la via appena tracciata nella densità de' tronchi, non sapendo che facessi.

Egli mi seguiva gridandomi:

— Maria, Maria, fermatevi! Vi farete male...

Non mi fermai; non so come il mio cavallo evitò i tronchi; non so come non caddi. Io non so ridire l'impressione che mi

dava nella corsa la foresta cupa interrotta dalle larghe macchie
lucenti degli stagni. Quando infine uscii su la strada, alla parte
opposta, presso il ponte del Convito, mi sembrò escire da
un'allucinazione.

Egli mi disse, con un po' di violenza:

— Volevate uccidervi?

Udimmo il romore della carrozza avvicinarsi; e movemmo
incontro. Egli voleva ancóra parlarmi.

— Tacete, vi prego; per pietà! — implorai, poiché sentivo
che non avrei potuto regger più oltre.

Egli tacque. Poi, con una sicurezza che mi stupì, disse a
Francesca:

— Peccato che tu non sia venuta! Era un incanto...

E seguitò a parlare, francamente, semplicemente, come se
nulla fosse accaduto; anzi con una certa gaiezza. E io gli ero
grata della dissimulazione che pareva mi salvasse, poiché
certo, se avessi dovuto io parlare, mi sarei tradita; e il silenzio
d'ambedue sarebbe stato forse per Francesca sospetto.

Incominciò, dopo qualche tempo, la salita verso Schifanoja.
Nella sera, che immensa malinconia! Il primo quarto della luna
brillava in un ciel delicato, un po' verde, ove i miei occhi,
forse i miei occhi soltanto, vedevano ancóra una lieve apparenza di roseo, del roseo che illuminava gli stagni, là giù, nella
foresta.

5 ottobre. — Egli ora sa che io l'amo; lo sa dalla mia bocca.
Io non ho più scampo che nella fuga. Ecco, dove son giunta.

Quando mi guarda, ha in fondo agli occhi un luccicore singolare che prima non aveva. Oggi, in un minuto in cui Francesca non era presente, mi ha presa la mano facendo l'atto di ba-
ciarmela. Io son riuscita a ritrarla; ed ho visto le sue labbra agitate da un piccolo tremito; ho sorpreso su le sue labbra, in un
attimo, quasi direi la figura del bacio non iscoccato, un'attitudine che m'è rimasta nella memoria e non mi va più via, non
mi va più via!

6 ottobre. — Il 25 di settembre, sul sedile di marmo, nel
bosco degli àlbatri, egli mi disse: — Io so che voi non mi
amate e che *non potete amarmi.* — E il 3 di ottobre: — Voi mi
amate, voi mi amate, voi *non potete non amarmi.*

*

In presenza di Francesca, m'ha chiesto se gli permettevo di
fare uno studio delle mie mani. Ho consentito. Incomincerà
oggi.

E io sono trepidante e ansiosa, come se dovessi prestar le mie mani a una tortura sconosciuta.

Notte. — È incominciata la lenta, soave, indefinibile tortura. Disegnava a matita nera e a matita sanguigna. La mia mano destra posava sopra un pezzo di velluto. Sul tavolo era un vaso coreano, giallastro e maculato come la pelle d'un pitone; e nel vaso era un mazzo d'orchidee, di quei fiori grotteschi e multiformi che son la ricercata curiosità di Francesca. Talune, verdi, di quel verde, dirò così, *animale* che hanno certe locuste, pendevano in forma di piccole urne etrusche, con il coperchio un po' sollevato. Altre portavano in cima a uno stelo d'argento un fiore a cinque petali con in mezzo un caliceto, giallo di dentro e bianco di fuori. Altre portavano una piccola ampolla violacea e ai lati dell'ampolla due lunghi filamenti; e facevano pensare a un qualche minuscolo re delle favole, assai gozzuto, con la barba divisa in due trecce alla foggia orientale. Altre infine portavano una quantità di fiori gialli, simili ad angelette in veste lunga librate a volo con le braccia alte e con l'aureola dietro il capo.

Io le guardava, quando mi pareva di non poter più sostenere il supplizio; e le loro forme rare mi occupavano un istante, mi suscitavano un ricordo fuggevole de' paesi originali, mi mettevano nello spirito non so che momentaneo smarrimento. Egli disegnava, senza parlare; i suoi occhi andavano di continuo dalle carte alle mie mani; poi, due o tre volte, si sono rivolti al vaso. A un certo punto, levandosi egli ha detto:

— Perdonatemi.

E ha preso il vaso e l'ha portato lontano, sopra un altro tavolo; non so perché.

Allora s'è messo a disegnare con maggior franchezza, come liberato da un fastidio.

Io non so dire quel che i suoi occhi mi facevano provare. Mi pareva di non offrire alla sua indagine una mano nuda, sì bene una parte nuda dell'anima; e ch'egli me la penetrasse con lo sguardo sino al fondo, scoprendone tutti i più riposti segreti. Non mai io aveva avuto della mia mano un tal sentimento; non mai m'era parsa così viva, così espressiva, così intimamente legata al mio cuore, così dipendente dalla mia interna esistenza, così rivelatrice. Me l'agitava una vibrazione impercettibile ma continua, sotto l'influenza dello sguardo; e la vibrazione si propagava insino all'intimo del mio essere. Talvolta il fremito diveniva più forte e visibile; e, s'egli guardava con troppa intensità, mi prendeva un moto istintivo di ritrarla; e talvolta il moto era di pudore.

Talvolta egli rimaneva lungamente fiso, senza disegnare; ed

io avevo l'impressione che egli bevesse per le pupille qualche
cosa di me o che mi accarezzasse con una carezza più molle
del velluto sul quale si posava la mia mano. Di tratto in tratto,
mentre stava chino sul foglio ad infondere forse nella linea
quel ch'egli aveva da me bevuto, un sorriso lievissimo gli passava su la bocca, ma così lieve che appena io poteva coglierlo.
E quel sorriso, non so perché, mi dava a sommo del petto un
tremolio di piacere. Ancóra, due o tre volte, ho veduto riappa-
rire su la sua bocca la figura del bacio.

Di tratto in tratto, la curiosità mi vinceva; e io domandavo:
— Ebbene?

Francesca stava seduta al pianoforte, con le spalle rivolte a
noi; e toccava i tasti cercando di ricordarsi la *Gavotta* di Luigi
Rameau, la *Gavotta delle dame gialle*, quella che ho tanto sonata e che rimarrà come la memoria musicale della mia villeggiatura a Schifanoja. Smorzava le note col pedale; e s'interrompeva spesso. E le interruzioni dell'aria a me familiare e
delle cadenze, che l'orecchio compiva precorrendo, erano per
me un'altra inquietudine. D'improvviso, ella ha battuto forte
un tasto, ripetutamente, come sotto l'urto di un'impazienza
nervosa; e s'è levata, ed è andata a chinarsi sul disegno.

L'ho guardata. Ho compreso.

Mancava ancóra quest'amarezza. Dio mi riserbava all'ultimo la prova più crudele. Sia fatta la sua volontà.

7 ottobre. — Io non ho che un solo pensiero, un solo desiderio, un solo proposito: partire, partire, partire.

Sono all'estremo delle forze. Io languo, io muoio del mio
amore; e l'inaspettata rivelazione moltiplica le mie mortali tristezze. Che pensa ella di me? Che crede? Ella dunque lo ama?
E da quando? Ed egli lo sa? O non ne ha pure un sospetto?...

Mio Dio, mio Dio! La ragione mi si smarrisce, le forze mi
abbandonano; il senso della realtà mi sfugge. A intervalli il
mio dolore ha una pausa, simile alle pause degli uragani
quando le furie degli elementi si equilibrano in una terribile
immobilità per irrompere poi con più violenza. Io rimango in
una specie di stupefazione, con la testa pesante, con le membra
stanche e rotte come se qualcuno mi avesse battuta; e mentre il
dolore si raccoglie per darmi un nuovo assalto, io non riesco a
raccogliere la mia volontà.

Che pensa ella di me? Che pensa? Che crede?

Esser disconosciuta da lei, dalla mia amica migliore, da
quella che m'è più cara, da quella a cui il mio cuore fu sempre
aperto! È la suprema amarezza; è la prova più crudele riserbata
da Dio a chi ha fatto del sacrificio la legge della sua vita.

Bisogna che io le parli, prima di partire. Bisogna ch'ella sappia tutto da me, ch'io sappia tutto da lei. Questo è il dovere.

Notte. — Ella, verso le cinque, m'ha proposto una passeggiata in carrozza per la via di Rovigliano. Siamo andate sole, in una carrozza scoperta. Io pensava, tremando: — Ora le parlerò. — Ma il tremito interno mi toglieva ogni coraggio. Aspettava ella forse che io parlassi? Non so.

Siamo rimaste a lungo taciturne, ascoltando il trotto eguale de' due cavalli, guardando gli alberi e le siepi che limitavano la via. Di tratto in tratto, con una frase breve o con un cenno, ella mi faceva notare una particolarità del paese autunnale.

Tutto l'umano incanto dell'Autunno si diffondeva in quell'ora. I raggi obliqui del vespro accendevano per la collina la sorda e armoniosa ricchezza dei fogliami prossimi a morire. Pel soffio costante del greco nella nuova luna, un'agonia precoce prende gli alberi delle terre litoranee. L'oro, l'ambra, il croco, il giallo di solfo, l'ocra, l'arancio, il bistro, il rame, il verderame, l'amaranto, il paonazzo, la porpora, le tinte più disfatte, le gradazioni più violente e più delicate si mescolavano in un accordo profondo che nessuna melodia di primavera passerà mai di dolcezza.

Indicandomi un gruppo di robinie, ella ha detto: — Guarda se non sembrano fiorite!

Già secche, biancheggiavano d'un bianco un po' roseo, come grandi mandorli di marzo, contro il cielo turchino che già pendeva nel cinerino.

Dopo un intervallo di silenzio, ho detto io, per cominciare: — Manuel verrà, certo, sabato. Aspetto per domani il suo telegramma. E domenica partiremo, col treno della mattina. Tu sei stata tanto buona con me, in questi giorni; io ti son tanto grata...

La voce mi tremava, un poco; una immensa tenerezza mi gonfiava il cuore. Ella m'ha presa la mano e l'ha tenuta nella sua, senza parlarmi, senza guardarmi. E siamo rimaste a lungo taciturne, tenendoci per mano.

Ella m'ha chiesto: — Quanto tempo ti tratterrai da tua madre?

Io le ho risposto: — Sino alla fin dell'anno, spero; e forse più.

— Tanto tempo?

Di nuovo, abbiamo taciuto. Sentivo già che non avrei avuto il coraggio di affrontare la spiegazione; ed anche sentivo ch'era men necessaria, ora. Mi pareva ch'ella ora mi si riavvicinasse, m'intendesse, mi riconoscesse, diventasse la mia sorella buona. La mia tristezza attraeva la sua tristezza, come la luna attrae le acque del mare.

— Ascolta — ella ha detto; poiché veniva un canto di donne del paese, un canto largo, spiegato, religioso, come un canto gregoriano.

Più oltre abbiam visto le cantatrici. Escivano da un campo di girasoli secchi, camminando in fila, come una teoria sacra. E i girasoli in cima ai lunghi steli sulfurei senza foglie portavano i larghi dischi non coronati di petali né carichi di semi, ma somiglianti nella lor nudità ad emblemi liturgici, a pallidi ostensorii d'oro.

La mia commozione è cresciuta. Il canto dietro di noi si dileguava nella sera. Abbiamo attraversato Rovigliano dove già i lumi si accendevano; poi siam di nuovo uscite nella strada maestra. Dietro di noi si dileguava il suono delle campane. Un vento umido correva nelle cime degli alberi che mettevano su la strada bianca un'ombra azzurrognola e nell'aria un'ombra direi quasi liquida come in un'acqua.

— Non hai freddo? — ella m'ha chiesto; e ha ordinato al lacchè di spiegare un *plaid* e al cocchiere di voltare i cavalli pel ritorno.

Nel campanile di Rovigliano una campana rintoccava ancóra, con larghi rintocchi, come per una solennità religiosa; e pareva propagare nel vento con l'onda del suono un'onda di gelo. Per un sentimento concorde, noi ci siamo strette l'una contro l'altra, tirandoci la coperta su i ginocchi, comunicandoci il brivido a vicenda. E la carrozza entrava nel borgo, al passo.

— Che sarà quella campana? — ella ha mormorato, con una voce che non pareva più la sua.

Ho risposto: — Se non m'inganno, esce il Viatico...

Più oltre, infatti, abbiamo visto il prete entrare in una porta mentre un chierico teneva sollevato l'ombrello e due altri tenevano le lanterne accese, diritti contro gli stipiti, su la soglia. In quella casa una sola finestra era illuminata, la finestra del cristiano che agonizzava aspettando l'Olio Santo. Ombre tenui apparivano sul chiarore; si disegnava lievissimamente su quel rettangolo di luce gialla tutto il dramma silenzioso che si muove intorno a chi sta per entrare nella morte.

Uno de' due servi ha chiesto a bassa voce, chinandosi un poco dall'alto: — Chi muore? — L'interrogato ha risposto un nome di donna, nel suo dialetto.

E io avrei voluto attenuare il romor delle ruote su i ciottoli, avrei voluto rendere tacito il nostro passaggio in quel luogo ov'era per passare il soffio d'uno spirito. Francesca, certo, aveva lo stesso sentimento.

La carrozza ha raggiunta la strada di Schifanoja, ripren-

dendo il trotto. La luna, cerchiata di aloni, splendeva come un
opale in un latte diafano. Una catena di nuvole sorgeva dal
mare e si svolgeva a poco a poco in forma di globi, come un
fumo volubile. Il mare mosso copriva col suo rombo tutti gli
altri romori. Non mai, penso, una più grave tristezza strinse
due anime.

Io ho sentito su le mie gote fredde un tepore, e mi son rivolta a Francesca per vedere s'ella si fosse accorta che pian-
gevo. Ho incontrati i suoi occhi pieni di pianto. E siam rimaste
mute, l'una accanto all'altra, con la bocca serrata, stringendoci
le mani, sapendo di piangere per lui; e le lacrime scendevano a
goccia a goccia, silenziosamente.

In vicinanza di Schifanoja, io ho asciugate le mie; ella, le
sue. Ciascuna nascondeva la propria debolezza.

Egli era, con Delfina, con Muriella e con Ferdinando, ad at-
tenderci nell'atrio. Perché ho provato in fondo al cuore, verso
di lui, un senso vago di diffidenza, come se un istinto mi av-
vertisse d'un oscuro danno? Quali dolori mi riserba l'avvenire?
Potrò io sottrarmi alla passione che m'attira abbacinandomi?

Pure, quanto bene mi hanno fatto quelle poche lacrime! Mi
sento meno oppressa, meno riarsa, più fidente. E provo una tenerezza indicibile nel ripetere da me sola l'Ultima Passeggiata,
mentre Delfina dorme felice di tutti i folli baci che le ho dati
nella faccia e mentre sorridono su' vetri le malinconie della
luna che dianzi mi ha vista piangere.

8 ottobre. — Questa notte ho dormito? Ho vegliato? Io non
so dirlo.

Oscuramente, a traverso il mio cervello, come ombre spesse,
guizzavano terribili pensieri, imagini di dolore insostenibili; e
il mio cuore aveva urti e sussulti improvvisi, e io mi ritrovava
con gli occhi aperti nelle tenebre, senza sapere se uscivo da un
sogno o se fino allora ero stata desta a pensare e a imaginare.
E questa specie di dubbio dormiveglia, assai più torturante del-
l'insonnio, durava, durava, durava.

Nondimeno, quando ho udita la voce matutina di mia figlia
chiamarmi, non ho risposto; ho finto di dormire profondamente,
per non levarmi, per rimanere ancóra là, per temporeggiare,
per allontanare ancóra un poco da me l'inesorabile certezza
delle realità necessarie. Le torture del pensiero e dell'imaginazione mi parevano pur sempre men crudeli delle torture imprevedibili che in questi due ultimi giorni mi prepara la vita.

Dopo poco, Delfina è venuta in punta di piedi, trattenendo il
respiro, a guardarmi; e ha detto a Dorothy, con una voce mossa
da un gentile tremito: — Come dorme! Non la svegliamo.

Notte. — Mi pare di non aver più una goccia di sangue nelle vene. Mentre salivo le scale mi pareva che, ad ogni sforzo per superare un gradino, il sangue e la vita mi fuggissero da tutte le vene aperte. Sono debole come una morente...

Coraggio, coraggio! Ancóra poche ore rimangono; Manuel giungerà domattina; partiremo domenica; lunedì saremo da mia madre.

Ho reso, dianzi, a lui due o tre libri che mi aveva prestati.

Nel libro di Percy Shelley, alla fine d'una strofa, ho inciso con l'unghia due versi e ho messo un segnale visibile alla pagina. I versi dicono:

> *«And forget me, for I can* never
> *Be thine!*[8]*»*

«E dimenticami, perché io non posso *mai* esser tua!»

9 ottobre, notte. — Tutto il giorno, tutto il giorno egli ha cercato un momento per parlarmi. La sua sofferenza era manifesta. E tutto il giorno io ho cercato di sfuggirgli, perché egli non mi gittasse nell'anima altri semi di dolore, di desiderio, di rimpianto, di rimorso. Ho vinto; sono stata forte ed eroica. Vi ringrazio, mio Dio!

Questa è l'ultima notte. Domattina partiremo. Tutto sarà finito.

Tutto sarà finito? Una voce mi parla, nel profondo; e io non comprendo, ma so che mi parla di sciagure lontane, ignote eppure inevitabili, misteriose eppure inesecrabili come la morte. L'avvenire è lugubre, come un campo pieno di fosse già scavate e pronte per ricevere cadaveri; e sul campo qua e là ardono pallidi fanali ch'io appena scorgo; e non so se ardano per attrarmi nel pericolo o per mostrarmi una via di salvezza.

Ho riletto il Giornale, attentamente, lentamente, dal 15 di settembre, dal giorno ch'io giunsi. Quanta differenza da quella prima notte a quest'ultima!

Io scriveva: «Mi sveglierò in una casa amica, nella cordiale ospitalità di Francesca, in questa Schifanoja che ha rose così belle e cipressi così grandi; e mi sveglierò avendo innanzi a me qualche settimana di pace, venti giorni d'esistenza spirituale, forse più...». Ahimè, dov'è andata la pace? E le rose, così belle, perché sono state anche così perfide? Troppo, forse, ho aperto il cuore ai profumi, incominciando da quella notte, su la loggia, mentre Delfina dormiva. Ora la luna d'ottobre allaga il cielo; e io vedo a traverso i vetri le punte dei cipressi, nere e immutabili, che in quella notte toccavano le stelle.

---

[8] «E dimenticami, perché io non posso essere *mai* tua.» (*N.d.C.*).

Una sola frase di quel preludio io posso ripetere in questa fine trista. «Tanti capelli nel mio capo, tante spighe di dolore nel mio destino.» Le spighe si moltiplicano, s'inalzano, ondeggiano come un mare; e non è anche estratto dalle miniere il ferro per foggiar la falce.

Io parto. Che accadrà di lui, quando io sarò lontana? Che accadrà di Francesca?

Il mutamento di Francesca è pur sempre incomprensibile, inesplicabile; è un enigma che mi tortura e mi confonde. Ella lo ama! E *da quando*? Ed egli lo sa?

Anima mia, confessa la nuova miseria. Un'altra infezione ti avvelena. Tu sei gelosa.

Ma io son preparata ad ogni più atroce sofferenza; io so il martirio che mi aspetta; io so che i supplizi di questi giorni non son nulla al confronto dei supplizi prossimi, della terribile croce a cui i miei pensieri legheranno l'anima mia per divorarla. Io son preparata. Chiedo soltanto una tregua, o Signore, una breve tregua per le ore che rimangono. Avrò bisogno di tutta la mia forza, domani.

Come stranamente, nelle diverse vicende della vita, talvolta le circostanze esterne si rassomigliano, si riscontrano! Stasera, nella sala del vestibolo, mi pareva d'esser tornata alla sera del 16 settembre, quando cantai e sonai; quando egli incominciò ad occuparmi. Anche stasera io sedeva al pianoforte; e la stessa luce cupa illuminava la sala e nella stanza attigua Manuel e il marchese giocavano; ed ho sonato la *Gavotta delle dame gialle*, quella che piace tanto a Francesca, quella che il 16 settembre udii ripetere mentre vegliavo nelle prime vaghe inquietudini notturne.

Certe dame biondette, non più giovini ma appena escite di giovinezza, vestite d'una smorta seta color d'un crisantemo giallo, la danzano con cavalieri adolescenti, vestiti di roseo, un po' svogliati; i quali portano nel cuore l'imagine d'altre donne più belle, la fiamma d'un nuovo desio. E la danzano in una sala troppo vasta, che ha tutte le pareti coperte di specchi; la danzano sopra un pavimento intarsiato d'amaranto e di cedro, sotto un gran lampadario di cristallo dove le candele stanno per consumarsi e non si consumano mai. E le dame hanno nelle bocche un poco appassite un sorriso tenue ma inestinguibile; e i cavalieri hanno negli occhi un tedio infinito. E un oriuolo a pendolo segna sempre un'ora; e gli specchi ripetono ripetono ripetono sempre le stesse attitudini; e la *Gavotta* continua, continua, continua, sempre dolce, sempre piana, sempre eguale, eternamente, come una pena.

Quella malinconia m'attira.

Non so perché, la mia anima tende a quella forma di supplizio; è sedotta dalla perpetuità d'un dolore unico, dalla uniformità, dalla monotonia. Accetterebbe volentieri per tutta la vita una gravezza enorme, ma definita e immutabile, invece della mutabilità, delle imprevedibili vicende, delle imprevedibili alternative. Pur essendo abituata alla sofferenza, ha paura dell'incerto, teme le sorprese, teme gli urti improvvisi. Senza esitare un istante, in questa notte accetterebbe qualunque più grave condanna di dolore a patto d'essere assicurata contro gli ignoti agguati dell'avvenire.

Mio Dio, mio Dio, da che mi viene una paura così cieca? Assicuratemi voi! Metto la mia anima nelle vostre mani.

E ora basta questo tristo vaneggiare che pur troppo addensa l'angoscia invece di alleviarla. Ma io so già che non potrò chiudere gli occhi sebbene mi dolgano.

Egli, certo, non dorme. Quando io sono venuta su, egli, invitato, stava per prendere il posto del marchese al tavolo del giuoco, di fronte a mio marito. Giocano ancóra? Forse egli pensa e soffre, giocando. Quali saranno i suoi pensieri? Quale sarà la sua sofferenza?

Non ho sonno, non ho sonno. Vado su la loggia. Voglio sapere se giocano ancóra; o s'egli è tornato nelle sue stanze. Le sue finestre sono all'angolo, nel secondo piano.

*

La notte è lucida e umida. La sala del giuoco è illuminata; e io son rimasta là, su la loggia, lungamente, a guardare in giù verso il chiarore che si rifletteva contro un cipresso mescendosi al chiarore della luna. Tremo tutta. Io non so ridire l'impressione quasi tragica che mi fanno quelle finestre illuminate, dietro le quali i due uomini giocano, l'uno di fronte all'altro, nel gran silenzio della notte appena interrotto dai singhiozzi spenti dal mare. E giocheranno forse fino all'alba, s'egli vorrà compiacere la terribile passione di mio marito. Saremo in tre a vegliare fino all'alba, senza requie, per la passione.

Ma che pensa egli? Qual è la sua tortura? Io non so che darei, in questo momento, per poterlo vedere, per poter restare fino all'alba a guardarlo, anche a traverso i vetri, nell'umidità della notte, tremando come tremo. I pensieri più folli mi balenano dentro e mi abbagliano, rapidi, confusi; ho come un principio di cattiva ebbrezza; provo come una instigazione sorda a far qualche cosa d'audace e d'irreparabile; sento come il fascino della perdizione. Mi toglierei, sento, dal cuore questo peso enorme, mi toglierei dalla gola questo nodo che mi soffoca, se ora, nella notte, nel silenzio, con tutte le forze dell'anima io mi mettessi a gridare che l'amo, che l'amo, che l'amo.

...

Libro terzo

I.

Alla partenza dei Ferres seguì dopo pochi giorni la partenza degli Ateleta e dello Sperelli per Roma. Donna Francesca volle abbreviare la sua villeggiatura a Schifanoja, contro il solito.

Andrea, dopo una breve sosta a Napoli, giunse a Roma il 24 di ottobre, una domenica, con la prima gran pioggia mattutina d'autunno. Rientrando nel suo appartamento della casa Zuccari, nel prezioso e delizioso *buen retiro*, provò un piacere straordinario. Gli parve di ritrovare in quelle stanze qualche parte di sé, qualche cosa che gli mancava. Il luogo non era quasi in nulla mutato. Tutto, intorno, conservava ancóra, per lui, quella inesprimibile apparenza di vita che acquistano gli oggetti materiali tra mezzo a cui l'uomo ha lungamente amato, sognato, goduto e sofferto. La vecchia Jenny e Terenzio avevano preso cura delle minime particolarità; Stephen aveva preparato con alta squisitezza il *comfort* pel ritorno del signore.

Pioveva. Per qualche tempo, egli rimase con la fronte contro i vetri della finestra a guardare la sua Roma, la grande città diletta, che appariva in fondo cinerea e qua e là argentea tra le rapide alternative della pioggia spinta e respinta dal capriccio del vento in un'atmosfera tutta egualmente grigia, ove ad intervalli si diffondeva un chiarore, sùbito dopo spegnendosi, come un sorridere fugace. La piazza della Trinità de' Monti era deserta, contemplata dall'obelisco solitario. Gli alberi del viale lungo il muro che congiunge la chiesa alla Villa Medici, si agitavano già seminudi, nerastri e rossastri al vento e alla pioggia. Il Pincio ancóra verdeggiava, come un'isola in un lago nebbioso.

Egli, guardando, non aveva un pensiero determinato ma un confuso viluppo di pensieri; e gli occupava l'anima un sentimento soverchiante ogni altro: il pieno e vivace risveglio del suo vecchio amore per Roma, per la dolcissima Roma, per l'immensa augusta unica Roma, per la città delle città, per quella ch'è sempre giovine e sempre novella e sempre misteriosa, come il mare.

Pioveva, pioveva. Sul Monte Mario il cielo si oscurava, le

nuvole si addensavano, diventavano d'un color ceruleo cupo
d'acqua raccolta, si dilatavano verso il Gianicolo, si abbassavano sul Vaticano. La cupola di San Pietro toccava con la
sommità quella enorme adunazione e pareva sostenerla, simile
a una gigantesca pila di piombo. Tra le innumerevoli righe
oblique dell'acqua si avanzava piano un vapore, a similitudine
d'un velo tenuissimo che passasse a traverso corde d'acciaio
tese e continuamente vibranti. La monotonia del croscio non
era interrotta da alcun altro strepito più vivo.

— Che ora è? — chiese egli a Stephen, volgendosi.

Erano le nove, circa. Egli si sentiva un po' stanco. Pensò di
mettersi a dormire. Poi, anche, pensò di non veder nessuno,
nella giornata, e di passar la sera a casa in raccoglimento. Ricominciava per lui la vita di città, la vita mondana. Egli voleva,
prima di riprendere quel vecchio esercizio, darsi a una piccola
meditazione e a una piccola preparazione, stabilire una regola,
discutere seco medesimo qual dovesse essere la condotta futura.

Ordinò a Stephen:

— Se viene qualcuno a chiedere di me, ditegli che non sono
ancóra tornato. Avvisate il portiere. Avvisate James che non ho
più bisogno di lui oggi ma che venga a prendere gli ordini questa sera. Fatemi preparare la colazione per le tre, leggerissima,
e il pranzo per le nove. Niente altro.

S'addormentò quasi sùbito. Alle due, il domestico lo svegliò;
e gli annunziò che prima di mezzogiorno era venuto il duca di
Grimiti, avendo saputo dalla marchesa d'Ateleta il ritorno.

— Ebbene?

— Il signor duca ha lasciato detto che sarebbe tornato prima
di sera.

— Piove ancóra? Aprite interamente gli scuri.

Non pioveva più. Il cielo s'era rischiarato. Una zona di sole
pallido entrò nella stanza, diffondendosi su l'arazzo della *Vergine col bambino Gesù e Stefano Sperelli*, su l'antico arazzo
che Giusto portò di Fiandra nel 1508. E gli occhi di Andrea
vagarono per le pareti, lentamente, riguardando le tappezzerie
fini, le tinte armoniose, le figure pie ch'erano state testimoni di
tanti piaceri e avevano sorriso ai lieti risvegli ed anche avevan
reso men tristi le vigilie del ferito. Tutte quelle cose note ed
amate parevano dargli un saluto. Egli le riguardava con un diletto singolare. L'imagine di Donna Maria gli sorse nello spirito.

Si sollevò un poco su i guanciali, accese una sigaretta, e si
mise a seguire il corso dei pensieri, con una specie di voluttà.
Un benessere insolito gli occupava le membra, e lo spirito era
in una felice disposizione. Egli mesceva le sue fantasie alle

onde del fumo, in quella luce temperata ove i colori e le forme prendevano una vaghezza più blanda.

Spontaneamente, i suoi pensieri non risalivano verso i giorni scorsi ma andavano all'avvenire. — Egli avrebbe riveduta Donna Maria, fra due, fra tre mesi, chi sa? forse anche assai prima; ed avrebbe allora riallacciato quell'amore che chiudeva per lui tante oscure promesse e tante segrete attrazioni. Sarebbe stato il vero *secondo amore*, con la profondità e la dolcezza e la tristezza d'un secondo amore. Donna Maria Ferres pareva essere, per un uomo d'intelletto, l'Amante Ideale, l'*Amie avec des hanches*[1], secondo l'espressione di Carlo Baudelaire, la *Consolatrix* unica, quella che conforta e perdona sapendo perdonare. Certo, segnando nel libro dello Shelley i due versi dolenti, ella aveva dovuto in cuor suo ripetere altre parole; e, leggendo tutto intero il poema, aveva dovuto piangere come la Dama magnetica e pensar lungamente alla pietosa cura, alla miracolosa guarigione. «*I can* never *be thine!*» Perché *mai*? Con troppa angoscia di passione, quel giorno, nel bosco di Vicomìle, ella aveva risposto: — Vi amo, vi amo, vi amo!

Egli ancóra udiva la voce di lei, l'indimenticabile voce. Ed Elena Muti gli entrò ne' pensieri, si avvicinò all'altra, si confuse con l'altra, evocata da quella voce; e a poco a poco gli volse i pensieri ad imagini di voluttà. Il letto dov'egli riposava e tutte le cose intorno, testimoni e complici delle ebrezze antiche, a poco a poco gli andavano suggerendo imagini di voluttà. Curiosamente, nella sua imaginazione egli cominciò a svestire la senese, ad involgerla del suo desiderio, a darle attitudini di abbandono, a vedersela tra le braccia, a goderla. Il possesso materiale di quella donna così casta e così pura gli parve il più alto, il più nuovo, il più raro godimento a cui potesse egli giungere; e quella stanza gli parve il luogo più degno ad accogliere quel godimento, perché avrebbe reso più acuto il singolar sapore di profanazione e di sacrilegio che il segreto atto, secondo lui, doveva avere.

La stanza era religiosa, come una cappella. V'erano riunite quasi tutte le stoffe ecclesiastiche da lui possedute e quasi tutti gli arazzi di soggetto sacro. Il letto sorgeva sopra un rialto di tre gradini, all'ombra d'un baldacchino di velluto controtagliato, veneziano, del secolo XVI, con fondo di argento dorato e con ornamenti d'un color rosso sbiadito a rilievi d'oro riccio; il quale in antico doveva essere un paramento sacro, poiché il disegno portava inscrizioni latine e i frutti del Sacrifizio: l'uva e le spiche. Un piccolo arazzo fiammingo, finissimo, intessuto

[1] «L'amico con le anche» (*N.d.C.*).

d'oro di Cipro, raffigurante un'Annunciazione, copriva la testa
del letto. Altri arazzi, con le armi gentilizie di casa Sperelli
nell'ornato, coprivano le pareti, limitati alla parte superiore e
alla parte inferiore da strisce in guisa di fregi su cui erano ri-
camate istorie della vita di Maria Vergine e gesta di martiri,
d'apostoli, di profeti. Un paliotto, raffigurante la Parabola delle
vergini sagge e delle vergini folli, e due pezzi di pluviale com-
ponevano la tappezzeria del caminetto. Alcuni preziosi mobili
di sacrestia, in legno scolpito, del secolo xv, compivano il pio
addobbo, insieme con alcune maioliche di Luca della Robbia e
con seggioloni ricoperti nella spalliera e nel piano da pezzi di
dalmatiche raffiguranti i fatti della Creazione. Da per tutto poi,
con un gusto pieno d'ingegnosità, erano adoperate a uso di or-
namento e di comodo altre stoffe liturgiche: borse da calice,
borse battesimali, copricàlici, pianete, manipoli, stole, stoloni,
conopei. Su la tavola del caminetto, come su la tavola di un altare, splendeva un gran trittico di Hans Memling, una *Adorazione dei Magi*, mettendo nella stanza la radiosità d'un capolavoro.

In certe iscrizioni tessute ricorreva il nome di Maria tra le
parole della Salutazione Angelica; e in più parti la gran sigla
M era ripetuta; in una, era anzi a ricamo di perle e di granati.
— Entrando in questo luogo — pensava il delicato addobba-
tore — non crederà ella d'entrare nella sua Gloria? — E si
compiacque a lungo nell'imaginar la istoria profana in mezzo
alle istorie sacre; e ancóra una volta il senso estetico e la raffinatezza della sensualità soverchiarono e falsarono in lui il sentimento schietto ed umano dell'amore.

Stephen batté all'uscio, dicendo:

— Mi permetto di avvertire il signor conte che son già le
tre.

Andrea si levò; e passò nella camera ottagonale, per abbi-
gliarsi. Il sole entrava a traverso le tendine di merletto, facendo
scintillare all'ingiro le mattonelle arabo-ispane, gli innumerevoli oggetti d'argento e di cristallo, i bassi rilievi del sarcofago
antico. Quei luccicori varii mettevano nell'aria una mobile gaiezza. Egli si sentiva allegro, perfettamente guarito, pieno di
vitalità. Il ritrovarsi nel suo *home* gli dava una letizia inesprimibile. Tutto ciò ch'era in lui più fatuo, più vano, più mondano, si risvegliava all'improvviso. Pareva che le cose circon-
stanti avessero virtù di suscitare in lui l'uomo d'un tempo. La
curiosità, l'elasticità, l'ubiquità spirituali riapparivano. Egli già
incominciava ad aver bisogno di espandersi, di rivedere amici,
di rivedere amiche, di godere. S'accorse d'aver molto appetito;
ordinò al domestico di servirgli la colazione.

Egli pranzava di rado a casa; ma, per le occasioni straordinarie, per qualche fino *luncheon* d'amore o per qualche piccola cena galante, aveva una camera ornata delle tappezzerie napolitane d'alto liccio, del secolo XVIII, che Carlo Sperelli ordinò al reale arazziere romano Pietro Duranti nel 1766, su disegni di Girolamo Storace. I sette pezzi delle pareti rappresentavano, con una certa copiosa magnificenza alla Rubens, episodii d'amore bacchici; e le portiere, le sopraporte, le soprafinestre rappresentavano frutta e fiori. Gli ori pallidi e fulvi, predominanti, e le carni perlate e i cinabri e gli azzurri cupi facevano un accordo morbido e nudrito.

— Quando tornerà il duca di Grimiti — disse egli al domestico — lo farete entrare.

Anche là il sole, declinante verso Monte Mario, mandava raggi. Si udiva lo strepito delle carrozze su la piazza della Trinità de' Monti. Pareva che, dopo la pioggia, si fosse diffusa su Roma tutta la luminosa biondezza dell'ottobre romano.

— Aprite le imposte — disse al domestico.

E lo strepito divenne più forte; entrò l'aria tepida; le tende ondeggiarono appena.

— Divina Roma! — egli pensò, guardando il cielo tra le alte tende. E una curiosità irresistibile lo trasse alla finestra.

Roma appariva d'un color d'ardesia molto chiaro, con linee un po' indecise, come in una pittura dilavata, sotto un cielo di Claudio Lorenese, umido e fresco, sparso di nuvole diafane in gruppi nobilissimi, che davano ai liberi intervalli una finezza indescrivibile, come i fiori dànno al verde una grazia nuova. Nelle lontananze, nelle alture estreme l'ardesia andavasi cangiando in ametista. Lunghe e sottili zone di vapori attraversavano i cipressi del Monte Mario, come capigliature fluenti in un pettine di bronzo. Prossimi, i pini del Monte Pincio alzavano gli ombrelli dorati. Su la piazza l'obelisco di Pio VI pareva uno stelo d'àgata. Tutte le cose prendevano un'apparenza più ricca, a quella ricca luce autunnale.

— Divina Roma!

Egli non sapeva saziarsi dello spettacolo. Guardò passare una torma di chierici rossi, di sotto alla chiesa; poi, la carrozza d'un prelato, nera, con due cavalli neri dalle code prolisse; poi, altre carrozze, scoperte, che portavano signore e bimbi. Riconobbe la principessa di Ferentino con Barbarella Viti; poi, la contessa di Lùcoli che guidava due *poneys* seguita dal suo cane danese. Un soffio dell'antica vita gli passò su lo spirito e lo turbò e gli diede un'agitazione di desiderii indeterminati.

Si ritrasse e si rimise a tavola. D'innanzi a lui il sole accendeva i cristalli e accendeva su la parete una saltazione di satiri intorno a un Sileno.

Il domestico annunziò:

— Il signor duca con due altri signori.

Ed entrarono il duca di Grimiti, Ludovico Barbarisi e Giulio Musèllaro, mentre Andrea si levava per farsi loro incontro. Tutt'e tre, l'un dopo l'altro, lo abbracciarono.

— Giulio! — esclamò lo Sperelli, rivedendo l'amico dopo due anni e più. — Da quanto sei a Roma?

— Da una settimana. Volevo scriverti da Schifanoja, ma poi ho preferito aspettare che tu tornassi. Come stai? Ti trovo un po' dimagrato, ma bene. Soltanto qui a Roma ho saputo del tuo caso; altrimenti mi sarei partito dall'India per venirti ad assistere. Ai primi di maggio, mi trovavo in Padmavati, nel Bahar. Quante cose t'ho da raccontare!

— E quante, anch'io!

Si strinsero di nuovo le mani, cordialmente. Andrea pareva lietissimo. Questo Musèllaro gli era caro sopra tutti gli altri amici, per la sua nobile intelligenza, per il suo spirito acuto, per la finezza della sua cultura.

— Ruggero, Ludovico, sedete. Giulio, siedi qui.

Egli offerse le sigarette, il tè, i liquori. La conversazione si fece vivissima. Ruggero Grimiti e il Barbarisi davano le notizie di Roma, facevano la piccola cronaca. Il fumo saliva nell'aria tingendosi ai raggi quasi orizzontali del sole; le tappezzerie s'armonizzavano in un color caldo e pastoso; l'aroma del tè si mesceva all'odor del tabacco.

— T'ho portato un sacco di tè — disse il Musèllaro allo Sperelli — assai migliore di quello che beveva il tuo famoso Kien-Lung.

— Ah, ti ricordi, a Londra, quando componevamo il tè, secondo la teoria poetica del grande Imperatore?

— Sai — disse il Grimiti. — È a Roma Clara Green, la bionda. La vidi domenica per Villa Borghese. Mi riconobbe, mi salutò, e fece fermare la carrozza. Abita, per ora, all'Albergo d'Europa, in piazza di Spagna. È ancóra bella. Ti ricordi che passione ebbe per te e come ti perseguitò, quando tu eri innamorato della Landbrooke? Sùbito, mi chiese le tue notizie prima delle mie...

— La rivedrò volentieri. Ma si veste ancóra di verde e si mette sul cappello i girasoli?

— No, no. Ha abbandonato l'estetismo per sempre, a quanto pare. S'è gettata alle piume. Domenica, portava un gran cappello alla Montpensier con una piuma favolosa.

— Quest'anno — disse il Barbarisi — abbiamo una straordinaria abbondanza di *demi-mondaines*. Ce ne sono tre o quattro a bastanza piacevoli. Giulia Arici ha un bellissimo corpo e le estremità discretamente signorili. È tornata anche la Silva, che ier l'altro il nostro amico Musèllaro conquistò con una pelle di pantera. È tornata Maria Fortuna, ma in rotta con Carlo de Souza che pel momento vien sostituito da Ruggero...

— La stagione è già dunque in fiore?

— Quest'anno, è precoce come non mai, per le peccatrici e per le impeccabili.

— Quali delle impeccabili sono già a Roma?

— Quasi tutte: la Moceto, la Viti, le due Daddi, la Micigliano, la Miano, la Massa d'Albe, la Lùcoli...

— La Lùcoli, l'ho veduta dianzi, dalla finestra. Guidava. Ho veduta anche tua cugina con la Viti.

— Mia cugina è qui fino a domani. Domani tornerà a Frascati. Mercoledì darà una festa in villa, una specie di *garden-party*, alla maniera della principessa di Sagan. Non è prescritto il costume rigoroso, ma tutte le dame porteranno cappelli *Louis xv* o Directoire. Andremo.

— Tu per ora non ti moverai da Roma; è vero? — chiese il Grimiti allo Sperelli.

— Rimarrò sino ai primissimi di novembre. Poi andrò in Francia per quindici giorni a rifornirmi di cavalli. E tornerò qui, verso la fin del mese.

— A proposito, Leonetto Lanza vende *Campomorto* — disse Ludovico. — Tu lo conosci: è un magnifico animale, e gran saltatore. Ti converrebbe.

— Per quanto?

— Per quindicimila, credo.

— Vedremo.

— Leonetto è prossimo alle nozze. Si è fidanzato, in questa estate, a Aix-les-Bains, con la Ginosa.

— Mi dimenticavo di dirti — fece il Musèllaro — che Galeazzo Secìnaro ti saluta. Siamo tornati insieme. Se ti raccontassi le gesta di Galeazzo, durante il viaggio! Ora è a Palermo, ma verrà a Roma in gennaio.

— Ti saluta anche Gino Bommìnaco — aggiunse il Barbarisi.

— Ah, ah! — esclamò il duca, ridendo. — Andrea, bisogna che tu ti faccia raccontare da Gino la sua avventura con Donna Giulia Moceto... Tu sei al caso, io credo, di darci qualche spiegazione in proposito.

Anche Ludovico si mise a ridere.

— So — disse Giulio Musèllaro — che qui a Roma hai fatto stragi meravigliose. *Gratulor tibi!*[2]

— Ditemi, ditemi l'avventura — sollecitava Andrea, curiosamente.

— Bisogna sentirla da Gino, per ridere. Tu conosci la mi-

---

[2] «Mi congratulo con te!» (*N.d.C.*).

mica di Gino. Bisogna vedere la faccia ch'egli fa, quando arriva al punto culminante. È un capolavoro!

— La sentirò anche da lui, — insisteva Andrea, punto dalla curiosità — ma accennami qualche cosa; ti prego.

— Ecco, in due parole — consentì Ruggero Grimiti, posando sul tavolo la tazza, e accingendosi a raccontar la storiella, senza scrupoli e senza reticenze, con quella stupenda facilità con cui i giovini gentiluomini publicano i peccati delle loro e delle altrui dame. — Nella primavera scorsa (non so se tu l'abbia notato) Gino faceva a Donna Giulia una corte ardentissima, assai visibile. Alle Capannelle, la corte si mutò in *flirtation* assai vivace. Donna Giulia era sul punto di capitolare; e Gino, al solito, era tutto in fiamme. L'occasione si presentò. Giovanni Moceto partì per Firenze, a portare i suoi cavalli slombati sul *turf* delle Cascine. Una sera, una sera dei soliti mercoledì, anzi dell'ultimo mercoledì, Gino pensò che il gran momento era giunto; e aspettò che tutti a uno a uno se ne andassero e che il salone rimanesse vuoto e ch'egli finalmente rimanesse solo, con lei...

— Qui — interruppe il Barbarisi — ci vorrebbe ora Bommìnaco. È inimitabile. Bisogna sentirgli fare, in napoletano, la descrizione dell'*ambiente*, e l'analisi del suo stato, e poi la riproduzione del momento *psicologico* e del *fisiologico*, com'egli dice, alla sua maniera. È d'una comicità irresistibile.

— Dunque — seguitò Ruggero — dopo il preludio, che sentirai da lui, nel languore e nell'eccitazione erotica d'una *fin de soirée*[3], egli s'inginocchiò d'innanzi a Donna Giulia che stava seduta su una poltrona molto bassa, su una poltrona «imbottita di complicità». Donna Giulia già naufragava nella dolcezza, difendendosi debolmente; e le mani di Gino divenivano sempre più temerarie, mentre ella già esalava il sospiro della dedizione... Ahimè, dall'estrema temerità le mani si ritrassero con un moto istintivo come se avessero toccato la pelle d'una serpe, una cosa repugnante...

Andrea ruppe in uno scoppio di risa così schietto che l'ilarità si propagò a tutti gli amici. Egli aveva compreso, perché sapeva. Ma Giulio Musèllaro disse, con gran premura, al Grimiti: — Spiegami! Spiegami!

— Spiega tu — disse il Grimiti allo Sperelli.

— Ecco, — spiegò Andrea, ancóra ridendo — conosci tu la più bella poesia di Teofilo Gautier, il *Musée secret*?

— *O douce barbe féminine!*[4] — recitò il Musèllaro, ricordandosi. — Ebbene?

---

[3] «Fine serata» (*N.d.C.*).
[4] «O dolce barba femminile!» (*N.d.C.*).

— Ebbene, Giulia Moceto è una finissima bionda; ma se tu avessi la fortuna, che ti auguro, di tirare *le drap de la blonde qui dort*[5], certo non troveresti, come Filippo di Borgogna, il toson d'oro. Ella è, dicono, *sans plume et sans duvet*[6] come i marmi di Paro che canta il Gautier.

— Ah, una rarissima rarità che io apprezzo molto — disse il Musèllaro.

— Una rarità che noi sappiamo apprezzare — ripeté Andrea. — Ma Gino Bommìnaco è un ingenuo, un semplice.

— Ascolta, ascolta il resto — fece il Barbarisi.

— Ah se ci fosse qui l'eroe! — esclamò il duca di Grimiti. — La storiella in un'altra bocca perde tutto il sapore. Figùrati dunque che la sorpresa fu tanta e tanta la confusione, da spegnere ogni fuoco. Gino dovette ritirarsi prudentemente, per l'impossibilità assoluta d'andar più oltre. Te l'imagini? T'imagini tu la terribile mortificazione d'un uomo che, essendo giunto ad ottener tutto, non può prender nulla? Donna Giulia era verde; Gino fingeva di tender l'orecchio ai rumori, per temporeggiare, sperando... Ah, il racconto della ritirata è una meraviglia. Altro che Anabasi! Sentirai.

— E Donna Giulia è poi divenuta l'amante di Gino? — domandò Andrea.

— Mai! Il povero Gino non mangerà mai di quel frutto; e credo che ne morrà di rammarico, di desiderio, di curiosità. Si sfoga a riderne, con gli amici; ma tu osservalo bene, quando racconta. Sotto la buffoneria c'è la passione.

— Bel soggetto per una novella — disse Andrea al Musèllaro. — Non ti pare? Una novella intitolata *L'Ossesso*... Si potrebbe fare una cosa assai fine e intensa. L'uomo, continuamente occupato, incalzato, angustiato dalla visione fantastica di quella rara forma ch'egli ha toccata e quindi imaginata ma non goduta né con gli occhi vista, si consuma di passione a poco a poco e diventa folle. Egli non può togliersi dalle dita l'impressione di quel contatto; ma il primo ribrezzo istintivo gli si muta in un ardore inestinguibile... Si potrebbe insomma, sul fondo reale, lavorar d'arte: ottener qualche cosa come un racconto di un Hoffmann erotico, scritto con la precisione plastica d'un Flaubert.

— Pròvati.

— Chi sa! Del resto, io compiango il povero Gino. La Moceto ha, dicono, il più bel ventre della Cristianità...

— Mi piace quel «dicono» — interruppe Ruggero Grimiti.

[5] «Il velo della bionda che dorme» (*N.d.C.*).
[6] «Senza piume e senza penne» (*N.d.C.*).

— ... il ventre d'una Pandora infeconda, una coppa d'avorio, uno scudo raggiante, *speculum voluptatis*[7]; e il più perfetto ombelico che si conosca, un piccolo ombelico circonflesso, come nelle terre cotte di Clodion, un puro suggello di grazia, un occhio cieco ma più splendido di un astro, *voluptatis ocellus*[8], da celebrarsi in un epigramma degno dell'Antologia greca.

Andrea si eccitava, in quei discorsi. Secondato dagli amici, entrò in un dialogo delle bellezze delle donne assai men castigato di quello del Firenzuola. Si risvegliavano in lui, dopo la lunga astinenza, le sensualità antiche; ed egli parlava con un calore intimo e profondo, da gran conoscitor del *nudo*, compiacendosi delle parole più colorite, sottilizzando come un artista e come un libertino. E, in verità, il dialogo di quei quattro giovani signori tra quelle dilettose tappezzerie bacchiche, se fosse stato raccolto, avrebbe potuto ben essere il *Breviarium arcanum* della corruzione elegante in questa fine del XIX secolo.

Il giorno moriva; ma l'aria era ancóra pregna di luce, ritenendo la luce come una spugna ritiene l'acqua. Si vedeva, per la finestra, all'orizzonte una striscia aranciata su cui i cipressi del Monte Mario si disegnavan netti come i denti d'un gran rastrello d'ebano. Si udivano di tratto in tratto i gridi delle cornacchie trasvolanti in gruppi a riunirsi su i tetti della Villa Medici per discender poi nella Villa Borghese, nella piccola valle del sonno.

— Che fai tu stasera? — chiese ad Andrea il Barbarisi.

— Veramente, non so.

— Vieni allora con noi. Per le otto abbiamo un pranzo dai Doney, al Teatro Nazionale. Inauguriamo il nuovo *Restaurant*, anzi i *cabinets particuliers* del nuovo *Restaurant*, dove almeno non dovremo rassegnarci, dopo le ostriche, allo scoprimento afrodisiaco della *Giuditta* e della *Bagnante*, come al Caffè di Roma. Pepe academico su ostriche finte...

— Vieni con noi, vieni con noi — sollecitò Giulio Musèllaro.

— Siamo noi tre — aggiunse il duca — con Giulia Arici, con la Silva e con Maria Fortuna. Ah, una bellissima idea! Vieni con Clara Green.

— Bellissima idea! — ripeté Ludovico.

— E dove trovo io Clara Green?

— All'Albergo d'Europa, qui accanto, in piazza di Spagna. Un tuo biglietto la renderà felice. Sii certo che lascerà qualunque impegno.

---

[7] «Specchio di piacere» (*N.d.C.*).
[8] «Uccello di piacere» (*N.d.C.*).

Ad Andrea piacque la proposta.

— Sarà meglio — disse — ch'io vada a farle una visita. È probabile ch'ella sia rientrata. Non ti pare, Ruggero?

— Vèstiti, e usciamo sùbito.

Uscirono. Clara Green era rientrata da poco all'albergo. Accolse Andrea con una gioia infantile. Ella, certo, avrebbe preferito di pranzar sola con lui; ma accettò l'invito senza esitare; scrisse un biglietto per liberarsi da un impegno anteriore; mandò a un'amica la chiave d'un palco. Ella pareva felice. Si mise a raccontargli una quantità di sue storie sentimentali; gli fece una quantità di domande sentimentali; gli giurò ch'ella non aveva mai potuto dimenticarlo. Parlava, tenendo le mani di lui nelle sue.

— *I love you more than any words can say, Andrew...*[9]

Ella era ancor giovine. Con quel suo profilo puro e diritto, coronato dai capelli biondi, divisi su la fronte in un'acconciatura bassa, pareva una bellezza greca in un *keepsake*. Aveva una certa incipriatura estetica, lasciatale dall'amor del poeta pittore Adolphus Jeckyll; il quale seguiva in poesia John Keats e in pittura l'Holman Hunt, componendo oscuri sonetti e dipingendo soggetti presi alla *Vita nuova*. Ella aveva «posato» per una *Sibylla palmifera* e per una *Madonna del Giglio*. Aveva anche «posato», una volta, innanzi ad Andrea, per uno studio di testa da servire all'acquaforte dell'*Isabetta* nella novella del Boccaccio. Era dunque nobilitata dall'arte. Ma, in fondo, non possedeva alcuna qualità spirituale; anzi, a lungo andare, la rendeva un po' stucchevole quel certo sentimentalismo esaltato che non di rado s'incontra nelle donne di piacere inglesi e che fa uno strano contrasto con le depravazioni della loro lascivia.

— *Who would have thought we should stand again together, Andrew!*[10]

Dopo un'ora, Andrea la lasciò e risalì al palazzo Zuccari, per la scaletta che dalla piazza Mignanelli porta alla Trinità. Giungeva alla scaletta solitaria il rumore della città nella sera mite di ottobre. Le stelle riscintillavano in un cielo umido e terso. Di sotto alla casa dei Casteldelfino, a traverso un piccolo cancello, le piante in un chiarore misterioso agitavano ombre vaghe, senza un fruscìo, come piante marine fluttuanti in fondo a un aquario. Dalla casa, da una finestra con le tendine rosse illuminate, veniva il suono d'un pianoforte. Le campane della chiesa rintoccarono. Egli si sentì d'improvviso pesare il cuore. Un ricordo di Donna Maria lo riempì, d'improvviso; e gli su-

[9] «Ti amo più di quanto possa esprimere con le parole, Andrea...» (*N.d.C.*).

[10] «Chi avrebbe potuto immaginare che saremmo stati ancora insieme, Andrea!» (*N.d.C.*).

scitò in confuso un senso di rammarico e quasi di pentimento.
— Che faceva ella in quell'ora? Pensava? Soffriva? — Con
l'imagine della senese gli si affacciò alla memoria la vecchia
città toscana: il Duomo bianco e nero, la Loggia, la Fonte. Una
grave tristezza l'occupò. Gli parve che qualche cosa dal fondo
del suo cuore si fosse involato; ed egli non sapeva bene qual
fosse, ma n'era afflitto come d'una perdita irrimediabile.

Ripensò al proposito suo della mattina. — Una sera in solitudine, nella casa dove ella forse un giorno sarebbe venuta;
una sera malinconica ma dolce, in compagnia dei ricordi e dei
sogni, in compagnia dello spirito di lei; una sera di meditazione e di raccoglimento! — In verità, il proposito non poteva
meglio esser tenuto. Egli stava per recarsi a un pranzo di amici
e di donne; e, senza dubbio, avrebbe passata la notte con Clara
Green.

Il pentimento gli fu così insoffribile, gli diede tale tortura,
ch'egli si abbigliò con insolita prontezza, saltò nel *coupé* e si
fece condurre all'albergo, prima dell'ora. Trovò Clara già
pronta. Le offerse un giro in *coupé* per le vie di Roma, durante
il tempo che mancava alle otto.

Passarono per la via del Babuino, intorno l'obelisco nella
piazza del Popolo, quindi su pel Corso e a destra per la via
della Fontanella di Borghese; ritornarono per Montecitorio al
Corso fino alla piazza di Venezia e quindi su al Teatro Nazionale. Clara cinguettava di continuo, e di tratto in tratto si chinava verso il giovine per mettergli un mezzo bacio su l'angolo
della bocca, coprendo l'atto furtivo con un ventaglio di piume
bianche d'onde esciva un profumo di *white-rose* assai fine. Ma
Andrea pareva non ascoltasse e all'atto di lei sorrideva appena.

— Che pensi? — gli chiese ella, pronunciando le parole italiane con un poco d'incertezza ch'era una grazia.

— Nulla — rispose Andrea, prendendole una mano non ancóra inguantata e guardando gli anelli.

— Chi lo sa! — sospirò ella, dando un'espressione singolare
a que' tre monosillabi che le donne straniere imparano sùbito;
ne' quali esse credono sia racchiusa tutta la malinconia dell'a-
more italiano. — Chi lo sa!

Poi soggiunse, con un accento quasi supplichevole:

— *Love me this evening, Andrew!*[11]

Andrea le baciò un orecchio, le passò un braccio intorno al
busto, le disse una quantità di cose sciocche, cambiò umore. Il
Corso era popoloso, le vetrine splendevano, i venditori di giornali strillavano, vetture publiche e signorili s'incrociavano col
coupé, dalla piazza Colonna alla piazza di Venezia si spandeva
tutta l'animazione serale della vita di Roma.

---

[11] «Amami questa sera, Andrea!» (*N.d.C.*).

Quando entrarono dai Doney, le otto erano passate di dieci
minuti. Gli altri sei commensali erano già presenti. Andrea
Sperelli salutò la compagnia e, portando per mano Clara
Green, disse:

— *Ecce* Miss Clara Green, *ancilla Domini, Sibylla palmifera, candida puella*[12].

— Ora pro nobis[13] — risposero in coro il Musèllaro, il
Barbarisi e il Grimiti. Le donne risero, ma senza capire. Clara
sorrise; e, fuor del mantello, appariva in abito bianco, semplice,
corto, con una scollatura a punta sul petto e su le spalle, con un
nastro verdemare su l'omero sinistro, con due smeraldi agli
orecchi, disinvolta sotto il triplice esame di Giulia Arici, di
Bébé Silva e di Maria Fortuna.

Il Musèllaro e il Grimiti la conoscevano. Il Barbarisi le fu
presentato. Andrea diceva:

— Mercedes Silva, nominata Bébé, *chica pero guapa*[14].

— Maria Fortuna, la bella Talismano, che è una vera Fortuna publica... per questa Roma che ha la fortuna di possederla.

Quindi, volgendosi al Barbarisi:

— Fateci voi l'onore di presentarci a quella dama, che, se
non m'inganno, è la divina Giulia Farnese.

— No: Arici — interruppe Giulia.

— Chiedo perdono, ma per crederlo ho bisogno di raccogliere tutta la mia buona fede e di consultare il Pinturicchio
nella Sala Quinta.

Egli diceva queste sciocchezze senza ridere, dilettandosi ad
empir di stupefazione o d'irritazione la dolce ignoranza di
quelle oche belle. Aveva, quando si trovava nel *demi-monde*,
una sua maniera e un suo stile particolari. Per non annoiarsi, si
metteva a compor frasi grottesche, a gittar paradossi enormi,
atroci impertinenze dissimulate con l'ambiguità delle parole,
sottigliezze incomprensibili, madrigali enigmatici, in una lingua originale, mista come un gergo, di mille sapori come
un'*olla podrida*[15] rabelesiana, carica di spezie forti e di polpe
succulente. Nessuno meglio di lui sapeva raccontare una novel-
letta grassa, un aneddoto scandaloso, una gesta da Casanova.
Nessuno, nella descrizione d'una cosa di voluttà, sapeva meglio di lui trovare la parola lubrica ma precisa e possente, la
vera parola di carne e d'ossa, la frase piena di midolla sostanziale, la frase che vive e respira e palpita come la cosa di cui

---

[12] «Ecco miss Clara Green, ancella del Signore, Sibilla con le palme, candida
fanciulla.» (*N.d.C.*).
[13] «Prega per noi.» (*N.d.C.*).
[14] «Piccola ma in gamba» (*N.d.C.*).
[15] «Pentola putrefatta» (*N.d.C.*).

ritrae la forma, comunicando all'uditor degno un piacere duplice, un godimento non pur dell'intelletto ma dei sensi, una
gioia simile in parte a quella che producono certe pitture dei
grandi maestri coloristi, impastate di porpora e di latte, bagnate
come nella transparenza d'un'ambra liquida, impregnate d'un
oro caldo e inestinguibilmente luminoso come un sangue immortale.

— Chi è il Pinturicchio? — domandò Giulia Arici al Barbarisi.

— Il Pinturicchio? — esclamò Andrea. — Un superficiale
riquadratore di stanze, che qualche tempo fa ebbe la fantasia di
dipingervi sopra una porta, nell'appartamento del papa. Non ci
pensate più. È morto.

— Ma come?...

— Oh, in una maniera spaventevole! La moglie era l'amante
d'un soldato di Perugia, che stava di guarnigione a Siena...
Domandatene a Ludovico. Egli sa tutto; ma non ve n'ha mai
parlato, per tema d'affliggervi. Bébé, ti avverto che il principe
di Galles a tavola comincia a fumare tra il secondo e il terzo
piatto; non prima. Tu anticipi alquanto.

La Silva aveva accesa una sigaretta; e inghiottiva le ostriche
mentre il fumo le usciva dalle narici. Ella somigliava un colle-
giale senza sesso, un piccolo ermafrodito vizioso: pallida,
magra, con gli occhi avvivati dalla febbre e dal carbone, con la
bocca troppo rossa, con i capelli corti, lanosi, un po' ricci, che
le coprivano la testa a guisa d'un caschetto d'*astrakan*. Teneva
incastrata nell'occhiaia sinistra una lente rotonda; portava un
alto solino inamidato, la cravatta bianca, il panciotto aperto,
una giacca nera di taglio maschile, una gardenia all'occhiello,
affettando le maniere d'un *dandy*, parlando con una voce
rauca. E attirava, tentava, per quella impronta di vizio, di depravazione, di mostruosità, ch'era nel suo aspetto, nelle sue attitudini, nelle sue parole. *Sal y pimienta*[16].

Maria Fortuna invece aveva il tipo un po' bovino, era una
Madame de Parabère, tendente alla pinguedine. Come la bella
amante del Reggente possedeva una carne bianca, d'una bianchezza opaca e profonda, una di quelle carni instancabili e in-
saziabili su cui Ercole avrebbe potuto compiere la sua impresa
d'amore, la sua tredicesima fatica, senza sentirsi chieder tregua.
E gli occhi le nuotavano, molli viole, in un'ombra alla Cre-
mona e la bocca sempre socchiusa mostrava in un'ombra ro-
sata un luccicor vago di madreperla, come una conchiglia socchiusa.

Giulia Arici piaceva molto allo Sperelli, per quel suo color

---

[16] «Sale e pepe.» (*N.d.C.*).

dorato, sul quale s'aprivano due lunghi occhi di velluto, d'un
morbido velluto castagno che talvolta prendeva riflessi quasi
fulvi. Il naso un po' carnoso e le labbra tumide, fresche, san-
guigne, dure, le formavano nel basso del viso un'espressione
d'aperta lascivia, resa ancor più vivace dall'irrequietudine
della lingua. I canini, essendo troppo forti, le sollevavano gli
angoli della bocca; e, come gli angoli così sollevati si facevano
aridi o le davano forse un lieve fastidio, ella ad ogni tratto con
la punta della lingua li inumidiva. E si vedeva ad ogni tratto
scorrere per la chiostra dei denti quella punta, come la foglia
bagnata d'una rosa grassa per una fila di piccole mandorle
nude.

— Julia, — disse Andrea Sperelli, guardandole la bocca —
san Bernardino ha per voi in un suo sermone un epiteto meraviglioso. E anche questo non sapete, voi!

L'Arici si mise a ridere, d'un riso ebete ma bellissimo, che
le scopriva un poco le gengive; e nell'agitazione ilare usciva
da lei un profumo più acuto come quando viene scosso un ce-
spuglio.

— Che mi date — soggiunse Andrea — che mi date in
compenso se, estraendo dal sermone del santo quella parola
voluttuosa, come da un tesoro teologale una pietra afrodisiaca,
io ve la offro?

— Non so — rispose l'Arici, sempre ridendo e tenendo tra
le dita a bastanza fini e lunghette un bicchiere con vin di Cha-
blis. — Quel che volete.

— Il sostantivo dell'adjettivo.

— Che dite?

— Ne discorreremo. La parola è: *linguatica.* Messer Ludovico, aggiugnete alle vostre litanie questa appellazione: «*Rosa
linguatica, glube nos*»[17].

— Peccato — disse il Musèllaro — che tu non sia alla
mensa di un duca del secolo XVI, tra una Violante e una Impe-
ria, con Giulio Romano, con Pietro Aretino e con Marc'Antonio!

La conversazione andavasi accendendo nei vini, nei vecchi
vini di Francia, fluidi e ardenti, che dànno ali e fiamme al
verbo. Le maioliche non eran durantine, istoriate dal cavalier
Cipriano dei Piccolpasso, né le argenterie eran quelle milanesi
di Ludovico il Moro; ma neppure erano troppo volgari. Nel
mezzo della tavola un vaso di cristallo azzurro conteneva un
gran mazzo di crisantemi gialli, bianchi, violacei, su cui si posavano gli occhi malinconici di Clara Green.

— Clara, — chiese Ruggero Grimiti — siete triste? A che
pensate?

---

[17] Lett.: «Rosa voluttuosa, scorticaci». (*N.d.C.*).

— À *ma chimère!*[18] — rispose l'antica amante di Adolphus Jeckyll, sorridendo; e chiuse il sospiro nel cerchio d'un bicchiere colmo di Sciampagna.

Quel vino chiaro e brillante, che ha su le donne una virtù così pronta e così strana, già incominciava ad eccitare variamente i cervelli e le matrici di quelle quattro etàire ineguali, a risvegliare e a stimolare in loro il piccolo dèmone isterico e a farlo correre per tutti i loro nervi propagando la follia. Bébé Silva gittava motti orribili, ridendo d'un riso soffocato e convulso e quasi singhiozzante come quel d'una donna che sia per morir di solletico. Maria Fortuna schiacciava i *fondants* col gomito nudo e li offeriva per niente, premendo poi su la bocca di Ruggero il gomito dolcificato. Giulia Arici, oppressa dai madrigali dello Sperelli, si turava gli orecchi con le belle mani, abbandonandosi alla spalliera; e la sua bocca, in quell'atto, attirava i morsi come un frutto sugoso.

— Hai mangiato mai — diceva il Barbarisi allo Sperelli — certe confetture di Costantinopoli, morbide come una pasta, fatte di bergamotto, di fiori d'arancio e di rose, che profumano l'alito per tutta la vita? La bocca di Giulia è una confettura orientale.

— Ti prego, Ludovico, — diceva lo Sperelli — lasciamela provare. Conquistami Clara Green e cedimi Giulia per una settimana. Clara anche ha un sapore originale: un giulebbe di violette di Parma tra due biscotti *PeekFrean* alla vainiglia...

— Attenti, signori! — gridò Bébé Silva, prendendo un *fondant.*

Ella aveva vista la piacevolezza di Maria Fortuna e aveva fatta la scommessa gìnnica di mangiarsi un *fondant* sul suo proprio gomito tirandoselo fin presso alle labbra. Per eseguire il giuoco, si scoprì il braccio: un braccio magro e pallido, sparso di lanugine scura; appiccicò il *fondant* all'osso acuto; e, stringendosi con la mano sinistra l'antibraccio destro e facendo forza, riuscì a vincere la scommessa, con l'abilità d'un *clown*, tra gli applausi.

— E questo è niente — disse ella ricoprendosi la nudità spettrale. — *Chica pero guapa*[19]; è vero, Musèllaro?

Ed accese la decima sigaretta.

L'odor del tabacco era così delizioso che tutti vollero fumarne. L'astuccio della Silva passò di mano in mano. Maria Fortuna lesse ad alta voce su l'argento smaltato dell'astuccio:

— «*Quia nominor Bébé*»[20].

---

[18] «Oh mio sogno!» (*N.d.C.*).
[19] Vedi nota 14, p. 185.
[20] «Perché mi chiamano Bebè.» (*N.d.C.*).

Allora tutte desiderarono d'avere un motto, un'impresa da mettere su i fazzoletti, su la carta da lettere, su le camicie. La cosa parve loro molto aristocratica, sommamente elegante.

— Chi mi trova un motto? — esclamò l'antica amante di Carlo de Souza. — Lo voglio latino.

— Io — disse Andrea Sperelli. — Eccolo: «*Semper parata*» [21].

— No.

— «*Diu saepe fortiter.*» [22]

— Che vuol dire?

— E che t'importa di saperlo? Basta che sia latino. Eccone un altro, magnifico: «*Non timeo dona ferentes*» [23].

— Mi piace poco. Non m'è nuovo...

— E allora, questo: «*Rarae nates cum gurgite vasto*» [24].

— È troppo comune. Lo leggo tante volte nelle cronache dei giornali...

Ludovico, Giulio, Ruggero ridevano in coro, sonoramente. Il fumo delle sigarette si spandeva su le teste formando leggeri nimbi azzurrognoli. A intervalli veniva dall'orchestra del Teatro un'onda di suoni, nell'aria calda; e faceva cantarellare Bébé. Clara Green sfogliava nel suo piatto i crisantemi, in silenzio, poiché il vin bianco e leggiere le si era convertito nelle vene in un languor triste. Per quelli che già la conoscevano, un tal sentimentalismo bacchico non era nuovo; e il duca di Grimiti si divertiva a provocarne l'effusione. Ella non rispondeva, seguitando a sfogliare nel piatto i crisantemi e stringendo le labbra, quasi per trattenere il pianto. Come Andrea Sperelli si curava poco di lei e si dava ad una pazza allegria di atti e di parole, meravigliando perfino i suoi compagni di piacere, ella disse con una voce supplichevole, tra il coro delle altre voci:

— *Love me to-night, Andrew!* [25]

E da allora in poi, quasi ad intervalli misurati, levando di sul piatto lo sguardo ceruleo, si mise a supplicare languidamente:

— *Love me to-night, Andrew!*

— O che lagno! — fece Maria Fortuna. — Ma che significa? Si sente male?

Bébé Silva fumava, beveva bicchierini di *vieux cognac* e diceva cose enormi, con una vivacità artifiziale. Ma aveva, a quando a quando, momenti di stanchezza, di prostrazione, stranissimi, ne' quali pareva che qualche cosa le cadesse dal volto e che nella sua figura sfrontata e oscena entrasse non so

[21] «Sempre pronta.» (*N.d.C.*).
[22] «A lungo spesso fortemente.» (*N.d.C.*).
[23] «Non temo i doni che mi portano.» (*N.d.C.*).
[24] «Rare natiche nella vastità del mare.» (*N.d.C.*).
[25] «Amami stanotte, Andrea!» (*N.d.C.*).

qual piccola figura triste, miserevole, malata, pensierosa, più
vecchia, della vecchiezza d'una bertuccia tisica che si ritragga
in fondo alla sua gabbia a tossire dopo aver fatto ridere la
gente. Erano momenti fuggevoli. Ella si riscoteva per bere un
altro sorso o per dire un'altra enormità.

E Clara Green a ripetere:

— *Love me to-night, Andrew!*

II.

Così, d'un balzo, Andrea Sperelli si rituffò nel Piacere.

Per quindici giorni lo occuparono Giulia Arici e Clara
Green. Poi partì per Parigi e per Londra, in compagnia del Musèllaro. Tornò a Roma verso la metà di dicembre; trovò la vita
invernale già molto mossa; fu sùbito ripreso nel gran cerchio
mondano.

Ma egli non s'era mai trovato in una disposizion di spirito
più inquieta, più incerta, più confusa; non aveva mai provato
dentro di sé uno scontento più molesto, un malessere più im-
portuno; né mai aveva provato contro di sé medesimo impeti
d'ira e moti di disgusto più crudeli. Talvolta, in qualche stanca
ora di solitudine, egli si sentiva salire dalle profonde viscere
l'amarezza, come una nausea improvvisa; e rimaneva là ad as-
saporarla, torpidamente, senza aver la forza di cacciarla fuori,
con una specie di rassegnazione cupa, come un malato che
abbia perduta ogni fiducia di guarire e sia disposto a vivere del
suo proprio male, a raccogliersi nella sua sofferenza, a profon-
darsi nella sua miseria mortale. Gli pareva che di nuovo l'antica lebbra gli si dilatasse per l'anima e di nuovo il cuore gli si
vuotasse per non riempirsi più mai, come un otre forato, irreparabilmente. Il senso di questa vacuità, la certezza di questa
irreparabilità gli movevano talvolta una specie di collera disperata e poi un disprezzo folle di sé medesimo, del suo volere,
delle ultime sue speranze, degli ultimi suoi sogni. Egli era
giunto a un terribile momento, incalzato dalla vita inesorabile,
dall'implacabile passione della vita; era giunto al momento supremo della salvezza o della perdizione, al momento decisivo
in cui i grandi cuori rivelano tutta la loro forza e i piccoli cuori
tutta la loro viltà. Egli si lasciò sopraffare; non ebbe il coraggio di salvarsi con un atto volontario; pur essendo in balìa del
dolore, ebbe paura d'un dolore più virile; pur essendo travagliato dal disgusto, ebbe paura di rinunziare a ciò che lo disgustava; pur avendo in sé vivo e spietato l'istinto del distacco
dalle cose che più parevano attrarlo, ebbe paura di allontanarsi
da quelle cose. Egli si lasciò abbattere; abdicò intieramente e
per sempre alla sua volontà, alla sua energia, alla sua dignità

interiore; sacrificò per sempre quel che gli rimaneva di fede e d'idealità; si gittò nella vita, come in una grande avventura senza scopo, alla ricerca del godimento, dell'occasione, dell'attimo felice, affidandosi al destino, alle vicende del caso, all'accozzo fortuito delle cagioni. Ma, mentre egli credeva con questa specie di fatalismo cinico mettere un argine alla sofferenza e conquistare se non la calma almeno l'ottusità, in lui di continuo la sensibilità al dolore diveniva più acuta, le facoltà di soffrire si moltiplicavano, i bisogni e i disgusti aumentavano senza fine. Egli esperimentava ora la profonda verità delle parole che aveva dette un giorno a Maria Ferres, in un momento di confidenza e di malinconia sentimentali: — Altri sono più infelici; ma io non so se ci sia stato al mondo uomo *men felice* di me. — Egli esperimentava ora la verità di quelle parole dette in un momento assai dolce, quando gli illuminava l'anima l'illusione di una seconda giovinezza, il presentimento d'una nuova vita.

Eppure, quel giorno, parlando a quella creatura, egli era stato sincero come non mai; egli aveva espresso il suo pensiero con ingenuità e candore, come non mai. Perché, in un soffio, tutto s'era dileguato, tutto era svanito? Perché non aveva saputo egli nutrire quella fiamma nel suo cuore? Perché non aveva saputo custodire quella memoria e tenere quella fede? La sua legge era dunque la mutabilità; il suo spirito aveva l'inconsistenza d'un fluido; tutto in lui si trasformava e si difformava, senza tregua; la forza morale gli mancava intieramente; il suo essere morale si componeva di contraddizioni; l'unità, la semplicità, la spontaneità gli sfuggivano; a traverso il tumulto, la voce del dovere non gli giungeva più; la voce del volere veniva soverchiata da quella degli istinti; la conscienza, come un astro senza luce propria, ad ogni tratto si eclissava. Tale era stato sempre; tale sarebbe stato sempre. Perché, dunque, combattere contro sé medesimo? *Cui bono?*

Ma appunto codesta lotta era una necessità della sua vita; appunto codesta irrequietudine era una condizione essenziale della sua esistenza; appunto codesta sofferenza era una condanna a cui non avrebbe egli potuto sottrarsi giammai.

Qualunque tentativo di analisi su sé medesimo si risolveva in una maggiore incertezza, in una maggiore oscurità. Essendo egli interamente sfornito di forza sintetica, la sua analisi diveniva un crudele giuoco distruttore. E da un'ora di riflessione su sé medesimo egli usciva confuso, disfatto, disperato, perduto.

Quando, la mattina del 30 dicembre, nella via dei Condotti, inaspettatamente, si rincontrò con Elena Muti, egli ebbe una commozione inesprimibile, come d'innanzi al compiersi d'un fato meraviglioso, come se il riapparir di quella donna in quel momento tristissimo della sua vita avvenisse per virtù d'una predestinazione ed ella gli fosse inviata per soccorso ultimo o per ultimo danno nel naufragio oscuro. Il primo moto dell'anima sua fu di ricongiungersi a lei, di riprenderla, di riconquistarla, di ripossederla tutta quanta, come un tempo, di rinnovare la passione antica con tutte le ebrezze e tutti gli splendori. Il primo moto fu di giubilo e di speranza. Poi, senza indugio, risorsero la diffidenza e il dubbio e la gelosia; senza indugio, l'occupò la certezza che nessun prodigio mai avrebbe potuto risuscitare sol una minima parte della felicità morta, riprodurre sol un baleno dell'ebrezza spenta, sol un'ombra dell'illusione sparita.

Ella era venuta, ella era venuta! Era rientrata nel luogo dove ogni cosa per lei custodiva un ricordo e aveva detto: — Io non sono più tua, non potrò essere tua più mai. — Aveva gridato, contro di lui: — Soffriresti tu di spartire con altri il mio corpo? — Proprio, aveva osato gridar quelle parole, contro di lui, in quel luogo, in conspetto di quelle cose!

Un dolore atroce, enorme, fatto di mille punture l'una dall'altra distinte e l'una più dell'altra acute, lo tenne per qualche tempo e l'esasperò. La passione lo riavvolse con mille fuochi, suscitandogli un inestinguibile ardore carnale per quella donna non più sua, risvegliandogli nella memoria tutte le più minute particolarità dei godimenti lontani, le imagini di tutte le carezze, di tutte le attitudini di lei nel piacere, di tutte le folli mescolanze che non saziavano né appagavano mai la loro brama di continuo rinascente. E pur sempre, in ogni sua imaginazione, persisteva quella strana difficoltà a ricongiungere l'Elena d'una volta all'Elena d'ora. Mentre i ricordi del possesso lo accendevano e lo torturavano, la certezza del possesso gli sfuggiva: l'Elena d'ora gli pareva una donna nuova, non mai goduta, non mai stretta. Il desiderio gli diede tali spasimi ch'egli credé morirne. L'impurità l'infettò come un tossico.

L'impurità, che *allora* la fiamma alata dell'anima velava d'un velo sacro e circondava d'un mistero quasi divino, appariva ora senza il velo, senza il mistero della fiamma, come una lascivia interamente carnale, come una libidine bassa. Ed egli sentiva che quel suo ardore non era l'Amore e che non aveva più nulla di comune con l'Amore. Non era l'Amore. Ella gli aveva gridato: — Soffriresti tu di spartire con altri il mio corpo? — Ebbene, sì, egli l'avrebbe sofferto!

Egli l'avrebbe presa, senza ripugnanza, così come veniva, contaminata dall'abbraccio di un altro; avrebbe messa la sua carezza su la carezza di un altro; avrebbe premuto il suo bacio sul bacio di un altro.

Nulla più, nulla più, dunque, in lui rimaneva intatto. Anche il ricordo della grande passione si corrompeva miseramente, si bruttava, s'avviliva, in lui. L'ultimo barlume di speranza era estinto. Infine, egli toccava il fondo, per non rialzarsi mai più.

Ma una orribile smania l'invase, di atterrare l'idolo che rimanevagli pur sempre alzato ed enigmatico d'innanzi. Con una cinica crudeltà egli si mise a scalzarlo, ad oscurarlo, a corroderlo. L'analisi distruggitrice, ch'egli già aveva esperimentata su sé medesimo, gli servì contro di Elena. A tutte le interrogazioni del dubbio, che un tempo egli aveva voluto sfuggire, ora cercò una risposta; di tutti i sospetti, che un tempo apparivano e si dileguavano senza lasciar traccia, ora studiò l'origine, ritrovò la giustificazione, ottenne la conferma. Egli credeva di trovare un sollievo in questa disgraziata opera d'abbattimento; e aumentava la sua sofferenza, irritava il suo male, allargava le sue macchie.

Quale era stata la cagion vera della partenza di Elena, nel marzo del 1885? — Molte dicerie eran corse in quel tempo e nel tempo del matrimonio di lei con Humphrey Heathfield. La verità era una sola. Egli la seppe da Giulio Musèllaro, per caso, in mezzo a chiacchiere inconcludenti, una sera, uscendo da un teatro; e non ne dubitò. Donna Elena Muti era partita per affari di finanza, per combinare «un'operazione» che doveva trarla da gravissimi imbarazzi pecuniarii causati dalla sua eccessiva prodigalità. Il matrimonio con Lord Heathfield l'aveva salvata da una rovina. Questo Heathfield, marchese di Mount Edgcumbe e conte di Bradford, possedeva ricchezze considerevoli ed era alleato con la più alta nobiltà britanna. Donna Elena aveva saputo far le sue cose con molto accorgimento; aveva saputo escir dal pericolo con un'abilità straordinaria. Certo, i suoi tre anni di vedovanza non parevano essere stati un casto intermezzo preparatorio alle seconde nozze. Non casto e neanche cauto. Ma, senza dubbio, Donna Elena era una gran donna...

— Ah, mio caro, una gran donna! — ripeté Giulio Musèllaro. — E tu lo sai bene.

Andrea tacque.

— Ma non ti consiglio di riavvicinarti — soggiunse l'amico, gittando via la sigaretta che tra una chiacchiera e l'altra gli si era spenta. — Riaccendere un amore è come riaccendere una sigaretta. Il tabacco s'invelenisce; l'amore, anche. Andiamo a prendere una tazza di tè dalla Moceto? M'ha detto che si può andare da lei dopo il teatro: non è mai tardi.

Erano sotto il palazzetto Borghese.

— Va tu — disse Andrea. — Io torno a casa, a dormire. La

caccia d'oggi m'ha un po' stancato. Salutami Donna Giulia. *Comprends et prends*[26].

Il Musèllaro salì. Andrea seguitò giù per la Fontanella di Borghese e per i Condotti, verso la Trinità. Era una notte di gennaio fredda e serena, una di quelle prodigiose notti iemali che fanno di Roma una città d'argento chiusa in una sfera di diamante. La luna piena, a mezzo del cielo, versava la triplice purezza della luce, del gelo e del silenzio.

Egli camminava, sotto la luna, come un sonnambulo, non avendo conscienza che del suo dolore. L'ultimo colpo era dato; l'idolo crollava; nulla più rimaneva su la gran rovina; tutto così finiva, per sempre. — Ella, dunque, veramente non l'aveva mai amato. Senza esitare, aveva troncato l'amore per provvedere a un dissesto. Senza esitare, aveva concluso un matrimonio utile. Ora, d'innanzi a lui, prendeva un'attitudine di martire, si avvolgeva in un velo di sposa inviolabile! — Un riso amaro gli saliva dal fondo; e poi una collera sorda gli si mosse contro la donna e l'accecò. I ricordi della passione non valsero. Tutte le cose di quel tempo gli apparvero come un solo inganno, enorme e crudele, come una sola menzogna; e quest'uomo che dell'inganno e della menzogna s'era fatto nella vita un abito, quest'uomo che aveva ingannato e mentito tante volte, si sentì, al pensiero dell'altrui frode, offendere, sdegnare, disgustare come da una colpa imperdonabile, come da una mostruosità inescusabile, ed anche inesplicabile. Egli non giungeva infatti a spiegarsi come Elena avesse potuto commettere un tal delitto; e, pur non giungendovi, non le concedeva alcuna giustificazione, non accoglieva il dubbio che una qualche altra segreta cagione l'avesse spinta alla fuga subitanea. Egli non sapeva vedere che l'azione brutale, la bassezza, la volgarità: la volgarità, sopra tutto, cruda, aperta, odiosa, non attenuata da nessuna contingenza. Insomma, si trattava di questo: una passione, che pareva sincera ed era giurata altissima, inestinguibile, veniva ad essere interrotta da un affar di denaro, da una utilità materiale, da un negozio.

«Ingrato! Ingrato! Che sai tu di quel ch'è accaduto, di quel ch'io ho sofferto? Che sai?» Le parole di Elena gli tornarono nella memoria, precise; tutte le parole di lei, dal principio alla fine del colloquio tenuto innanzi al caminetto, gli tornarono nella memoria: le parole di tenerezza, le offerte di fraternità, tutte quelle frasi sentimentali. Ed egli ripensò anche alla lacrima che le avea velato gli occhi, alle mutazioni del volto, al tremito, alla voce soffocata dell'addio quando egli le aveva posato su le ginocchia il fascio delle rose. — Perché mai aveva

---

[26] «Comprendi e prendi.» (*N.d.C.*).

ella consentito a venir nella casa? Perché aveva voluto recitar
quella parte, provocar quella scena, ordire quel nuovo dramma
o quella nuova comedia? Perché?

Era giunto alla sommità della scala, nella piazza deserta. La
bellezza della notte gli diede, d'improvviso, un'aspirazione
vaga ma affannosa verso un Bene sconosciuto; l'imagine di
Donna Maria gli attraversò lo spirito; il cuore gli palpitò forte,
come all'urto d'un desiderio; gli balenò il pensiero di tener le
mani di Donna Maria nelle sue, di piegare sul cuor di lei la
fronte e di sentirsi da lei consolare senza parole, pietosamente.
Quel bisogno di pietà, di rifugio, di compianto fu come l'ultimo tratto dell'anima che non si rassegnava a perire. Egli
chinò il capo e rientrò nella casa, senza più volgersi a guardare
la notte.

Terenzio l'aspettava, nell'anticamera, e lo seguì fin nella
stanza da letto, dove il fuoco era acceso. Domandò:

— Il signor conte va a letto sùbito?

— No, Terenzio. Portami il tè — rispose il signore, seden-
dosi innanzi al camino e tendendo le palme verso la fiamma.

Egli tremava, d'un piccolo tremito nervoso. Aveva pronunziate quelle parole con una strana dolcezza; aveva chiamato a
nome il domestico; gli aveva dato del tu.

— Ha freddo il signor conte? — domandò Terenzio, con
una premura affettuosa, incoraggiato dalla benevolenza del signore.

E si chinò su gli alari a ravvivare il fuoco, aggiungendo altre
legne. Egli era un vecchio servo di casa Sperelli; aveva servito
il padre di Andrea per molti anni; e la sua devozione pel giovine giungeva sino all'idolatria. Nessuna creatura umana gli
pareva più bella, più nobile, più sacra. Egli apparteneva, in verità, a quella ideal razza che fornisce i servi fedeli ai romanzi
d'avventura o di sentimento. Ma, a differenza de' servi roman-
zeschi, parlava di rado, non dava consigli, non d'altro s'occupava che d'obedire.

— Va bene così — disse Andrea, cercando di vincere il
tremito convulso, accostandosi al fuoco.

La presenza del vecchio, in quella cattiva ora, lo commo-
veva singolarmente. Era una commozione simile in parte alla
debolezza che, in presenza d'una persona buona, prende gli
uomini prima del suicidio. Non mai, come in quell'ora, il vecchio gli aveva suscitato il pensiero del padre, la memoria del
caro estinto, il rimpianto del grande amico perduto. Non mai,
come in quell'ora, egli aveva provato il bisogno d'un conforto
familiare, della voce e della mano paterna. Che avrebbe detto il
padre se avesse veduto il figliuolo accasciato nell'orribile miseria? Come l'avrebbe sollevato? Con quale forza?

Il suo pensiero andava al morto, con un immenso rammarico.
Ma non era in lui nemmen l'ombra del sospetto, che la causa
remota della sua miseria fosse nel primo insegnamento paterno.

Terenzio portò il tè. Quindi si mise a preparare il letto, con
lentezza, con una cura quasi feminile, emulando Jenny, non
dimenticando nulla, sembrando voler assicurare al signore, fino
al mattino, un riposo perfettissimo, un sonno imperturbabile.
Andrea lo guardava, notandone ogni atto, con una commozione
crescente, in fondo a cui era anche non so qual vago senso di
pudore. Gli faceva male la bontà di quel vecchio intorno a quel
letto per ove eran passati tanti amori immondi; gli pareva quasi
che quelle mani senili rimescolassero tutte le impurità, inconsapevolmente.

— Va a dormire, Terenzio — egli disse. — Non ho bisogno
d'altro.

Rimase solo, d'innanzi al fuoco, solo con l'anima sua, solo
con la sua tristezza. Si levò, agitato dal tormento interiore, e si
mise a percorrere la stanza. L'incalzava la visione della testa di
Elena sul guanciale scoperto del letto. Ad ogni tratto, quando
giunto d'innanzi alla finestra si rivolgeva, credeva di vederla; e
n'aveva un sussulto. I suoi nervi erano così estenuati che secondavano ogni disordine della fantasia. L'allucinazione diveniva più intensa. Egli si fermò, nascose la faccia tra le palme,
per contenere l'eccitamento. Poi tirò sul guanciale la coperta, e
andò a risedersi.

Gli sorse nello spirito un'altra imagine: Elena tra le braccia
del marito: ancóra una volta, con una esattezza implacabile.

Egli ora conosceva meglio questo marito. Proprio in quella
sera, al teatro, in un palco, egli era stato a lui presentato da
Elena e l'aveva osservato attentamente, minutamente, con a-
cuta ricerca, come per averne qualche rivelazione, come per
strappargli un segreto. Udiva ancóra la voce di lui, una voce
d'un timbro singolare, un po' stridula, che dava ad ogni principio di frase una intonazione interrogativa; e vedeva quegli
occhi chiari chiari sotto la gran fronte convessa, quegli occhi
che prendevano talvolta i riflessi morti d'un vetro o s'anima-
vano d'un bagliore indefinibile, simile un poco allo sguardo
d'un maniaco. E vedeva anche quelle mani bianchicce, molli,
sparse d'una peluria biondissima, che avevano qualche cosa
d'inverecondo in ogni loro moto, nel prendere il binocolo,
nello spiegare il fazzoletto, nel posarsi sul davanzale del palco,
nello sfogliare il libretto dell'opera, in ogni loro moto: mani
improntate di vizio, mani sàdiche, poiché tali forse dovevan
esser quelle di certi personaggi del Sade.

Egli vedeva quelle mani toccare la nudità di Elena, contaminare il corpo bellissimo, tentare una lascivia curiosa... Orrore!

Il supplizio era insostenibile. Egli si levò, di nuovo; andò alla finestra, l'aprì, rabbrividì all'aria fredda, si scosse. La Trinità de' Monti splendeva nell'azzurro, con lineamenti netti, come intagliata in un marmo appena appena roseo. Roma, sotto, aveva un luccicor cristallino, come una città scavata in un ghiacciaio.

Quella quiete gelida e precisa gli ricondusse lo spirito alla realtà, gli ridiede la conscienza vera del suo stato. Egli richiuse, e tornò a sedersi. L'enigma di Elena lo attrasse ancóra; le interrogazioni gli risorsero in tumulto, lo incalzarono. Ma ebbe la forza di ordinarle, di coordinarle, di esaminarle a una a una, con una strana lucidità. Come più procedeva nell'analisi, più acquistava di lucidità; e di quella sua crudele psicologia godeva come d'una vendetta. Infine, gli pareva d'aver denudata un'anima, d'aver penetrato un mistero. Gli pareva, infine, di possedere Elena assai più a dentro che non al tempo dell'ebrezza.

Chi era ella mai?

Era uno spirito senza equilibrio in un corpo voluttuario. A similitudine di tutte le creature avide di piacere, ella aveva per fondamento del suo essere morale uno smisurato egoismo. La sua facoltà precipua, il suo *asse* intellettuale, per dir così, era l'imaginazione: una imaginazione romantica, nudrita di letture diverse, direttamente dipendente dalla matrice, continuamente stimolata dall'isterismo. Possedendo una certa intelligenza, essendo stata educata nel lusso d'una casa romana principesca, in quel lusso papale fatto di arte e di storia, ella erasi velata d'una vaga incipriatura estetica, aveva acquistato un gusto elegante; ed avendo anche compreso il carattere della sua bellezza, ella cercava, con finissime simulazioni e con una mimica sapiente, di accrescerne la spiritualità, irraggiando una capziosa luce d'ideale.

Ella portava quindi, nella comedia umana, elementi pericolosissimi; ed era occasion di ruina e di disordine più che s'ella facesse publica professione d'impudicizia.

Sotto l'ardore della imaginazione, ogni suo capriccio prendeva un'apparenza patetica. Ella era la donna delle passioni fulminee, degli incendii improvvisi. Ella copriva di fiamme eteree i bisogni erotici della sua carne e sapeva transformare in alto sentimento un basso appetito...

Così, in questo modo, con questa ferocia, Andrea giudicava la donna un tempo adorata. Procedeva, nel suo esame spietato, senza arrestarsi d'innanzi ad alcun ricordo più vivo. In fondo ad ogni atto, a ogni manifestazione dell'amor d'Elena trovava

l'artifizio, lo studio, l'abilità, la mirabile disinvoltura nell'eseguire un tema di fantasia, nel recitare una parte dramatica, nel
combinare una scena straordinaria. Egli non lasciò intatto alcuno de' più memorabili episodii: né il primo incontro al
pranzo di casa Ateleta, né la vendita del cardinale Immenraet,
né il ballo dell'Ambasciata di Francia, né la dedizione improvvisa nella stanza rossa del palazzo Barberini, né il congedo su
la via Nomentana nel tramonto di marzo. Quel magico vino
che prima lo aveva inebriato ora gli pareva una mistura perfida.

Ben però, in qualche punto, egli rimaneva perplesso, come
se, penetrando nell'anima della donna, egli penetrasse nell'a-
nima sua propria e ritrovasse la sua propria falsità nella falsità
di lei; tanta era l'affinità delle due nature. E a poco a poco il
disprezzo gli si mutò in una indulgenza ironica, poiché egli
comprendeva. Comprendeva tutto ciò che ritrovava in sé medesimo.

Allora, con fredda chiarezza, definì il suo intendimento.

Tutte le particolarità del colloquio avvenuto nel giorno di
San Silvestro, più d'una settimana innanzi, tutte gli tornarono
alla memoria; ed egli si piacque a riconstruir la scena, con una
specie di cinico sorriso interiore, senza più sdegno, senza con-
citazione alcuna, sorridendo di Elena, sorridendo di sé medesimo. — Perché ella era venuta? Era venuta perché quel convegno inaspettato, con un antico amante, in un luogo noto,
dopo due anni, le era parso strano, aveva tentato il suo spirito
avido di commozioni rare, aveva tentata la sua fantasia e la sua
curiosità. Ella voleva ora vedere a quali nuove situazioni e a
quali nuove combinazioni di fatti l'avrebbe condotta questo
giuoco singolare. L'attirava forse la novità di un amor platonico con la persona medesima ch'era già stata oggetto d'una
passion sensuale. Come sempre, ella erasi messa con un certo
ardore all'imaginazione d'un tal sentimento; e poteva anche
darsi ch'ella credesse d'esser sincera e che da questa imaginata
sincerità avesse tratto gli accenti di profonda tenerezza e le attitudini dolenti e le lacrime. Accadeva in lei un fenomeno a lui
ben noto. Ella giungeva a creder verace e grave un moto del-
l'anima fittizio e fuggevole; ella aveva, per dir così, l'allucinazione sentimentale come altri ha l'allucinazione fisica. Perdeva
la conscienza della sua menzogna; e non sapeva più se si tro-
vasse nel vero o nel falso, nella finzione o nella sincerità.

Ora, a questo punto era lo stesso fenomeno morale che ripe-
tevasi in lui di continuo. Egli dunque non poteva con giustizia
accusarla. Ma, naturalmente, la scoperta toglieva a lui ogni
speranza d'altro piacere che non fosse carnale. Omai la diffidenza gli impediva qualunque dolcezza d'abbandono, qualun-

que ebrezza dello spirito. Ingannare una donna sicura e fedele, riscaldarsi a una grande fiamma suscitata con un baglior fallace, dominare un'anima con l'artifizio, possederla tutta e farla vibrare come uno stromento, *habere non haberi*[27], può essere un alto diletto. Ma ingannare sapendo d'essere ingannato è una sciocca e sterile fatica, è un giuoco noioso e inutile.

Egli doveva dunque ottener che Elena rinunziasse all'idea di fraternizzare e gli tornasse fra le braccia come un tempo. Egli doveva riprendere il possesso materiale della bellissima donna, trarre dalla bellezza di lei il maggior possibile godimento, e quindi esserne per sempre liberato dalla sazietà. Ma in questa impresa conveniva usar prudenza e pazienza. Già nel primo colloquio l'ardor violento aveva fatto cattiva prova. Appariva manifesto ch'ella fondava il suo progetto di impeccabilità su la famosa frase: «Soffriresti tu di spartire con altri il mio corpo?». La grande macchina platonica era mossa da questo santo orrore delle mescolanze. Poteva anche darsi che, in fondo in fondo, questo orrore fosse sincero. Quasi tutte le donne d'amorosa vita, se giungono a concluder nozze, affettano ne' primi tempi del matrimonio una feroce purità e si pongono a far professione di mogli caste con leale proposito. Poteva quindi anche darsi che Elena fosse presa dal comune scrupolo. Nulla di peggio, allora, che assalirla di fronte e apertamente urtare la sua novella virtù. Invece, conveniva secondarla nelle aspirazioni spirituali, accettarla come «la sorella più cara, l'amica più dolce», inebriarla d'ideale, platonizzando con accortezza; e a poco a poco trarla dalla candida fraternità a un'amicizia voluttuosa, e da un'amicizia voluttuosa alla total resa del corpo. Probabilmente queste transizioni sarebbero state rapidissime. Tutto dipendeva dalla circostanza...

Così ragionava Andrea Sperelli, d'innanzi al camino che aveva illuminata l'amante Elena ignuda, avvolta nel drappo dello Zodiaco, ridente tra le rose sparse. E l'occupava una stanchezza immensa, una stanchezza che non chiedeva il sonno, una stanchezza così vacua e sconsolata che quasi pareva un bisogno di morire; mentre il fuoco spegnevasi in su gli alari e la bevanda freddavasi nella tazza.

Ne' giorni che seguirono, egli invano aspettò il biglietto promesso. «Vi scriverò un biglietto per dirvi quando potrò vedervi.» Elena dunque intendeva dargli un nuovo convegno. Ma dove? Ancóra nella casa Zuccari? Avrebbe ella commessa la seconda imprudenza? L'incertezza gli dava torture indicibili. Egli passava tutte le sue ore a ricercare un qualunque mezzo per incontrarla, per vederla. Più d'una volta andò all'Albergo

[27] Vedi nota 4, p. 33.

del Quirinale, con la speranza d'esser ricevuto, ma non la trovò mai. La rivide una sera col marito, con Mumps, com'ella diceva, di nuovo al teatro. Parlando di cose leggere, della musica, dei cantanti, delle dame, egli mise nel suo sguardo una tristezza supplichevole. Ella si mostrò molto preoccupata del suo appartamento: — rientrava nel palazzo Barberini, nel suo antico quartiere ma ampliato; ed era sempre con i tappezzieri a dare ordini, a disporre.

Rimarrete a Roma lungo tempo? — le chiese Andrea.

— Sì — ella rispose. — Roma sarà la nostra residenza invernale.

Poco dopo, soggiunse:

— Voi, veramente, potreste darci qualche consiglio per l'addobbo. Venite una di queste mattine al palazzo. Io ci son sempre tra le dieci e mezzogiorno.

Egli profittò d'un momento in cui Lord Heathfield parlava con Giulio Musèllaro, giunto allora nel palco; e chiese guardandola negli occhi:

— Domani?

Ella rispose, con semplicità, come se non avesse badato all'accento di quella interrogazione:

— Tanto meglio.

La mattina dopo, egli andò, verso le undici, a piedi, lungo la via Sistina, per la piazza Barberini e su per la salita. Era un cammino ben noto. Gli parve di ritrovare le impressioni d'una volta; ebbe un'illusione momentanea: il cuore gli si sollevò. La fontana del Bernini brillava singolarmente al sole, come se i delfini, la conchiglia e il Tritone fosser divenuti d'una materia più diafana, non pietra e non ancor cristallo, per una metamorfosi interrotta. L'operosità della nuova Roma empiva di romore tutta la piazza e le vie prossime. Tra i carri e i giumenti guizzavano i piccoli ciociari offrendo le violette.

Quando egli oltrepassò il cancello ed entrò nel giardino, sentendosi prendere da un tremito, pensò: «Ma *l'amo* io dunque ancóra? Ancóra *la sogno*?». Gli pareva che il tremito fosse quel d'una volta. Guardò il gran palazzo radiante e il suo spirito volò ai tempi in cui quella dimora, in certe albe fredde e nebbiose, prendeva per lui un aspetto d'incanto. Erano i primissimi tempi della felicità: egli usciva caldo di baci, pieno della recente gioia; le campane della Trinità de' Monti, di Sant'Isidoro, de' Cappuccini sonavano l'*Angelus* nel crepuscolo, confusamente, come se fossero assai più lontane; all'angolo della via rosseggiavano i fuochi intorno le caldaie dell'asfalto; un gruppo di capre stava lungo il muro biancastro, sotto una casa addormentata; i gridi fiochi degli acquavitari si perdevano nella nebbia...

Egli sentì risalir dal profondo quelle sensazioni obliate; per un momento, si sentì passar su l'anima un'onda dell'antico amore; per un momento, provò ad imaginare che Elena fosse la Elena d'una volta e che le cose tristi non fossero vere e che la felicità seguitasse. Tutto l'ingannevole fermento cadde, appena egli varcò la soglia e vide venire incontro il marchese di Mount Edgcumbe sorridente di quel suo sorriso fine e un po' ambiguo.

Allora incominciò il supplizio.

Elena comparve, gli tese la mano con molta cordialità, innanzi al marito, dicendo:

— Bravo Andrea! Aiutateci, aiutateci...

Ella era molto vivace, nelle parole, ne' gesti. Aveva un'aria molto giovenile. Portava una giacca di panno azzurro cupo, guarnita d'*astrakan* nero su gli orli, sul collo diritto e su le maniche; e un cordoncino di lana faceva nell'*astrakan* un ricamo elegante, passandovi sopra intrecciato. Ella teneva una mano nella tasca, in atto grazioso; e con l'altra indicava le opere di tappezzeria, i mobili, i quadri. Domandava consiglio.

— Dove mettereste voi questi due cassoni? Vedete: li ha trovati Mumps a Lucca. Le pitture sono del *vostro* Botticelli. Dove mettereste questi arazzi?

Andrea riconobbe i quattro arazzi della *Storia di Narciso* ch'erano alla vendita del cardinale Immenraet. Guardò Elena, ma non incontrò gli occhi di lei. Una irritazione sorda lo prese, contro di lei, contro il marito, contro quegli oggetti. Egli avrebbe voluto andarsene; ma gli convenne mettere in servigio dei coniugi Heathfield il suo buon gusto; gli convenne anche soferire l'erudizione archeologica di Mumps, ch'era un collezionista ardente e che volle mostrargli qualcuna delle sue raccolte. Egli riconobbe in una vetrina l'elmo del Pollajuolo, e in un'altra la tazza di cristallo di ròcca appartenuta a Niccolò Niccoli. La presenza di quella tazza in quel luogo lo turbò stranamente, gli fece balenare allo spirito folli sospetti. Era dunque caduta in mano di Lord Heathfield? Dopo la famosa contesa che non ebbe esito, nessuno più si occupò del cimelio, nessuno tornò alla vendita, il giorno dopo; l'eccitazione efimera languì, si spense, passò come tutto passa nella vita mondana; e il cristallo rimase al contrasto di altri. La cosa era naturalissima; ma in quel momento ad Andrea parve straordinaria.

Ad arte, egli si fermò d'innanzi alla vetrina e guardò molto la coppa preziosa dove la storia d'Anchise e di Venere scintillava come intagliata in un puro diamante.

— Niccolò Niccoli — disse Elena, pronunziando quel nome con un accento indefinibile in cui il giovine credé sentire un poco di malinconia.

Il marito era passato nella stanza attigua per aprire un armario.

— Ricordatevi! Ricordatevi! — mormorò Andrea, volgendosi.

— Mi ricordo.

— Quando dunque vi vedrò?

— Chi sa!

— Mi prometteste...

Ricomparve il Mount Edgcumbe. Passarono nell'altra stanza,
seguitarono il giro. Ovunque i tappezzieri attendevano a sten-
dere parati, ad alzar tende, a trasportar mobili. Andrea, ogni
volta che l'amica gli chiedeva un consiglio, doveva fare uno
sforzo per rispondere, per vincere la mala voglia, per dominare
l'impazienza. In un momento che il marito parlava con uno di
quegli uomini, egli le disse, a bassa voce, mostrando chiaro il
suo fastidio:

— Perché darmi questa tortura? Io sperava di trovarvi sola.

A una porta, il cappellino di Elena urtò una portiera mal
messa e si piegò tutto da un lato. Ella, ridendo, chiamò Mumps
perché le sciogliesse il nodo del velo. E Andrea vide quelle
mani odiose sciogliere il nodo su la nuca della desiderata, sfiorare i piccoli riccioli neri, quei riccioli vivi che un tempo sotto
i baci rendevano un profumo misterioso, non paragonabile ad
alcuno de' profumi conosciuti, ma più di tutti soave, più di
tutti inebriante.

Senza indugio, egli si congedò, affermando d'essere aspettato a colazione.

— Noi verremo a star qui definitivamente il primo di febbraio, martedì — gli disse Elena. — Allora sarete, spero, un
nostro assiduo.

Andrea s'inchinò.

Avrebbe dato qualunque cosa per non toccare la mano di
Lord Heathfield. Se ne andò pieno di rancore, di gelosia, di disgusto.

La sera medesima, sul tardi, essendo capitato per caso al
Circolo, dove non saliva da molto tempo, egli vide seduto a un
tavolo di giuoco Don Manuel Ferres y Capdevila, il ministro
del Guatemala. Lo salutò con premura; gli chiese notizie di
Donna Maria, di Delfina.

— Sono ancóra a Siena? Quando verranno?

Il ministro, memore d'aver guadagnate alcune migliaia di
lire giocando col giovine conte nell'ultima notte di Schifanoja,
rispose con grande cortesia alla premura. Egli aveva conosciuto Andrea Sperelli giocatore ammirabile, d'alto stile, perfetto.

— Sono qui tutt'e due, da qualche giorno. Arrivarono lunedì.

Maria è molto dispiacente di non aver trovata la marchesa d'A-
teleta. Io credo che una vostra visita le sarà molto gradita.
Stiamo nella via Nazionale. Eccovi l'indirizzo esatto.

Gli diede un suo biglietto. Quindi si rimise al giuoco. Andrea si sentì chiamare dal duca di Beffi ch'era in un crocchio
di altri gentiluomini.

— Perché non sei venuto stamani a Centocelle? — gli domandò il duca.

— Avevo un altro appuntamento — rispose Andrea, senza
pensarci, per una scusa qualunque.

Il duca si mise a ridacchiare in coro con gli altri amici.

— Al palazzo Barberini?

— Potrebbe darsi.

— Potrebbe darsi? T'ha visto entrare Ludovico...

— E tu dov'eri? — chiese Andrea al Barbarisi.

— Da mia zia Saviano.

— Ah!

— Non so se tu abbia fatto miglior caccia, — seguitò il duca
di Beffi — ma noi abbiamo avuto un galoppo veloce di qua-
rantadue minuti e due volpi. Giovedì, alle Tre Fontane.

— Capisci? Non alle Quattro... — ammonì, con la sua solita
gravità comica, Gino Bommìnaco.

Gli amici risero, al motto; e il riso si propagò anche allo
Sperelli. Non gli dispiaceva quella malignità. Anzi, ora appunto che mancava il fondamento, egli godeva che gli amici
credessero riannodata la sua relazione con Elena. Si volse a discorrere con Giulio Musèllaro sopravvenuto. Da alcune parole
giuntegli all'orecchio, s'accorse che nel crocchio si parlava di
Lord Heathfield.

— Io lo conobbi a Londra sei o sett'anni fa — diceva il
duca di Beffi. — Era *Lord of the Bedchamber* del principe di
Galles, mi pare...

Poi la voce s'abbassò. Il duca doveva raccontare cose
enormi. All'orecchio d'Andrea giunse, tra frammenti di frasi
erotiche, due o tre volte il titolo d'un giornale famoso nella
stagione degli scandali di Londra: *Pall Mall Gazette*. Egli
avrebbe voluto ascoltare: una terribile curiosità l'invadeva. Rivide nell'imaginazione le mani di Lord Heathfield, quelle pallide mani, così espressive, così significative, così rivelatrici,
indimenticabili. Ma il Musèllaro seguitava a discorrere. Il Musèllaro gli disse:

— Usciamo. Ti racconterò...

Giù per le scale incontrarono il conte Albónico che saliva.
Era vestito a lutto per la morte di Donna Ippolita. Andrea si
fermò: gli chiese qualche notizia del fatto doloroso. Egli aveva

saputo la sventura, nel novembre, a Parigi, da Giulio Montela-
tici, cugino di Donna Ippolita.

— Ma fu un tifo?

Il vedovo biondiccio e scolorito colse l'occasione per versar
la sua pena. Egli portava in giro il suo dolore come un tempo
aveva portato la bellezza della moglie. La balbuzie immiseriva
le sue parole afflitte: e pareva che gli occhi biancastri gli si
dovessero sgonfiare, come due bolle di siero, da un momento
all'altro.

Giulio Musèllaro, vedendo che l'elegìa del vedovo andava
un po' per le lunghe, sollecitò Andrea dicendogli:

— Bada, ci faremo aspettar troppo.

Andrea si licenziò, rimettendo a un prossimo incontro il seguito della commemorazione funebre. Ed uscì con l'amico.

Le parole dell'Albónico gli avevano rinnovato quel sentimento singolare, misto d'un tormentoso desiderio e poi d'una
specie di compiacenza, che a Parigi l'aveva per alcuni giorni
occupato dopo la notizia della morte. In quei giorni l'imagine
di Donna Ippolita, quasi avvolta d'oblio, gli era apparsa, a traverso il tempo della malattia e della convalescenza, a traverso
tante altre vicende, a traverso l'amore di Donna Maria Ferres,
molto lontana ma avvolta di non so che idealità. Egli aveva da
lei ottenuto il consenso; e, pur non essendo giunto a possederla,
ne aveva tratto una delle più grandi ebrezze umane: l'ebrezza
della vittoria sopra un rivale, d'una vittoria clamorosa, in conspetto della donna desiderata. In quei giorni, il desiderio non
potuto appagare gli era risorto; e sotto l'impero dell'imaginazione, l'impossibilità di appagarlo gli aveva dato una inquietudine indicibile, qualche ora di vero supplizio. Poi, tra il desiderio e il rimpianto era nato un altro sentimento, quasi di compiacenza, direi quasi d'elevazione lirica. Gli piaceva che la sua
avventura terminasse così, per sempre. Quella donna non posseduta, pel cui acquisto egli era stato sul punto di rimanere ucciso, quella donna quasi sconosciuta gli si levava unica intatta
su le cime dello spirito, nella divina idealità della morte. *Tibi,
Hippolyta, semper!*[28]

— Dunque — raccontava Giulio Musèllaro — ella è venuta
oggi, verso le due.

Raccontava la resa di Giulia Moceto, con un certo entusiasmo, con molte particolarità intorno la rara e segreta bellezza
della Pandora infeconda.

— Hai ragione. È una coppa d'avorio, uno scudo raggiante,
speculum voluptatis[29]...

[28] Vedi nota 14, p. 87.
[29] Vedi nota 7, p. 182.

In Andrea una certa lieve puntura provata alcuni giorni a
dietro, nella notte di luna, dopo il teatro, quando l'amico era
salito solo al palazzetto Borghese, facevasi ora di nuovo sentire; mutavasi in un rincrescimento non bene definito ma in
fondo a cui si movevano forse, confuse con le memorie, la gelosia, l'invidia e quella suprema intolleranza egoistica e tirannica ch'era nella sua natura e che lo spingeva talvolta a desiderare quasi la distruzione d'una donna già preferita e goduta, affinché ella non fosse più goduta da altri. Nessuno doveva bevere al bicchiere dove aveva egli bevuto una volta. Il ricordo
del suo passaggio doveva bastare a riempire una intera vita. Le
amanti dovevano rimaner fedeli in eterno alla sua infedeltà.
Questo era il suo sogno orgoglioso. E poi gli spiaceva la publi-
cazione, la divulgazione d'un segreto di bellezza. Certo, s'egli
avesse posseduto il Discobolo di Mirone o il Doriforo di Poli-
cleto o la Venere cnidia, la sua prima cura sarebbe stata di
chiudere il capolavoro in un luogo inaccessibile e di goderne
da solo, perché il godimento altrui non diminuisse il suo proprio. E allora perché egli medesimo aveva concorso a publi-
care il segreto? Perché egli medesimo aveva stimolato la curiosità dell'amico? Perché egli medesimo gli aveva fatto un augurio? La facilità stessa con cui quella donna s'era data gli metteva ira e disgusto, e anche un poco lo umiliava.

— Ma dove andiamo? — chiese Giulio Musèllaro, ferman-
dosi nella piazza di Venezia.

In fondo ai varii moti dell'animo e ai varii pensieri Andrea
manteneva l'agitazione in lui suscitata dall'incontro con Don
Manuel Ferres, il pensiero di Donna Maria, un'imagine bale-
nante. E appunto, in mezzo a quei contrasti momentanei, una
sorta di ansietà lo traeva verso la casa di lei.

— Io torno a casa — rispose. — Passiamo per la via Nazionale. Accompagnami.

Da allora egli non ascoltò più le parole dell'amico. Il pensiero di Donna Maria lo dominò tutto. Giunto d'innanzi al Teatro ebbe un momento d'esitazione, non sapendo se scegliere il
marciapiede di destra o quel di sinistra. Egli voleva scoprire la
casa leggendo i numeri delle porte.

— Ma che hai? — gli chiese il Musèllaro.

— Nulla. T'ascolto.

Guardò un numero e calcolò che la casa doveva essere a
manca, non molto lontana, forse in vicinanza della Villa Aldobrandini. I grandi pini della villa apparvero leggeri nel cielo
stellato, poiché la notte era gelida ma serena; la Torre delle
Milizie levava la sua mole quadrata, cupa fra le stelle; le
palme, che crescono su le mura di Servio, al chiaror de' fanali
dormivano immobili.

Pochi numeri mancavano a raggiunger quello segnato sul biglietto di Don Manuel. Andrea trepidava come se Donna Maria fosse per venirgli incontro. La casa era, infatti, vicina. Egli passò rasente il portone chiuso; non poté tenersi dal guardare in su.

— Ma che guardi? — gli chiese il Musèllaro.

— Nulla. Dammi una sigaretta. Affrettiamo il passo, ché fa freddo.

Percorsero la via Nazionale fino alle Quattro Fontane, in silenzio. La preoccupazione di Andrea era manifesta. L'amico gli disse:

— Tu certo hai qualche cosa che ti tormenta.

E Andrea si sentiva il cuore così gonfio che fu sul punto di abbandonarsi alla confidenza. Ma si trattenne. Egli era ancóra sotto l'impressione delle malignità udite al Circolo, del racconto di Giulio, di tutta quella indiscreta leggerezza da lui stesso provocata, da lui stesso professata. L'assenza completa di mistero nell'avventura, la compiacenza vanitosa degli amanti nell'accogliere i motti e i sorrisi altrui, la cinica indifferenza con cui gli amanti d'un tempo lodano le qualità della donna a coloro che già sono su la via di goderle, e l'affettazione con cui quelli dànno a questi i consigli per giunger meglio allo scopo, e la premura con cui questi dànno a quelli i più minuti ragguagli su un primo convegno per sapere se la *maniera* tenuta ora dalla dama nel concedersi si riconfronti con quella tenuta altre volte, e le cessioni, e le concessioni, e le successioni, e insomma tutte le piccole e grandi viltà che accompagnano i dolci adulterii mondani, gli parvero ridur l'amore una mescolanza insipida e immonda, una volgarità ignobile, una prostituzion senza nome. Le memorie di Schifanoja gli attraversavano l'anima, come profumi cordiali. La figura di Donna Maria gli splendeva dentro con tal vivezza ch'egli n'era quasi attonito; e un'attitudine egli vedeva sopra le altre distinta, sopra le altre luminosa: l'attitudine di lei quando nel bosco di Vicomìle aveva pronunziata la parola ardente. Avrebbe egli riudita quella parola da quella bocca? Che aveva fatto ella, che aveva pensato, come aveva vissuto nel tempo della lontananza? L'agitazione interiore gli cresceva ad ogni passo. Come fantasmagorie mobili e fuggevoli gli passavano nello spirito frammenti di visioni: un lembo di paesaggio, un lembo di mare, una scala tra i rosai, l'interno d'una stanza, tutti i luoghi ov'era nato un sentimento, ov'erasi effusa una dolcezza, ov'ella aveva sparso il fascino della sua persona. Ed egli provava un tremore intimo e profondo a pensare che forse nel cuor di lei ancora viveva la passione, che forse ella aveva sofferto e pianto e forse anche sognato e sperato. Chi sa!

— Ebbene? — disse Giulio Musèllaro. — Come vanno le
cose con Lady Heathfield?

Scendevano giù per la via delle Quattro Fontane, erano
d'innanzi al palazzo Barberini. A traverso i cancelli, tra i colossi di pietra, appariva il giardino oscuro animato da un mormorio fioco di acque, dominato dall'edifizio biancheggiante
ove il solo portico aveva ancóra un lume.

— Che dici? — domandò Andrea.

— Come vanno le cose con Donna Elena?

Andrea guardò il palazzo. Gli sembrò, in quel momento, di
sentirsi nel cuore una grande indifferenza, la morte vera del
desiderio, la finale rinunzia; e trovò, per rispondere, una frase
qualunque.

— Seguo il consiglio. Non riaccendo la sigaretta...

— Eppure, vedi, questa volta forse varrebbe la pena. L'hai
guardata bene? Mi pare più bella; mi pare, non so, che abbia
qualche cosa di nuovo, inesprimibile... Forse dico male a dir
nuovo. È come divenuta più intensa, conservando tutto il suo
carattere di bellezza; è insomma, dirò così, *più Elena* dell'E-
lena di due o tre anni fa: «essenzia quinta». Sarà, forse, effetto
della seconda primavera; perché credo ch'ella debba stare lì lì
per toccar la trentina. Non ti sembra?

Andrea si sentì da queste parole pungere, di nuovo accendere. Nulla vale a ravvivare e ad esasperare il desiderio d'un
uomo quanto l'udire da altri lodar la donna da lui troppo a
lungo posseduta, o troppo a lungo vagheggiata invano. Ci sono
amori in agonia che si protraggono ancóra, per virtù dell'altrui
invidia, dell'altrui ammirazione; poiché l'amante disgustato o
stanco teme di rinunziare al suo possesso o al suo assedio in
favore della felicità di chi potrebbe succedergli.

— Non ti sembra? E poi, menelaizzare quell'Heathfield dovrebbe essere un gaudio straordinario.

— Credo anch'io — disse Andrea, sforzandosi di prendere il
tono frivolo dell'amico. — Vedremo.

III.

— Maria, lasciate a questo minuto la sua dolcezza, lasciate
ch'io esprima tutto il mio pensiero!

Ella si levò. Disse piano, senza sdegno, senza severità, con
una commozione palese nella voce:

— Perdonatemi. Io non posso ascoltarvi. Mi fate molto
male.

— Tacerò. Rimanete, Maria; vi prego.

Di nuovo, ella sedette. Era come al tempo di Schifanoja.
Nulla superava la grazia della finissima testa che pareva esser

travagliata dalla profonda massa de' capelli, come da un divino castigo. Un'ombra morbida, tenera, simile alla fusione di due tinte diafane, d'un violetto e d'un azzurro ideali, le circondava gli occhi che volgevan l'iride lionata degli angeli bruni.

— Io non voleva — soggiunse Andrea, umilmente — non voleva che ricordarvi le mie parole d'un tempo, quelle che ascoltaste una mattina nel parco, sul sedile di marmo, sotto gli àlbatri, in un'ora indimenticabile per me e quasi sacra nella memoria...

— Io le ricordo.

— Ebbene, Maria, da quel tempo la mia miseria è divenuta più trista, più oscura, più crudele. Io non saprò mai dirvi tutte le mie sofferenze, tutte le mie abiezioni; non saprò mai dirvi quante volte la mia anima vi ha chiamata, credendo di morire; non saprò mai dirvi il brivido di felicità, la sollevazione di tutto il mio essere verso la speranza, se per un momento io osava pensare che il ricordo di me forse ancóra viveva nel vostro cuore.

Egli parlava con l'accento medesimo di quella mattina lontana; pareva ripreso da quella medesima ebrezza sentimentale. Tutte le malinconie gli risalivano alle labbra. Ed ella ascoltava, a capo chino, immobile, quasi nell'attitudine di quella volta; e la sua bocca, l'espression della sua bocca, invano serrata con violenza, come quella volta, tradiva una sorta di dolorosa voluttà.

— Vi ricordate di Vicomìle? Vi ricordate del bosco, in quella sera d'ottobre, quando traversammo soli?

Donna Maria accennò lievemente col capo, come in atto d'assenso.

— E della parola che mi diceste? — soggiunse il giovine, più sommesso, ma con nella voce un'espressione intensa di passion contenuta, piegandosi verso di lei molto, come per giungere a guardarla negli occhi ch'ella teneva ancóra chini.

Ella li alzò, que' buoni pietosi dolenti occhi, su lui.

— Di tutto io mi ricordo, — rispose — di tutto, di tutto. Perché dovrei nascondervi l'anima mia? Voi siete uno spirito nobile e grande; ed io ho fede nella vostra generosità. Perché dovrei condurmi verso di voi come una donna volgare? Quella sera, non vi dissi che vi amavo? Io intendo nella vostra domanda un'altra domanda. Voi mi chiedete se ancóra io vi ami.

Ella esitò, un attimo. Le labbra le tremarono.

— Vi amo.

— Maria!

— Ma voi dovete rinunziar per sempre al mio amore, voi dovete allontanarvi da me; dovete essere nobile e grande, e generoso, risparmiandomi una lotta che mi fa paura. Io ho molto sofferto, Andrea, e saputo soffrire; ma il pensiero di dover combattere contro di voi, di dovermi difendere contro di voi, mi dà un terrore folle. Voi non sapete a costo di quali sacrifizi ero giunta ad ottenere la calma del cuore; non sapete a quali alti e carissimi ideali ho rinunziato... Poveri ideali! Sono diventata un'altra donna, perché era necessario che io diventassi un'altra; sono diventata una donna comune, perché così chiedeva il dovere.

Ella aveva nella voce una malinconia grave e soave.

— Incontrandovi, sentii d'un tratto risorgere in me i vecchi sogni, sentii rivivere l'anima antica; e ne' primi giorni mi abbandonai alla dolcezza, chiudendo gli occhi sul pericolo lontano. Pensavo: «Egli non saprà nulla dalla mia bocca; io non saprò nulla dalla sua». Ero quasi senza rimorso, senza quasi paura. Ma voi parlaste; voi mi diceste parole che io non aveva udite mai; voi mi strappaste una confessione... Il pericolo m'apparve, certo, aperto, manifesto. E ancóra m'abbandonai a un sogno. Le vostre angosce mi stringevano, mi facevano una pena profonda. Pensavo: «L'impuro l'ha macchiato; s'io bastassi a purificarlo! Sarei felice d'esser l'olocausto della sua rinnovazione». La vostra tristezza attirava la mia tristezza. Mi pareva che forse io non avrei saputo consolarvi ma che forse avreste provato un sollievo sentendo un'anima rispondere eternamente *amen* alle volontà del vostro dolore.

Ella proferì queste ultime parole con tale elevazion spirituale in tutta la figura, che Andrea fu invaso da un'onda di gaudio quasi mistico; e il suo unico desiderio, in quel momento, era di prenderle ambo le mani e d'esalare l'ineffabile ebrezza su quelle care delicate immacolate mani.

— Non è possibile! Non è possibile! — ella seguitò, scotendo la testa in atto di rammarico. — Noi dobbiamo rinunziar per sempre a qualunque speranza. La vita è implacabile. Senza volere, voi distruggereste un'intera esistenza e forse non una sola...

— Maria, Maria, non dite queste cose! — interruppe il giovine, piegandosi ancóra verso di lei, prendendole una mano, senza impeto, ma con una specie di trepidazione supplichevole come se prima di compier l'atto egli aspettasse un segno di consenso. — Io farò quel che vorrete; io sarò umile e obediente; la mia unica aspirazione è d'obedirvi; il mio unico desiderio è di morire nel vostro nome. Rinunziare a voi è rinunziare alla salvezza, ricader per sempre nella rovina, non rialzarsi mai più. Io vi amo come nessuna parola umana potrà mai esprimere. Ho bisogno di voi. Voi soltanto siete *vera*; voi siete la Verità che il mio spirito cerca. Il resto è vano; il resto è nulla. Rinunziare a voi è come entrar nella morte. Ma se il sacrifizio di me vale a conservarvi la pace, io vi debbo il sacrifizio. Non temete, Maria. Io non vi farò alcun male.

Egli teneva la mano di lei nella sua, ma senza premerla. La sua parola non aveva ardore ma era sommessa, scorata, accorante, piena d'una immensa prostrazione. E la pietà illudeva Maria così ch'ella non ritrasse la mano e s'abbandonò per qualche minuto alla pura voluttà di quel contatto leggero. Era in lei una voluttà tanto sottile che quasi pareva non aver ripercussione organica; era come se un fluido essenziale le si partisse dall'intimo cuore e pel braccio le affluisse alle dita e le si dilatasse oltre le dita con un'onda indefinitamente armoniosa. Quando Andrea tacque, certe parole proferite nel parco, nella mattina indimenticabile, le tornarono alla memoria rianimate dal suon recente della voce di lui, mosse dalla nuova commozione: «La sola presenza vostra visibile bastava a darmi l'ebrezza. Io la sentiva fluire nelle mie vene, come un sangue, e invadere il mio spirito, come un sentimento sovrumano...».

Successe un intervallo di silenzio. Si udiva di tratto in tratto il vento scuotere i vetri delle finestre. Giungeva col vento un clamore lontano, misto al rombo delle vetture. Entrava una luce fredda e limpida come un'acqua sorgiva; negli angoli si raccoglieva l'ombra, e fra le tende composte di tessuti dell'Estremo Oriente; luccicavano qua e là su i mobili le incrostazioni di giada, di avorio, di madreperla; un gran Buddha dorato appariva in fondo, sotto una *musa paradisiaca*. Quelle forme esotiche davano alla stanza un po' del loro mistero.

— Ora, che pensate? — chiese Andrea. — Non pensate alla mia fine?

Ella pareva assorta in un pensier dubitoso. Era, in vista, irresoluta come se ascoltasse due voci interiori.

— Io non so dirvi — ella rispose, passandosi la mano su la fronte con un gesto lieve — non so dirvi che strano presentimento mi opprima, da lungo tempo. Non so; ma io *temo*.

Ella soggiunse, dopo una pausa:

— Pensare che voi soffrite, che voi siete malato, povero amico, e che io non potrò alleviarvi la pena, che io vi mancherò nella vostra ora d'angoscia, che io non saprò se voi mi chiamerete... Mio Dio!

Ella aveva nella voce un tremito e una fievolezza quasi di pianto, come se le si fosse chiusa la gola. Andrea teneva il capo chino, tacendo.

— Pensare che la mia anima sempre vi seguirà, sempre, e che non potrà mai mai confondersi con la vostra, non potrà mai da voi essere compresa... Povero amore!

Ella aveva la voce piena di lacrime, la bocca atteggiata di dolore.

— Non mi abbandonate! Non mi abbandonate! — proruppe
il giovine, prendendole ambo le mani, quasi inginocchiandosi,
in preda a una grande esaltazione. — Io non vi chiederò nulla;
non voglio da voi che la pietà. La pietà che mi venisse da voi
mi sarebbe più cara della passione di qualunque altra: voi lo
sapete. Le vostre sole mani mi potranno guarire, mi potranno
ricondurre alla vita, sollevare dalla bassezza, ridonare la fede,
liberare da tutte le cattive cose che m'infettano e mi empiono
d'orrore. Care, care mani...

Egli si chinò a baciarle, vi tenne premuta la bocca. Socchiuse gli occhi, in atto di somma dolcezza, mentre diceva
piano, con un accento indefinibile:

— Vi sento tremare.

Ella si levò, tremante, smarrita, più pallida di quando, nella
mattina memorabile, camminava sotto i fiori. Il vento scoteva i
vetri; giungeva un clamore come d'una moltitudine ammuti-
nata. Quelle grida nel vento, che venivano dal Quirinale, le
aumentarono l'agitazione.

— Addio. Vi prego, Andrea; non rimanete più qui, mi ve-
drete un'altra volta, quando vorrete. Ma ora, addio. Vi prego!

— Dove vi vedrò?

— Al concerto, domani. Addio.

Ella era tutta sconvolta, come se avesse commessa una
colpa. Lo accompagnò fino alla porta della stanza. Rimasta
sola, esitò, non sapendo che fare, ancor tenuta dallo sbigottimento. Si sentiva ardere le guance e le tempie, intorno agli
occhi, d'un ardore intenso, mentre pel resto del corpo rabbrividiva; su le mani l'impressione della bocca amata persisteva
come un suggello, ed era un'impressione deliziosa, ed ella
avrebbe voluto che fosse indelebile come un suggello divino.

Guardò in giro. Nella stanza la luce diminuiva, le forme si
perdevano nella mezz'ombra, il gran Buddha raccoglieva nella
sua doratura un chiaror singolare. Or sì or no giungevano le
grida. Ella andò verso una finestra, l'aprì, si sporse. Un vento
gelido soffiava su la strada, ove già verso la piazza di Termini
cominciavano ad accendersi i fanali. Incontro, gli alberi della
Villa Aldobrandini svettavano, appena tinti d'un riflesso rossastro. Su la Torre delle Milizie pendeva una enorme nuvola
paonazza, solitaria nel cielo.

La sera le parve lugubre. Ella si ritrasse; andò a sedersi nel
luogo medesimo del colloquio recente. — Perché Delfina non
tornava ancóra? — Avrebbe voluto evitare ogni riflessione,
ogni meditazione; eppure non so che debolezza la tratteneva in
quel luogo ove, pochi minuti innanzi, Andrea aveva respirato,
aveva parlato, aveva esalato il suo amore e il suo dolore. Gli
sforzi, i propositi, le contrizioni, le preghiere, le penitenze di

quattro mesi si disperdevano, si disfacevano, diventavano inutili, in un attimo. Ella ricadeva, sentendosi forse più stanca, più vinta, senza volontà e senza potere contro i fenomeni morali che la sorprendevano, contro le sensazioni che la sconvolgevano; e, mentre s'abbandonava all'angoscia e al languore d'una conscienza in cui ogni coraggio veniva meno, le pareva che qualche cosa di *lui* fluttuasse nell'ombra della stanza e le avvolgesse tutta la persona, d'una carezza infinitamente soave.

E, il giorno dopo, ella salì al Palazzo dei Sabini, con il cuor palpitante sotto un mazzo di violette.

Andrea già era ad attenderla su la porta della sala. Stringendole la mano, le disse:

— Grazie.

La condusse a una sedia, le si mise accanto. Le disse:

— Credevo di morire aspettandovi. Temevo che non veniste. Come vi son grato!

Le disse:

— Iersera, tardi, io passai dalla vostra casa. Vidi un lume a una finestra, alla terza finestra verso il Quirinale. Non so che avrei dato per conoscere se voi eravate là...

Anche, le chiese:

— Da chi avete avute quelle violette?

— Da Delfina — ella rispose.

— Vi ha raccontato Delfina il nostro incontro di stamani su la piazza di Spagna?

— Sì; tutto.

Il concerto incominciò con un Quartetto del Mendelssohn. La sala era già quasi interamente occupata. L'uditorio componevasi, in massima parte, di dame straniere; ed era un uditorio biondo, pieno di modestia negli abiti, pieno di raccoglimento nelle attitudini, silenzioso e religioso come in un luogo pio. L'onda della musica passava su teste immobili, coperte di cappelli scuri, dilatandosi in una luce aurea, in una luce che fluiva dall'alto, temperata dalle tendine gialle, schiarita dalle pareti bianche e nude. E la vecchia sala dei Filarmonici, disadorna, dove appena rimaneva su l'egual candore qualche traccia d'un fregio e dove le misere portiere azzurre stavan per cadere, offriva imagine d'un luogo che fosse rimasto chiuso per un secolo e fosse stato riaperto proprio in quel giorno. Ma quel color di vecchiezza, quell'aria di povertà, quella nudità delle pareti aggiungevano non so che strano sapore allo squisito diletto dell'udizione; e il diletto pareva più segreto, più alto, più puro là dentro, per ragion d'un contrasto. Era il 2 di febbraio, un mercoledì: in Montecitorio, il Parlamento disputava per il fatto di Dogali; le vie e le piazze prossime rigurgitavano di popolo e di soldati.

I ricordi musicali di Schifanoja sorsero nello spirito de' due amanti; un riflesso di quell'autunno illuminò i loro pensieri. Al suono del *Minuetto* mendelssohniano si svolgeva la visione della villa maritima, della sala profumata dai giardini sottoposti, dove negli intercolunnii del vestibolo si levavano le cime dei cipressi, si scorgevano le vele di fiamma su un lembo di mare sereno.

Di tratto in tratto Andrea, chinandosi un poco verso la senese, le chiedeva piano:

— Che pensate?

Ella rispondeva con un sorriso così tenue ch'egli appena giungeva a coglierlo.

— Vi ricordate del 23 settembre? — ella disse.

Andrea non aveva ben distinto nella memoria quel ricordo, ma assentì col capo.

L'*Andante* calmo e solenne, dominato da un'alta melodia patetica, dopo estesi sviluppi aveva uno scoppio di dolore. Il *Finale* insisteva in una certa monotonia ritmica, piena di stanchezza.

Ella disse:

— Ora viene il vostro Bach.

E ambedue, quando la musica ricominciò, provarono un bisogno istintivo di riavvicinarsi. I loro gomiti si sfioravano. Alla fine d'ogni *tempo*, Andrea si chinava verso di lei per legger nel programma ch'ella teneva spiegato fra le mani; e, nell'atto, le premeva il braccio, sentiva l'odore delle viole, le comunicava un brivido di delizia. L'*Adagio* aveva una elevazion di canto così possente, saliva con tal volo alle sommità dell'estasi, con tal piena sicurezza allargavasi nell'Infinito, che parve la voce d'una creatura sopraumana la quale effondesse nel ritmo il giubilo d'una sua conquista immortale. Tutti gli spiriti erano trascinati dall'onda irresistibile. Quando la musica cessò, lo stesso fremito degli strumenti durò qualche minuto nell'uditorio. Un susurro corse da un capo all'altro della sala. L'applauso irruppe, dopo l'indugio, più vivo.

I due si guardarono, con gli occhi alterati, come se si distaccassero dopo un amplesso d'insostenibile piacere. La musica continuava; la luce della sala diveniva più discreta; un tepor dilettoso addolciva l'aria; intiepidite, le violette di Donna Maria esalavano un profumo più forte. Andrea aveva quasi l'illusione d'essere *solo* con lei, poiché non vedeva d'innanzi a sé persone ch'egli conoscesse.

Ma s'ingannava. In un intervallo, volgendosi, vide Elena Muti diritta in fondo alla sala, accompagnata dalla principessa di Ferentino. Sùbito, il suo sguardo incontrò quel di lei. Da lontano, egli salutò. Gli parve di scorgere su le labbra di Elena un sorriso singolare.

— Chi salutate? — chiese Donna Maria, anche volgendosi. — Chi sono quelle signore?

— Lady Heathfield e la principessa di Ferentino.

Ella credé sentire nella voce di lui un turbamento.

— Qual è la Ferentino?

— La bionda.

— L'altra è molto bella.

Andrea tacque.

— Ma è una inglese? — ella soggiunse.

— No; è una romana; è la vedova del duca di Scerni, passata a Lord Heathfield in seconde nozze.

— È molto bella.

Andrea domandò, con premura:

— Ora, che soneranno?

— Il *Quartetto* del Brahms, in *do minore*.

— Lo conoscete?

— No.

— Il secondo *tempo* è meraviglioso.

Per celare la sua inquietudine, egli parlava.

— Quando vi vedrò, ancóra?

— Non so.

— Domani?

Ella titubò. Pareva che le fosse discesa pel volto una lieve ombra. Rispose:

— Domani, se ci sarà sole, verrò con Delfina su la piazza di Spagna, verso mezzogiorno.

— E se il sole mancasse?

— Sabato sera, andrò dalla contessa Starnina...

La musica ricominciava. Il primo *tempo* esprimeva un lottar cupo e virile, pieno di vigore. La *Romanza* esprimeva un ricordarsi desioso ma assai triste, e quindi un sollevarsi lento, incerto, debole, verso un'alba assai lontana. Una chiara frase melodica si svolgeva con profonde modulazioni. Era un sentimento assai diverso da quel che animava l'*Adagio* del Bach; era più umano, più terreno, più elegiaco. Passava in quella musica un soffio di Ludovico Beethoven.

Andrea fu invaso da una così terribile ansia che temé di tradirsi. Tutta la dolcezza di prima gli si convertì in amarezza. Egli non aveva la conscienza esatta di questo suo nuovo sofferire; non sapeva raccogliersi né dominarsi; ondeggiava perduto fra la duplice attrazion feminile e il fascino della musica, da nessuna delle tre forze penetrato; provava, dentro, un'impressione indefinibile, come d'un vuoto in cui risonassero di continuo grandi urti con un'eco dolorosa; e il suo pensiero si spez-

zava in mille frammenti, si sconnetteva, si disfaceva; e le due
imagini feminili si sovrapponevano, si confondevano, si di-
struggevano a vicenda, senza ch'egli potesse giungere a sepa-
rarle, senza ch'egli potesse giungere a definire il suo sentimento verso l'una, il suo sentimento verso l'altra. E a fior di
questa torbida sofferenza interiore si moveva l'inquietudine
prodotta dalla immediata realtà, dalle preoccupazioni, dirò
così, pratiche. Non gli sfuggiva un leggero cambiamento nel-
l'attitudine di Donna Maria verso di lui; e credeva sentire lo
sguardo di Elena assiduo e fisso; e non giungeva a trovare un
modo di contenersi, non sapeva se dovesse accompagnar
Donna Maria nell'uscir dalla sala o se dovesse avvicinarsi a
Elena, né sapeva se quel caso gli avrebbe giovato o nociuto
presso l'una e l'altra.

— Io vado — disse Donna Maria levandosi, dopo la *Romanza.*

— Non aspettate la fine?

— No; debbo essere a casa per le cinque.

— Ricordatevi, domattina...

Ella gli tese la mano. Forse pel calore dell'aria chiusa, una
lieve fiamma le avvivava la pallidezza. Un mantello di velluto,
d'un color cupo di piombo, orlato d'una larga zona di *chin-
chilla*, le copriva tutta la persona; e tra la pelliccia cinerea le
violette morivano squisitamente. Nell'uscire, ella camminava
con sovrana eleganza, mentre qualcuna delle signore sedute
volgevasi a guardarla. E per la prima volta Andrea vide in lei,
nella donna spirituale, nella pura madonna senese, la dama di
mondo.

Il Quartetto entrava nel terzo *tempo.* Poiché la luce diurna
diminuiva, furono alzate le tendine gialle, come in una chiesa.
Altre signore abbandonarono la sala. Sorgeva qua e là qualche
bisbiglio. Cominciavano nell'uditorio la stanchezza e la disat-
tenzione, che son proprie della fine d'ogni concerto. Per uno di
que' singolari fenomeni d'elasticità e di volubilità repentini,
Andrea provò un senso di sollievo, quasi gaio. Egli perse ogni
preoccupazion sentimentale e passionale, d'un tratto; e l'avventura di piacere apparve sola alla sua vanità, alla sua viziosità, lucidamente. Egli pensò che Donna Maria, concedendogli
quei convegni innocui, già aveva messo il piede su la dolce
china in fondo a cui è il peccato inevitabile anche per le anime
più vigili; pensò che forse un po' di gelosia avrebbe potuto
spingere Elena a ricadergli nelle braccia, e che quindi forse
l'una avventura avrebbe aiutata l'altra; pensò che forse appunto un vago timore, un presentimento geloso avevano affrettato l'assenso di Donna Maria al prossimo convegno. Egli era
dunque su la via di una duplice conquista; e sorrise notando

che in ambedue le imprese la difficoltà si presentava sotto un medesimo aspetto. Egli doveva convertire in amanti due sorelle, cioè due che volevano presso di lui far profession di sorelle. Altre simiglianze fra i due casi — egli notò, sorridendo. — Quella voce! Com'erano strani nella voce di Donna Maria gli accenti d'Elena! — Gli balenò un pensiero folle. — Quella voce poteva esser per lui l'elemento d'un'opera d'imaginazione: in virtù d'una tale affinità egli poteva fondere le due bellezze per possederne una terza imaginaria, più complessa, più perfetta, più *vera* perché ideale...

Il terzo *tempo*, eseguito con impeccabile stile, finiva tra gli applausi. Andrea si levò; si avvicinò a Elena.

— Oh, Ugenta, dove siete stato fino ad ora? — gli disse la principessa di Ferentino. — *Au pays du Tendre?*[30]

— E quell'incognita? — gli disse Elena, con un'aria leggera, odorando un mazzo di viole tirato fuori dal manicotto di martora.

— È una grande amica di mia cugina: Donna Maria Ferres y Capdevila, moglie del nuovo ministro di Guatemala — rispose Andrea, senza turbarsi. — Una bella creatura, assai fine. Era da Francesca, a Schifanoja, in settembre.

— E Francesca? — interruppe Elena. — Non sapete quando tornerà?

— Ho notizie sue, da San Remo, recenti. Ferdinando migliora. Ma temo ch'ella dovrà trattenersi là qualche altro mese, forse più.

— Che peccato!

Il Quartetto entrava nell'ultimo *tempo*, molto breve. Elena e la Ferentino avevano occupato due sedie, in fondo, lungo la parete, sotto il pallido specchio dove si rifletteva la sala malinconica. Elena ascoltava, con la testa china, facendo scorrere tra le sue mani le estremità d'un lucido boa di martora.

— Accompagnateci — ella disse, quando il concerto fu finito, allo Sperelli.

Montando in carrozza, dopo la Ferentino, ella disse:

— Montate anche voi. Lasciamo Eva al palazzo Fiano. Vi poso poi dove volete.

— Grazie.

Lo Sperelli accettò. Uscendo nel Corso, la carrozza fu costretta a procedere con lentezza perché tutta la via era ingombra di gente in tumulto. Dalla piazza di Montecitorio, dalla piazza Colonna venivano clamori e si propagavano come uno strepito di flutti, aumentavano, cadevano, risorgevano, misti agli squilli delle trombe militari. La sedizione ingrossava, nella

[30] «Al paese della Tenerezza?» (*N.d.C.*).

sera cinerea e fredda; l'orrore della strage lontana faceva urlare
la plebe; uomini in corsa, agitando gran fasci di fogli, fende-
vano la calca; emergeva distinto su i clamori il nome d'Africa.

— Per quattrocento bruti, morti brutalmente! — mormorò
Andrea, ritirandosi dopo aver osservato allo sportello.

— Ma che dite? — esclamò la Ferentino.

Su l'angolo del palazzo Chigi il tumulto sembrava una
zuffa. La carrozza fu costretta a fermarsi. Elena si chinò per
guardare; e il suo volto fuor dell'ombra illuminandosi al riflesso del fanale e alla luce del crepuscolo apparve d'una bianchezza quasi funeraria, d'una bianchezza gelida e un po' livida,
che risvegliò in Andrea il ricordo vago d'una testa veduta
— non sapeva più quando, non sapeva più dove — in una galleria, in una cappella.

— Eccoci — disse la principessa, poiché la carrozza era
giunta finalmente al palazzo Fiano. — Addio dunque. Ci ritroveremo stasera dall'Angelieri. Addio, Ugenta. Venite domani a
colazione da me? Troverete anche Elena, e la Viti e mio cugino.

— L'ora?

— Mezz'ora dopo mezzogiorno.

— Va bene. Grazie.

La principessa discese. Il servo aspettava un ordine.

— Dove volete ch'io vi porti? — domandò Elena allo Sperelli che le si era già seduto accanto, nel posto dell'amica.

— *Far, far away*[31]...

— bSu via, dite: a casa vostra?

E senza aspettare altra risposta, ella ordinò:

— Trinità de' Monti, palazzo Zuccari.

Il servo richiuse lo sportello. La carrozza si mosse al trotto,
voltò per la via Frattina, lasciando dietro di sé la folla, le grida,
i romori.

— Oh, Elena, dopo tanto... — proruppe Andrea, chinandosi
a guardare la desiderata che s'era raccolta nell'ombra, in
fondo, come schiva d'un contatto.

Il chiaror d'una vetrina, al passaggio, traversò l'ombra; ed
egli vide che Elena sorrideva, bianca, d'un sorriso attirante.

Sempre così sorridendo, ella si tolse dal collo con un gesto
agile il lungo boa di martora e lo gittò intorno al collo di lui, in
guisa d'un laccio. Pareva facesse per gioco. Ma con quel morbido laccio, profumato del profumo medesimo che Andrea
aveva sentito nella volpe azzurra, ella attirò il giovine; gli offerse le labbra, senza parlare.

Ambedue le bocche si ricordarono delle antiche mescolanze,

[31] «Lontano, lontano...» (*N.d.C.*).

di quelle congiunzioni terribili e soavi che duravano fino all'ambascia e davano al cuore la sensazione illusoria come d'un frutto molle e roscido che vi si sciogliesse. Per prolungare il sorso, contenevano il respiro. La carrozza dalla via dei Due Macelli salì per la via del Tritone, voltò nella via Sistina, si fermò al palazzo Zuccari.

Rapidamente, Elena respinse il giovine. Gli disse, con la voce un po' velata:

— Discendi. Addio.

— Quando verrai?

— Chi sa!

Il servo aprì lo sportello. Andrea discese. La carrozza voltò di nuovo, per riprendere la via Sistina. Andrea, tutto ancor vibrante, con gli occhi ancor fluttuanti in una nebbia torbida, guardava se apparisse dietro il vetro il volto di Elena; ma non vide nulla. La carrozza si allontanò.

Risalendo le scale, egli pensava: — Alfine, ella si converte! — Gli rimaneva nel capo quasi un vapore d'ebrezza, gli rimaneva nella bocca il gusto del bacio, gli rimaneva nella pupilla il balen del sorriso con cui Elena gli aveva gittato al collo quella specie di serpe rilucente e aulente. — E Donna Maria? — Egli, certo, doveva alla senese l'inaspettata voluttà. Senz'alcun dubbio, in fondo all'atto strano e fantastico di Elena era un principio di gelosia. Temendo forse ch'egli le sfuggisse, ella aveva voluto legarlo, adescarlo, accendergli di nuovo la sete. — Mi ama? Non mi ama? — E che importava a lui saperlo? Che gli giovava? Omai l'incanto era rotto. Nessun prodigio mai avrebbe potuto risuscitare sol una minima parte della felicità morta. Conveniva a lui occuparsi della carne che era ancóra divina.

Si compiacque a lungo nel considerar l'avventura. Si compiacque, in ispecie, della maniera elegante e singolare con cui Elena aveva dato sapore al capriccio. E l'imagine del boa suscitò l'imagine della treccia di Donna Maria, suscitò in confuso tutti gli amorosi sogni da lui sognati intorno a quella vasta capellatura vergine che un tempo faceva languir d'amore le educande nel monastero fiorentino. Di nuovo, egli mescolò i due desiderii; vagheggiò la duplicità del godimento; travide la terza Amante ideale.

Entrava in una disposizion di spirito riflessiva. Vestendosi per il pranzo, ripensava: — Ieri, una grande scena di passione, quasi con lacrime; oggi una piccola scena muta di sensualità. E a me pareva ieri d'essere sincero nel sentimento, come io era dianzi sincero nella sensazione. Inoltre, oggi stesso, un'ora prima del bacio d'Elena, io avevo avuto un alto momento lirico accanto a Donna Maria. Di tutto questo non riman traccia.

Domani, certo, ricomincerò. Io sono camaleontico, chimerico, incoerente, inconsistente. Qualunque mio sforzo verso l'unità riuscirà sempre vano. Bisogna omai ch'io mi rassegni. La mia legge è in una parola: NUNC. Sia fatta la volontà della legge.

Rise di sé medesimo. E da quell'ora ebbe principio la nuova fase della sua miseria morale.

Senza alcun riguardo, senza alcun ritegno, senza alcun rimorso, egli si diede tutto a porre in opera le sue imaginazioni malsane. Per trarre Maria Ferres a cedergli, usò i più sottili artifizii, i più delicati intrichi, illudendola appunto nelle cose dell'anima, nella spiritualità, nell'idealità, nell'intima vita del cuore. Per proseguire con egual prestezza nell'acquisto della nuova amante e nel riacquisto dell'antica, per profittar d'ogni circostanza nell'una e nell'altra impresa, egli andò incontro a una quantità di contrattempi, d'impacci, di bizzarri casi; e ricorse, per uscirne, a una quantità di menzogne, di trovati, di ripieghi meschini, di sotterfugi degradanti, di bassi raggiri. La bontà, la fede, il candore di Donna Maria non lo soggiogavano. Egli aveva messo a fondamento della sua seduzione il versetto d'un salmo: «*Asperges me hyssopo et mundabor: lavabis me, et super nivem dealbabor*»[32]. La povera creatura credeva di salvare un'anima, di redimere un'intelligenza, di purificare con la sua purità un uomo macchiato; credeva ancor profondamente alle parole indimenticabili udite nel parco, in quella Epifania dell'Amore, al conspetto del mare, sotto gli alberi floridi. E questa fede appunto la ristorava e la sollevava in mezzo alle lotte cristiane che di continuo si combattevano nella sua conscienza, la liberava dal sospetto, la inebriava d'una specie di misticismo voluttuoso in cui ella effondeva tesori di tenerezza, tutta l'onda raccolta de' suoi languori, il fior più dolce della sua vita.

Per la prima volta, forse, Andrea Sperelli si trovava innanzi a una *vera* passione; per la prima volta si trovava innanzi a uno di quei grandi sentimenti feminili, rarissimi, che illuminano d'un bello e terribile baleno il ciel grigio e mutevole degli amori umani. Egli non se ne curò. Divenne lo spietato carnefice di sé stesso e della povera creatura.

Ogni giorno un inganno, una viltà.

Il giovedì, il 3 febbraio, su la piazza di Spagna, secondo la parola corsa al concerto, egli la incontrò davanti alla mostra d'un orafo antiquario, con Delfina. Appena udì il saluto di lui, ella si volse; e una fiamma le tinse il pallore. Guardarono insieme i gioielli del Settecento, le fibbie e i diademi di *stras*, gli

---

[32] «Purificami con issopo e sarà mondo: lavami e sarò più bianco della neve». Salmo LI (*N.d.C.*).

spilli e gli orologi di smalto, le tabacchiere d'oro, d'avorio, di tartaruga, tutte quelle minuterie d'un secolo morto, che in quella chiara luce mattinale formavano una ricchezza armoniosa. D'intorno, i fiorai andavano offerendo in canestri le giunchiglie gialle e bianche, le violette doppie, lunghi rami di mandorlo. Un fiato di primavera passava nell'aria. La colonna della Concezione saliva agile al sole, come uno stelo, con la *Rosa mystica* in sommo; la Barcaccia era carica di diamanti; la scala della Trinità slargava in letizia i suoi bracci verso la chiesa di Carlo VIII erta con le due torri in un azzurro annobilito da' nuvoli, in un cielo antico del Piranesi.

— Che meraviglia!— esclamò Donna Maria. — Avete ragione d'esser tanto innamorato di Roma.

— Oh, voi non la conoscete ancóra! — le disse Andrea. — Io vorrei essere il vostro duca...

Ella sorrise.

— ... compiere presso di voi, in questa primavera, un *vergiliato* sentimentale.

Ella sorrideva, con in tutta la persona un'apparenza men triste, men grave. Il suo abbigliamento di mattina aveva un'eleganza sobria ma rivelava la finissima ricerca d'un gusto educato alle cose dell'arte, alle delicatezze del colore. La sua giacca incrociata in forma di scialle, era d'un panno grigio pendente un poco nel verde; e una striscia di lontra ne ornava gli orli e su la lontra correva un ricamo fatto d'un cordoncino di seta. E la giacca si apriva su una sottoveste anche di lontra. E come il taglio era d'eletto stile così l'accordo de' due toni, di quell'indescrivibile grigio e di quel fulvo opulento, era una delizia degli occhi.

Ella domandò

— Dove foste ier sera?

— Uscii dal concerto pochi minuti dopo di voi. Tornai a casa; e restai là, perché mi parve che il vostro spirito fosse presente. Pensai molto. Non *sentiste* il mio pensiero?

— No, non lo sentii. La mia sera fu cupa, non so perché. Mi parve d'essere tanto sola!

Passò la contessa di Lùcoli in un *dog-cart* guidando un roano. Passò, a piedi, Giulia Moceto accompagnata da Giulio Musèllaro. Passò Donna Isotta Cellesi.

Andrea salutava. Donna Maria gli chiedeva i nomi delle signore: quello della Moceto non le fu nuovo. Si rammentò del giorno in cui venne pronunziato da Francesca, innanzi all'arcangelo Michele del Perugino, quando Andrea sfogliava i suoi disegni nella stanza di Schifanoja; e seguì con lo sguardo l'antica amante dell'amato. Un'inquietudine la strinse. Tutto ciò che legava Andrea alla vita anteriore le dava ombra. Ella

avrebbe voluto che quella vita, a lei ignota, non fosse mai
stata; avrebbe voluto interamente cancellarla dalla memoria di
chi vi s'era immerso con tanta avidità e n'era emerso con tanta
stanchezza, con tanta perdita, con tanti mali. «Vivere unicamente in voi e per voi, senza domani, senza ieri, senza alcun
altro legame, senza alcuna altra preferenza, fuor del mondo...»
Erano le parole di lui. Oh sogno!

E stringeva Andrea una diversa inquietudine. S'avvicinava
l'ora della colazione offerta dalla principessa di Ferentino.

— Per dove siete diretta? — domandò.

— Io e Delfina abbiamo preso tè e *sandwiches* dal Nazzarri,
con l'intenzione di godere il sole. Saliremo al Pincio e visite-
remo forse la Villa Medici. Se volete farci compagnia...

Egli ondeggiò, dentro, penosamente. — Il Pincio, Villa Medici, in un pomeriggio di febbraio, con lei! — Ma non poteva
mancare all'invito; e lo tormentava anche la curiosità d'incontrare Elena dopo la scena della sera, poiché, sebbene egli fosse
andato in casa Angelieri, ella non vi era apparsa. Disse, con
un'aria desolata:

— Che sfortuna! Devo trovarmi a una colazione, fra un
quarto d'ora. Accettai l'invito, la settimana scorsa. Ma se
avessi saputo, avrei potuto liberarmi da qualunque impegno.
Che sfortuna!

— Andate; non perdete tempo. Vi fareste aspettare...

Egli guardò l'oriolo.

— Posso ancóra accompagnarvi per un tratto.

— Mamma, — pregò Delfina — andiamo su per la scala.
Andai su, ieri, con Miss Dorothy. Se tu vedessi!

Come erano in vicinanza del Babuino, voltarono per attraversare la piazza. Un fanciullo li seguiva pertinace nell'offrire
un gran ramo di mandorlo che Andrea comprò e donò a Delfina. Dagli alberghi uscivano signore bionde con in mano il
libro rosso del Baedeker; le pesanti vetture a due cavalli s'incrociavano, con un luccichio metallico nei guarnimenti di vecchia foggia; i fiorai sollevavano verso le straniere i canestri
colmi, vociferando, a gara.

— Promettetemi — disse Andrea a Donna Maria, ponendo il
piede sul primo gradino — promettetemi che non entrerete
nella Villa Medici senza di me. Oggi, rinunziate; vi prego.

Ella pareva occupata da un pensiero triste. Disse:

— Rinunzierò.

— Grazie.

La scala d'innanzi a loro levavasi in trionfo, emanando dalla
pietra riscaldata un tepore mitissimo; e la pietra aveva un colore d'antica argenteria, simile a quel delle fontane di Schifanoja. E Delfina precedeva correndo, col ramo fiorito, mentre

nel vento della corsa qualche fragile foglia rosea s'involava come una farfalla.

Un acuto rammarico punse il cuore del giovine. Gli apparvero tutte le dolcezze d'una passeggiata sentimentale pei sentieri medìcei, sotto i bossoli muti, in quella prima ora del pomeriggio.

— Da chi andate? — gli domandò Donna Maria, dopo un intervallo di silenzio.

— Dalla vecchia principessa Alberoni — rispose Andrea. — Tavola cattolica.

Mentì anche una volta, poiché un istinto l'avvertiva che forse il nome della Ferentino avrebbe suscitato in Donna Maria qualche sospetto.

— Dunque, addio — ella soggiunse, porgendogli la mano.

— No; vengo fin su la piazza. Ho il mio legno che m'attende là. Guardate: quella è la mia casa.

E le indicò il palazzo Zuccari, il *buen retiro*, inondato dal sole, che dava imagine d'una strana serra diventata opaca e bruna pel tempo.

Donna Maria guardò.

Ora che la conoscete, non verrete qualche volta... in ispirito?

— In ispirito, sempre.

— Prima di sabato sera non vi rivedrò?

— Difficilmente.

Si salutarono. Ella, con Delfina, si mise pel viale arborato. Egli montò nel suo legno e s'allontanò per la via Gregoriana.

Giunse dalla Ferentino con qualche minuto di ritardo. Si scusò. Elena era là col marito.

La colazione fu servita in un'allegra sala tappezzata d'arazzi della fabbrica barberina rappresentanti Bambocciate su lo stile di Pietro Loar. Fra quel bel Seicento grottesco incominciò a scintillare e a scoppiettare un fuoco di maldicenza meraviglioso. Tutt'e tre le dame avevano lo spirito gaio e pronto. Barbarella Viti rideva del suo forte riso maschile, arrovesciando un po' indietro la bella testa efebica; e i suoi occhi neri s'incontravano e si mescevano troppe volte con i verdi occhi della principessa. Elena motteggiava con una straordinaria vivacità; e sembrava ad Andrea così discosta, così estranea, così incurante ch'egli quasi dubitò: — Ma iersera fu un sogno? Ludovico Barbarisi e il principe di Ferentino secondavano le dame. Il marchese di Mount Edgcumbe si prendeva cura d'annoiare il suo *giovine amico* chiedendogli notizie intorno le prossime vendite e parlandogli d'una rarissima edizione del romanzo d'Apulejo *Metamorphoseon* da lui acquistata pochi giorni innanzi, per mille cinquecento venti lire: — ROMA, 1469, in *folio*. — Di tratto in tratto egli s'interrompeva per seguire un gesto di Barbarella; e passava ne' suoi occhi lo sguardo del maniaco e nelle sue mani odiose un tremito singolare.

L'irritazione, il fastidio, l'insofferenza in Andrea arrivarono a tal punto ch'egli non riusciva più a dissimularli.

— Ugenta, siete di malumore? — gli chiese la Ferentino.

— Un poco. È malato *Miching Mallecho*.

E allora il Barbarisi lo annoiò con molte domande su la malattia del cavallo. E poi il Mount Edgcumbe ricominciò col *Metamorphoseon*. E la Ferentino, ridendo:

— Sai, Ludovico, ieri, al concerto del Quintetto, lo sorprendemmo in *flirtation* con una Incognita.

— Già — fece Elena.

— Una Incognita? — esclamò Ludovico.

— Sì; ma forse tu ci potrai dare informazioni. È la moglie del nuovo ministro di Guatemala.

— Ah, ho capito.

— Dunque?

— Io, per ora, non conosco che il ministro. Lo vedo giocare al Circolo tutte le notti.

— Dite, Ugenta: è già stata ricevuta dalla Regina?

— Non so, principessa — rispose Andrea, con un po' d'impazienza nella voce.

Quel cicaleccio gli diveniva insopportabile; e la gaiezza di Elena gli dava una orribile tortura, e la vicinanza del marito lo disgustava come non mai. Più che contro questi, egli aveva ira contro sé medesimo. In fondo alla sua irritazione, movevasi un senso di rimpianto verso la felicità dianzi ricusata. Il suo cuore, deluso e offeso dall'attitudine crudele di Elena, si rivolgeva all'altra con un acuto pentimento; ed egli la vedeva pensosa, in un viale solitario, bella e nobile come non mai.

La principessa si levò, tutti si levarono, per passare nel salone attiguo. Barbarella corse ad aprire il pianoforte che spariva sotto una vasta sciablacca di velluto rosso trapunta d'un oro opaco; e si mise a cantarellare la *Tarentelle* di Giorgio Bizet dedicata a Cristina Nilsson. Elena ed Eva si chinavano su di lei per leggere la pagina della musica. Ludovico stava in piedi, dietro a loro, fumando una sigaretta. Il principe era scomparso.

Ma Lord Heathfield non lasciava Andrea. L'aveva tratto nel vano d'una finestra e gli parlava di certe *coppette amatorie* urbaniesi da lui acquistate nella vendita del cavalier Dàvila; e quella voce stridula, con quella stucchevole intonazione interrogativa, e que' gesti che indicavano le dimensioni delle coppette, e quello sguardo ora morto ora tagliente sotto la enorme fronte convessa, e tutte insomma quelle sembianze esose erano per Andrea un supplizio così fiero ch'egli stringeva i denti convulso come un uomo sotto i ferri d'un chirurgo.

Un solo desiderio l'occupava omai: quel d'andarsene. Egli pensava di correre al Pincio, sperava di ritrovare là Donna Maria, di condurla nella Villa Medici. Potevan esser le due. Egli vedeva dalla finestra il cornicione della casa incontro splendido di sole nel cielo azzurro. Volgendosi, vedeva al pianoforte il gruppo delle dame nel bagliore vermiglio che un fascio di raggi suscitava dalla sciablacca. Al bagliore mescevasi il fumo leggero della sigaretta; e le ciarle e le risa si mescevano a qualche accordo che le dita di Barbarella cercavano a caso su i tasti. Ludovico parlò piano nell'orecchio di sua cugina; e la cugina comunicò forse la cosa alle amiche, poiché di nuovo fu uno scroscio chiaro e brillante come d'una collana disfilata su una guantiera d'argento. E Barbarella riprese *l'Allegretto* del Bizet, sotto voce.

— *Tra la la... Le papillon s'est envolé*[33]... *Tra la la...*

Andrea aspettava di cogliere il momento opportuno per interrompere il discorso del Mount Edgcumbe e per quindi prender congedo. Ma il collezionista metteva fuori un seguito di periodi legati l'uno con l'altro, senza intervalli, senza pause. Una pausa avrebbe salvato il martire, e non veniva ancóra; e l'ansietà cresceva ad ogni attimo.

— *Oui! Le papillon s'est envolé... Oui!... Ah! ah! ah! ah! ah!...*

Andrea guardò l'oriolo.

— Sono già le due! Perdonatemi, marchese. Bisogna ch'io vada.

E accostandosi al gruppo:

— Perdonatemi, principessa. Alle due ho un consulto in scuderia coi veterinarii.

Salutò in gran fretta. Elena gli diede a stringere la punta delle dita. Barbarella gli diede un *fondant*, dicendogli:

— Portatelo al povero *Miching* da parte mia.

Ludovico voleva accompagnarlo.

— No; resta.

S'inchinò e uscì. Fece le scale in un baleno. Saltò nel suo legno, gridando al cocchiere:

— Di corsa, al Pincio!

Egli era invaso da un desiderio folle di ritrovare Maria Ferres, di ricuperare la felicità a cui dianzi aveva rinunziato. Il trotto fitto de' suoi cavalli non gli sembrava a bastanza veloce. Guardava ansioso, per veder finalmente apparire la Trinità de' Monti, lo stradone arborato, i cancelli.

---

[33] «La farfalla è volata.» (*N.d.C.*).

La carrozza oltrepassò i cancelli. Egli ordinò al cocchiere di moderare il trotto e di girare per tutti i viali. Il cuore gli dava un balzo ogni volta che di lungi, tra gli alberi, appariva una figura di donna; ma invano. Su la spianata egli discese; prese i piccoli viali chiusi alle vetture, esplorando ogni angolo: invano. Le persone dai sedili lo seguivano con gli occhi, per curiosità, poiché la sua inquietudine era manifesta.

Essendo la Villa Borghese aperta, il Pincio riposava tranquillo sotto quel sorriso languido di febbraio. Rare carrozze e rari pedoni interrompevano la pace del monte. Gli alberi ancor nudi, biancastri, taluni un po' violetti, ergevano le braccia in un cielo delicato, sparso di ragnateli finissimi che il vento strappava e distruggeva col suo soffio. I pini, i cipressi, le altre piante sempre verdi assumevano un po' del comun pallore, sfumavano, si scolorivano, si fondevano nel comune accordo. La varietà de' tronchi, il frastaglio de' rami rendevano più solenne l'uniformità delle erme.

Non fluttuava forse ancóra in quell'aria qualche cosa della tristezza di Donna Maria? Appoggiato al cancello della Villa Medici, Andrea rimase per alcuni minuti come oppresso da un peso enorme.

E la vicenda continuò, ne' giorni vegnenti, con le medesime torture, con torture peggiori, con più crudeli menzogne. Per un fenomeno non raro nell'abiezion morale degli uomini d'intelletto, egli aveva ora una terribile lucidità di conscienza, una lucidità continua, senza più oscurazioni, senza più eclissi. Egli sapeva quel che faceva, e giudicava poi quel che aveva fatto. E in lui il disprezzo di sé stesso era pari all'ignavia della volontà.

Ma le sue ineguaglianze appunto e le sue incertezze e i suoi strani silenzii e le sue strane effusioni e tutte insomma le singolarità di espressione, che portava un tale stato d'animo, accrescevano, incitavano la passionata misericordia di Donna Maria. Ella lo vedeva soffrire e ne provava dolore e tenerezza; e pensava: — A poco a poco, io lo guarirò. — E a poco a poco, senza accorgersene, ella andava perdendo la forza e piegando verso il desiderio dell'infermo.

Ella piegava dolcemente.

Nel salone della contessa Starnina, ebbe un indefinibile brivido quando sentì su le sue spalle e su le sue braccia scoperte lo sguardo di Andrea. Per la prima volta Andrea la vedeva in abito da sera. Egli di lei conosceva soltanto il volto e le mani: ora, le spalle gli parvero di squisita forma ed anche le braccia, sebbene forse un po' magre.

Era ella vestita d'un broccato color d'avorio, misto di zibellino. Una sottile striscia di zibellino correva intorno la scollatura, dando alla carne una indescrivibile finezza; e la linea delle spalle dall'appiccatura del collo agli omeri cadeva giù alquanto, aveva quella cadente grazia che è un segno d'aristocrazia fisica divenuto omai rarissimo. Su i capelli copiosi, disposti in quella foggia che predilesse pe' suoi busti il Verrocchio, non splendeva né una gemma né un fiore.

In due o tre momenti opportuni, Andrea le mormorò parole d'ammirazione e di passione.

— È la prima volta che noi ci vediamo «nel mondo» — le disse. — Mi date un guanto, per memoria?

— No.

— Perché, Maria?

— No, no; tacete.

— Oh le vostre mani! Vi ricordate quando, a Schifanoja, le disegnai? Mi pare che mi appartengano di diritto; mi pare che voi dobbiate concedermene il possesso, e che, di tutto il vostro corpo, sieno le cose più intimamente animate dall'anima vostra, le più spiritualizzate, quasi direi le più pure... Mani di bontà, mani di perdono... Come sarei felice di possedere almeno un guanto: una larva, una parvenza della loro forma, una spoglia profumata dal loro profumo!... Mi date un guanto, prima d'andarvene?

Ella non rispose più. Il colloquio fu interrotto. Dopo qualche tempo, pregata, ella sedé al pianoforte; si tolse i guanti, li posò sul leggio. Le sue dita, fuor di quelle sottili guaine, apparvero bianchissime, lunghette, inanellate. Brillava di vivi fuochi su l'anulare sinistro un grande opale.

Sonò le due *Sonate-Fantasie* del Beethoven (op. 27). L'una, dedicata a Giulietta Guicciardi, esprimeva una rinunzia senza speranza, narrava il risveglio dopo un sogno troppo a lungo sognato. L'altra fin dalle prime battute dell'*Andante*, in un ritmo soave e piano, accennava a un riposo dopo la tempesta; quindi, passando per le irrequietudini del secondo *tempo*, allargavasi in un *Adagio* di luminosa serenità e finiva con un *Allegro vivace* in cui era una sollevazion di coraggio e quasi un ardore.

Andrea sentì che, in mezzo a quell'uditorio intento, ella sonava sol per lui. Di tratto in tratto, i suoi occhi dalle dita della sonatrice andavano ai lunghi guanti che pendevano di sul leggìo conservando l'impronta di quelle dita, conservando una inesprimibile grazia nella piccola apertura del polso ove dianzi appariva appena appena un po' della cute feminile.

Donna Maria si levò, circondata d'elogi. Non riprese i guanti; s'allontanò. Invase allora Andrea la tentazion d'involarli. — Li aveva ella forse lasciati là per lui? — Ma egli ne voleva uno solo. Come diceva finamente un fino amatore, un par di guanti è tutt'altro che un guanto solo.

Condotta di nuovo al pianoforte dall'insistenza della contessa Starnina, Donna Maria tolse dal leggìo i guanti e li posò all'estremità della tastiera, nell'ombra dell'angolo. Quindi sonò la *Gavotta* di Luigi Rameau, la *Gavotta delle dame gialle*, l'indimenticabile danza antica del Tedio e dell'Amore. «Certe dame biondette, non più giovini...»

Andrea la guardava fiso, con un po' di trepidazione. Quando ella si levò, prese un guanto solo. Lasciò l'altro nell'ombra, su la tastiera, per lui.

Tre giorni dopo, essendo Roma attonita sotto la neve, Andrea trovò a casa questo biglietto: «*Martedì, ore 2 pom.* — Stasera, dalle undici a mezzanotte, mi aspetterete in una carrozza, d'innanzi al palazzo Barberini, fuori del cancello. Se a mezzanotte non sarò ancóra apparsa, potrete andarvene. — *A stranger*». Il biglietto aveva un tono romanzesco e misterioso. In verità, la marchesa di Mount Edgcumbe faceva troppo abuso di carrozza nell'esercizio dell'amore. Era forse per un ricordo del 25 marzo 1885? Voleva forse ella riprender l'avventura nel modo medesimo con cui l'aveva interrotta? E perché quello *stranger*? Andrea ne sorrise. Egli tornava allora allora da una visita a Donna Maria, da un'assai dolce visita; e il suo spirito inchinava più verso la senese che verso l'altra. Gli indugiavan nell'orecchio le vaghe e gentili parole che la senese aveva dette guardando insieme con lui a traverso i vetri cader la neve mite come il fior del pesco o il fior del melo in su gli alberi della Villa Aldobrandini già illusi da un presentimento di stagion novella. Ma, prima d'uscir pel pranzo, diede ordini molto accurati a Stephen.

Alle undici egli era d'innanzi al palazzo; e l'ansia e l'impazienza lo divoravano. La bizzarria del caso, lo spettacolo della notte nivale, il mistero, l'incertezza gli accendevano l'imaginazione, lo sollevavano dalla realtà.

Splendeva su Roma, in quella memorabile notte di febbraio, un plenilunio favoloso, di non mai veduto lume. L'aria pareva impregnata come d'un latte immateriale; tutte le cose parevano esistere d'una esistenza di sogno, parevano imagini impalpabili come quelle d'una meteora, parevan esser visibili di lungi per un irradiamento chimerico delle loro forme. La neve copriva tutte le verghe dei cancelli, nascondeva il ferro, componeva un'opera di ricamo più leggera e più gracile d'una filigrana, che i colossi ammantati di bianco sostenevano come le querci sostengono le tele dei ragni. Il giardino fioriva a similitudine d'una selva immobile di gigli enormi e difformi, congelato; era un orto posseduto da una incantazione lunatica, un esanime paradiso di Selene. Muta, solenne, profonda, la casa dei Barberini occupava l'aria: tutti i rilievi grandeggiavano candidissimi gittando un'ombra cerulea, diafana come una luce; e quei candori e quelle ombre sovrapponevano alla vera architettura dell'edifizio il fantasma d'una prodigiosa architettura ariostèa.

Chino a riguardare, l'aspettante sentiva sotto il fascino di quel miracolo che i fantasmi vagheggianti dell'amore si risollevavano e le sommità liriche del sentimento riscintillavano come le lance ghiacce dei cancelli alla luna. Ma egli non sapeva quale delle due donne avrebbe preferita in quello scenario fantastico: se Elena Heathfield vestita di porpora o Maria Ferres vestita d'ermellino. E, come il suo spirito piacevasi d'indugiare nell'incertezza della preferenza, accadeva che nell'ansia dell'attesa si mescessero e confondessero stranamente due ansie, la reale per Elena, l'imaginaria per Maria.

Un orologio suonò da presso, nel silenzio, con un suono chiaro e vibrante; e pareva come se qualche cosa di vitreo nell'aria s'incrinasse a ognun de' tocchi. L'orologio della Trinità de' Monti rispose all'appello; rispose l'orologio del Quirinale; altri orologi di lungi risposero, fiochi. Erano le undici e un quarto.

Andrea guardò, aguzzando la vista, verso il portico. — Avrebbe ella osato attraversare a piedi il giardino? — Pensò la figura di Elena tra il gran candore. Quella della senese risorse spontanea, oscurò l'altra, vinse il candore, *candida super nivem*[34]. La notte di luna e di neve era dunque sotto il dominio di Maria Ferres, come sotto una invincibile influenza astrale. Dalla sovrana purità delle cose nasceva l'imagine dell'amante pura, simbolicamente. La forza del Simbolo soggiogava lo spirito del poeta.

Allora, sempre guardando se l'altra venisse, egli si abbandonò al sogno che gli suggerivano le apparenze delle cose.

Era un sogno poetico, quasi mistico. Egli aspettava Maria. Maria aveva eletta quella notte di soprannaturale bianchezza per immolar la sua propria bianchezza al desiderio di lui. Tutte le cose bianche intorno, consapevoli della grande immolazione, aspettavano per dire *ave* ed *amen* al passaggio della sorella. Il silenzio viveva.

«Ecco, ella viene: *incedit per lilia et super nivem*. È avvolta nell'ermellino; porta i capelli constretti e nascosti in una fascia; il suo passo è più leggero della sua ombra; la luna e la neve sono men pallide di lei. *Ave*.

«Un'ombra, cerulea come una luce che si tinga in uno zaffiro, l'accompagna. I gigli enormi e difformi non s'inchinano, poiché il gelo li ha irrigiditi, poiché il gelo li ha fatti simili agli asfodilli che illuminavano i sentieri dell'Ade. Ben però, come quelli de' paradisi cristiani, hanno una voce; dicono: — *Amen*.

---

[34] «Viene tra i gigli e sulla neve.» (*N.d.C.*).

«Così sia. L'adorata va ad immolarsi. Così sia. Ella è già presso l'aspettante; fredda e muta, ma con occhi ardenti ed eloquenti. Ed egli prima le mani, le care mani che chiudono le piaghe e schiudono i sogni, bacia. Così sia.

«Di qua, di là, si dileguano le Chiese alte su colonne a cui la neve illustra di volute e d'acanti magici il fastigio. Si dileguano i Fòri profondi, sepolti sotto la neve, immersi in un chiarore azzurro, onde sorgono gli avanzi dei portici e degli archi verso la luna più inconsistenti delle lor medesime ombre. Si dileguano le fontane, scolpite in rocce di cristallo, che versano non acqua ma luce.

«Ed egli poi le labbra, le care labbra che non sanno le false parole, bacia. Così sia. Fuor della fascia discinta si effondono i capelli come un gran flutto oscuro, ove tutte sembran raccolte le tenebre notturne fugate dalla neve e dalla luna. *Comis suis obumbrabit tibi et sub comis peccabit. Amen*[35].»

E l'altra non veniva! Nel silenzio e nella poesia cadevano di nuovo le ore degli uomini scoccate dalle torri e dai campanili di Roma. Qualche vettura, senza alcuno strepito, discendeva per le Quattro Fontane verso la piazza o saliva a Santa Maria Maggiore faticosamente; e i fanali erano gialli come topazii nella chiarità. Pareva che, salendo la notte al colmo, la chiarità crescesse e diventasse più limpida. Le filigrane dei cancelli riscintillavano come se i ricami d'argento vi s'ingemmassero. Nel palazzo, grandi cerchi di luce abbagliante splendevano su le vetrate, a simiglianza di scudi adamantini.

Andrea pensò: — Se ella non venisse?

Quella strana onda di lirismo passàtagli su lo spirito, nel nome di Maria, aveva coperta l'ansietà dell'attesa, aveva placata l'impazienza, aveva ingannato il desiderio. Per un attimo, il pensiero ch'ella non venisse gli sorrise. Poi di nuovo, più forte, lo punse il tormento dell'incertezza e lo turbò l'imagine della voluttà ch'egli avrebbe forse goduta là dentro, in quella specie di piccola alcova tiepida dove le rose esalavano un profumo tanto molle. E, come nel giorno di San Silvestro, il suo soffrire era acuito da una vanità; poiché, sopra tutto, egli si rammaricava che uno squisito apparato d'amore andasse perduto senza effetto alcuno.

Là dentro, il freddo era temperato del calore continuo che esalavano i tubi di metallo pieni d'acqua bollente. Un fascio di rose bianche, nivee, lunari, posava su la tavoletta d'innanzi al sedile. Una pelle d'orso bianco teneva calde le ginocchia. La ricerca d'una specie di *Symphonie en blanc majeur* era manife-

---

[35] «Con le sue chiome ti nasconderà e sotto le chiome peccherà. Così sia.» (*N.d.C.*).

sta in molte altre particolarità. Come il re Francesco I sul vetro
della finestra, il conte d'Ugenta aveva inciso di sua mano sul
vetro dello sportello un galante motto che, nell'appannatura
fatta dall'alito, pareva brillare su una lastra di opale:

> *Pro amore curriculum*
> *Pro amore cubiculum.* [36]

E per la terza volta le ore sonarono. Mancavano a mezzanotte quindici minuti. L'aspettazione durava da troppo tempo:
Andrea si stancava e s'irritava. Nell'appartamento abitato da
Elena, nelle finestre dell'ala sinistra non vedevasi altro lume
che quello esterno della luna. — Sarebbe dunque venuta? E in
che modo? Di nascosto? O con qual pretesto? Lord Heathfield
era, certo, a Roma. Come avrebbe ella giustificata la sua assenza notturna? — Di nuovo, insorsero nell'animo dell'antico
amante le acri curiosità intorno le relazioni che correvano tra
Elena e il marito, intorno i loro legami coniugali, intorno il
loro modo di vivere in comune, nella medesima casa. Di
nuovo, la gelosia lo morse e la bramosia lo accese. Egli si ricordava delle allegre parole dette da Giulio Musèllaro, una
sera, a proposito del marito; e si proponeva di prendere Elena
ad ogni costo, per il diletto e per il dispetto. — Oh, s'ella fosse
venuta!

Una carrozza sopraggiunse ed entrò nel giardino. Egli si
chinò a guardare; riconobbe i cavalli d'Elena; intravide nell'interno una figura di dama. La carrozza disparve sotto il portico.
Egli restò dubitoso. — Tornava dunque di fuori? Sola? —
Acuì lo sguardo verso il portico, intensamente. La carrozza
usciva, per il giardino, nella strada, imboccando la via Rasella:
era vuota.

Mancavano due o tre minuti all'ora estrema; ed ella non veniva! L'ora sonò. Una terribile angoscia strinse il deluso. Ella
non veniva!

Non comprendendo egli le cause della impuntualità di lei, le
si rivolse contro; ebbe un moto di collera subitaneo; e gli balenò anche il pensiero ch'ella avesse voluto infliggergli una
umiliazione, un castigo, o ch'ella avesse voluto togliersi un capriccio, esasperare un desiderio. Ordinò al cocchiere, pel por-
tavoce:

— Piazza del Quirinale.

Egli si lasciava attrarre da Maria Ferres; si abbandonava di
nuovo al vago sentimento di tenerezza che, dopo la visita po-
meridiana, gli aveva lasciato nell'anima un profumo e gli
aveva suggerito pensieri e imagini di poesia. La delusione re-

---

[36] «Per l'amore la corsa / Per l'amore l'alcova.» (*N.d.C.*).

cente, ch'era per lui una prova del disamore e della malvagità
di Elena, lo spingeva forte verso l'amore e la bontà della senese. Il rammarico per la bellissima notte perduta gli aumentava, ma sotto il riflesso del sogno dianzi sognato. Ed era, in
verità, una delle notti più belle che sien trascorse nel cielo di
Roma; era uno di quegli spettacoli che opprimono d'una immensa tristezza lo spirito umano perché soverchiano ogni potenza ammirativa e sfuggono alla piena comprension dell'intelletto.

La piazza del Quirinale appariva tutta candida, ampliata dal
candore, solitaria, raggiante come un'acropoli olimpica su
l'Urbe silenziosa. Gli edifizii, intorno, grandeggiavano nel
cielo aperto: l'alta porta papale del Bernini, nel palazzo del Re,
sormontata dalla loggia, illudeva la vista distaccandosi dalle
mura, avanzandosi, isolandosi nella sua magnificenza difforme,
dando imagine d'un mausoleo scolpito in una pietra siderea; i
ricchi architravi del Fuga, nel palazzo della Consulta, sporge-
vano di su gli stipiti e di su le colonne transfigurati dalle strane
adunazioni della neve. Divini, a mezzo dell'egual campo
bianco, i colossi parevano sovrastare a tutte le cose. Le attitudini dei Dioscuri e dei cavalli s'allargavano nella luce; le
groppe ampie brillavano come ornate di gualdrappe gemmanti;
brillavano gli omeri e l'un braccio levato di ciascun semidio.
E, sopra, di tra i cavalli, slanciavasi l'obelisco; e, sotto, aprivasi la tazza della fontana; e lo zampillo e l'aguglia salivano
alla luna come uno stelo di diamante e uno stelo di granito.

Una solennità augusta scendeva dal monumento. Roma,
d'innanzi, si profondava in un silenzio quasi di morte, immobile, vacua, simile a una città addormentata da un potere fatale.
Tutte le case, le chiese, le torri, tutte le selve confuse e miste
dell'architettura pagana e cristiana biancheggiavano come una
sola unica selva informe, tra i colli del Gianicolo e il Monte
Mario perduti in un vapore argentino, lontanissimi, d'una im-
materialità inesprimibile, simili forse ad orizzonti d'un paesaggio selenico, che suscitavano nello spirito la visione d'un qualche astro semispento abitato dai Mani. La Cupola di S. Pietro,
luminosa d'un singolare azzurro metallico nell'azzurro dell'a-
ria, giganteggiava prossima alla vista così che quasi pareva
tangibile. E i due giovini Eroi cignìgeni, bellissimi in quel-
l'immenso candore come in un'apoteosi della loro origine, parevano gli immortali Genii di Roma vigilanti sul sonno della
città sacra.

La carrozza rimase ferma d'innanzi alla reggia, lungo
tempo. Di nuovo, il poeta seguiva il suo sogno inarrivabile. E
Maria Ferres era vicina; forse anche vegliava, sognando; forse

anche sentiva gravare sul cuore tutta la grandezza della notte e
ne moriva d'angoscia; inutilmente.

La carrozza passò, piano, d'innanzi alla porta di Maria Ferres, ch'era chiusa, mentre in alto i vetri delle finestre rispec-
chiavano il plenilunio guardando gli orti pènsili aldobrandini
ove gli alberi sorgevano, aerei prodigi. E il poeta gittò il fascio
delle rose bianche su la neve, come un omaggio, d'innanzi alla
porta di Maria Ferres.

IV.

— Io vidi: indovinai... Ero dietro i vetri, da tanto tempo.
Non sapevo risolvermi ad andarmene. Tutto quel bianco m'attirava... Vidi la carrozza passare lentamente, nella neve. Sentii
che eravate voi, prima di vedervi gittar le rose. Nessuna parola
mai potrà dirvi la tenerezza delle mie lacrime. Piansi per voi,
d'amore; e piansi per le rose, di pietà. Povere rose! Mi pareva
che dovessero vivere e soffrire e agonizzare, su la neve. Mi pareva, non so, che mi chiamassero, che si lamentassero, come
creature abbandonate. Quando la vostra carrozza si allontanò,
io mi affacciai per guardarle. Fui sul punto di scendere, giù
nella strada, a prenderle. Ma qualcuno era ancóra fuori di casa;
e il domestico era di là, nell'anticamera, che aspettava. Pensai
mille modi, ma non riuscii a trovarne uno attuabile. Mi dispe-
rai... Sorridete? Proprio, io non so che follia mi prese. Stavo
tutta attenta a spiare i passanti, con gli occhi pieni di lacrime.
Se avessero calpestato le rose, mi avrebbero calpestato il
cuore. Ed ero felice in quel supplizio; ero felice del vostro
amore, del vostro atto delicato e appassionato, della vostra gentilezza, della vostra bontà... Ero triste e felice, quando mi ad-
dormentai; e le rose dovevan esser già moribonde. Dopo qualche ora di sonno, mi svegliò il rumore delle pale sul lastrico.
Spazzavano la neve, proprio d'innanzi alla nostra porta. Io ri-
masi in ascolto; e il rumore e le voci continuarono fin oltre
l'alba, e mi facevano tanta malinconia... Povere rose! Ma saranno sempre vive nella mia memoria. Certi ricordi bastano a
profumare un'anima per sempre... Mi amate molto, Andrea?

E, dopo un'esitazione:

— Amate me sola? Avete dimenticato il resto, interamente?
Sono miei tutti i vostri pensieri?

Ella palpitava e tremava.

— Io soffro... della vostra vita anteriore, di quella ch'io non
conosco; soffro dei vostri ricordi, di tutte le tracce che forse vi
rimangono ancóra nello spirito, di tutto ciò che in voi non
potrò mai comprendere e mai possedere. Oh, s'io potessi darvi
l'oblio d'ogni cosa! Odo continuamente le vostre parole, An-

drea, le *prime prime* parole. Credo che le udrò nell'istante della morte...

Ella palpitava e tremava, sotto l'urto della passione soverchiatrice.

— Io vi amo ogni giorno più, ogni giorno *più*!

Andrea la inebriò di parole soavi e profonde, la vinse d'ardore, le narrò il sogno della notte nivale e il suo desiderio disperato e tutta la utile favola delle rose e molte altre imaginazioni liriche. Gli pareva ch'ella fosse prossima ad abbandonarsi; vedeva gli occhi di lei nuotare in qualche onda di languore più lunga; vedeva su la bocca dolente apparire quella inesprimibile contrattura che è come la dissimulazione d'una tendenza fisica istintiva al bacio; e vedeva le mani, quelle mani gracili e forti, mani d'arcangelo, fremere come le corde d'uno strumento, esprimere tutto l'orgasmo interno. — Se oggi potrò rapirle anche un solo bacio fuggevole — pensava — avrò di molto affrettato il termine ch'io sospiro.

Ma ella, consapevole del pericolo, si levò d'improvviso, chiedendo licenza; sonò il campanello, ordinò al domestico il tè e che pregasse Miss Dorothy di condur Delfina nel salone. Poi, volgendosi ad Andrea, un po' convulsa:

— È meglio così. Perdonatemi.

E da quel giorno evitò di riceverlo in giorni che non fossero, come il martedì e il sabato, di ricevimento comune.

Ella però si lasciò guidare da lui in varie peregrinazioni a traverso la Roma degli Imperatori e la Rorna dei Papi. Il *vergiliato* quaresimale si svolse nelle ville, nelle gallerie, nelle chiese, nelle ruine. Dov'era passata Elena Muti passò Maria Ferres. Non di rado, le cose suggerivano al poeta le medesime effusioni di parole che Elena aveva già udite. Non di rado, un ricordo lo allontanava dalla realtà presente, lo turbava d'improvviso.

— A che pensate, ora? — gli chiedeva Maria, guardandolo in fondo alle pupille, con un'ombra di sospetto.

Ed egli rispondeva:

— A voi, sempre a voi. Mi prende come una curiosità di guardarmi dentro per vedere se ancóra mi rimanga qualche minima parte dell'anima che non sia in possesso dell'anima vostra, qualche minima piega che non sia penetrata dalla vostra luce. È come una esplorazione interiore, che io faccio per voi, già che voi non potete farla. Ebbene, Maria, non ho più nulla omai da offerirvi. Siete nell'assoluto dominio di tutto il mio essere. Non mai, penso, una creatura umana è stata più intimamente posseduta da una creatura umana, in ispirito. Se la mia bocca si congiungesse alla vostra, avverrebbe transfusione della mia vita nella vostra vita. Penso che morirei.

Ella gli credeva, poiché la voce di lui dava alle parole la fiamma della verità.

Un giorno erano sul Belvedere della Villa Medici: guardavano ne' larghi e cupi tetti di busso l'orlo del sole morire a poco a poco e la Villa Borghese ancor nuda sommergersi a poco a poco in un vapore violaceo. Maria disse, invasa da una subitanea tristezza:

— Chi sa quante volte siete venuto qui, a sentirvi amare!

Andrea rispose, con l'accento d'un uom trasognato:

— Non so; non ricordo. Che dite mai?

Ella tacque. Poi si levò, per leggere le inscrizioni su i pilastri del tempietto. Erano, per lo più, inscrizioni d'amanti, di novelli sposi, di contemplatori solitarii.

Una portava, sotto una data e un nome di donna, un frammento del *Pausias*:

SIE

Immer allein sind Liebende sich in der grössten Versammlung;
Aber sind sie zu Zweien, stellt auch der Dritte sich ein. [37]

ER

Amor, ja!

Un'altra era la glorificazione di un nome alato:

A solis ortu usque ad occasum laudabile nomen Helles. [38]

Un'altra era una sospirevole quartina del Petrarca:

> *Io amai sempre ed amo forte ancóra,*
> *E son per amar più di giorno in giorno,*
> *Quel dolce loco ove piangendo torno*
> *Spesse fïate quando Amor m'accora.*

Un'altra pareva essere una leal dichiarazione, firmata da due leali amanti:

Ahora y no siempre. [39]

Tutte esprimevano un sentimento erotico, o triste o giocondo; cantavano le lodi d'una bella o rimpiangevano un bene remoto; narravano d'un bacio ardente o d'una estasi languida; ringraziavano i vecchi bussi cortesi, indicavano ai felici venturi una latebra, notavano la singolarità d'un tramonto contemplato. Chiunque, sposo o amante, sotto il fascino feminino, era stato preso da un entusiasmo lirico sul piccolo Belvedere solitario a cui conduce una scala di pietra coperta di velluto. Le mura par-

---

[37] «Coloro che amano sono soli anche nella più grossa compagnia, ma se sono in due ci si unisce anche il terzo.» (*N.d.C.*).
[38] «Dal sorgere del sole fino al tramonto sarà lodato il nome di Elle.» (*N.d.C.*).
[39] «Ora e non sempre.» (*N.d.C.*).

lavano. Una indefinibile malinconia emanava da quelle voci ignote d'amori morti, una malinconia quasi sepolcrale, come dagli epitaffi d'una cappella.

D'un tratto, Maria si volse ad Andrea, dicendo:

— Ci siete anche voi.

Egli rispose, guardandola, con l'accento medesimo di dianzi:

— Non so; non ricordo. Non ricordo più nulla. Vi amo.

Ella lesse. Ed era, scritto di mano d'Andrea, un epigramma del Goethe, un distico, quello che incomincia: «*Sage, wie lebst du?*». — Rispondi, come vivi tu? — «*Ich lebe!*» — Io vivo! E, se pur cento e cento secoli mi fosser dati, io m'augurerei soltanto che domani fosse come oggi. — Sotto era una data: *Die ultima februarii 1885*; e un nome: *Helena Amyclaea.*

Ella disse:

— Andiamo.

Il tetto di busso pioveva tenebre su la scala di pietra coperta di velluto. Egli chiese:

— Volete appoggiarvi?

Ella rispose:

— No; grazie.

Discesero in silenzio, pianamente. Ad ambedue pesava il cuore.

Dopo un intervallo, ella disse:

— Eravate felice, due anni fa.

Ed egli, con una ostinazione meditata:

— Non so; non ricordo.

Il bosco era misterioso, in un crepuscolo verde. I tronchi e i rami sorgevano con intrichi e viluppi serpentini. Qualche foglia luccicava come un occhio di smeraldo, nell'ombra.

Dopo un intervallo, ella soggiunse:

— Chi era quella Elena?

— Non so; non ricordo. Non ricordo più nulla. Vi amo. Amo voi sola. Penso per voi sola. Vivo per voi sola. Non so più nulla; non ricordo più nulla; non desidero più nulla, oltre il vostro amore. Nessun filo più mi lega alla vita d'un tempo. Sono ora fuor del mondo, interamente perduto nel vostro essere. Io sono nel vostro sangue e nella vostra anima; io *mi sento* in ogni palpito delle vostre arterie; io non vi tocco eppure mi mescolo con voi come se vi tenessi di continuo tra le mie braccia, su la mia bocca, sul mio cuore. Io vi amo e voi mi amate; e questo dura da secoli, durerà nei secoli, per sempre. Accanto a voi, pensando a voi, vivendo di voi, ho il sentimento dell'infinito, il sentimento dell'eterno. Io vi amo e voi mi amate. Non so altro; non ricordo altro...

Egli le versava su la tristezza e sul sospetto un'onda di elo-

quenza infiammata e dolce. Ella ascoltava, diritta innanzi ai balaustri dell'ampia terrazza che si apre sul limite del bosco.

— Ed è vero? Ed è vero? — ripeteva ella con una voce
spenta ch'era come l'eco affievolita d'un grido dell'anima interno. — Ed è vero?

— È vero, Maria; e questo soltanto è vero. Tutto il resto è
un sogno. Io vi amo e voi mi amate. E voi mi possedete come
io vi posseggo. Io vi so così profondamente mia che non vi
chiedo carezze, non vi chiedo alcuna prova d'amore. Aspetto.
Mi è caro, sopra ogni cosa, obedirvi. Io non vi chiedo carezze;
ma le sento nella vostra voce, nel vostro sguardo, nelle vostre
attitudini, ne' vostri minimi gesti. Tutto ciò che parte da voi è
per me inebriante come un bacio; e io non so, sfiorandovi la
mano, se sia più forte la voluttà de' miei sensi o la sollevazione del mio spirito.

Egli posò la sua mano su la mano di lei, lievemente. Ella
tremò, sedotta, provando un desiderio folle di piegarsi verso di
lui, di offrirgli infine le labbra, il bacio, tutta sé stessa. Le
parve (poiché ella dava fede alle parole di Andrea) le parve
che per tale atto ella lo avrebbe legato a sé con l'ultimo nodo,
con un nodo indissolubile. Ella credeva di venir meno, di
struggersi, di morire. Era come se tutti i tumulti della passione
già sofferta le gonfiassero il cuore, aumentassero il tumulto
della passione presente. Era come se rivivessero in quell'attimo tutte le commozioni trascorse da che ella aveva conosciuto quell'uomo. Le rose di Schifanoja rifiorivano tra i lauri
e i bussi della Villa Medici.

— Io aspetto, Maria. Non vi chiedo nulla. Mantengo le mie
promesse. Io aspetto l'ora suprema. Sento che verrà, poiché la
forza dell'amore è invincibile. E sparirà in voi ogni timore,
ogni terrore; e la comunione dei corpi vi sembrerà pura come
la comunione delle anime, poiché sono egualmente pure tutte
le fiamme...

Egli le premeva, con la mano senza guanto, la mano inguantata. Il giardino pareva deserto. Dal palazzo dell'Academia non
giungeva alcun romore, alcuna voce. Si udiva chiaro nel silenzio il chioccolìo della fontana a mezzo dello spiazzo; i viali si
prolungavano verso il Pincio diritti, come chiusi fra due pareti
di bronzo su cui non anche moriva la doratura del vespro;
l'immobilità di tutte le forme dava imagine d'un labirinto impietrato: le cime delle canne acquatiche intorno la vasca erano
immobili nell'aria come le statue.

— Mi sembra — disse la senese, socchiudendo i cigli — di
trovarmi su una terrazza di Schifanoja, lontana lontana da
Roma, sola... con te. Chiudo gli occhi, veggo il mare.

Ella vedeva dal suo amore e dal silenzio nascere un gran

sogno e dilatarsi nel tramonto. Ella tacque, sotto lo sguardo di
Andrea; e un poco sorrise. Ella aveva detto: *con te*! Pronunziando quelle due sillabe, ella aveva chiuso gli occhi: e la
bocca era parsa più luminosa, quasi che vi si fosse raccolto
anche lo splendor celato dalle palpebre e dai cigli.

— Mi sembra che tutte queste cose non sieno fuori di me,
ma che tu le abbia create nell'anima mia, per la mia gioia. Ho
questa illusione in me, profonda, ogni volta che io sono innanzi a uno spettacolo di bellezza e che tu mi sei vicino.

Ella parlava lentamente, con qualche pausa, come se la sua
voce fosse l'eco tarda di un'altra voce inaudibile. Perciò le sue
parole avevano un singolare accento, acquistavano un suono
misterioso, parevano venire dalle più segrete profondità del-
l'essere; non erano il comun simbolo imperfetto, erano un'e-
spressione intensa più viva, trascendente, d'un significato più
vasto.

«Dalle sue labbra, come da un giacinto pieno d'una rugiada
di miele, cade a goccia a goccia un murmure liquido, che fa
morir di passione i sensi, dolce come le pause della musica
planetaria udita nell'estasi.» Il poeta ricordava i versi di Percy
Shelley. Egli li ripeté a Maria, sentendosi conquistare dalla
commozione di lei, penetrare dal fascino dell'ora, esaltare dal-
l'apparenza delle cose. Un tremito lo prese, quando egli era per
rivolgerle il *tu* mistico.

— Io non era mai giunto, in nessun più alto sogno del mio
spirito, a ideare quest'altezza. Tu ti levi sopra tutte le mie idealità, tu splendi sopra tutti gli splendori del mio pensiero, tu
m'illumini d'una luce che è quasi per me insostenibile...

Ella stava diritta, innanzi ai balaustri, con le mani posate su
la pietra, con la testa alzata, più pallida di quando, nella mattina memorabile, camminava sotto i fiori. Le lacrime le empivano gli occhi socchiusi, le rilucevano tra i cigli; e sogguar-
dando innanzi a sé, ella vedeva il cielo farsi roseo, a traverso il
velo del pianto.

Era, nel cielo, una pioggia di rose, come quando nella sera
d'ottobre il sole moriva dietro il colle di Rovigliano accendendo gli stagni per la pineta di Vicomìle. «Rose rose rose piovevano da per tutto, lente, spesse, molli, a simiglianza d'una
nevata in un'aurora.» La Villa Medici, eternamente verde e
senza fiori, riceveva su le cime delle sue rigide mura arboree i
molli petali innumerevoli caduti dai giardini celesti.

Ella si volse, per discendere. Andrea la seguì. Camminarono
in silenzio verso la scala; guardarono il bosco che si stendeva
fra la terrazza e il Belvedere. Pareva che il chiarore si fermasse
sul limite, dove sorgono le due erme custodi, e non potesse
rompere la tenebra; pareva che quegli alberi rameggiassero in

un'altra atmosfera o in un'acqua cupa, in un fondo marino, simili a vegetazioni oceaniche.

Ella fu invasa da una sùbita paura; si affrettò verso la scala,
discese cinque o sei gradini; si arrestò, smarrita, palpitante,
udendo nel silenzio il battito delle sue arterie dilatarsi come
uno strepito enorme. La villa era scomparsa; la scala era serrata fra due pareti, umida, grigia, rotta dall'erbe, triste come
quella d'una carcere sotterranea. Ella vide Andrea piegarsi
verso di lei, con un atto improvviso, per baciarla in bocca.

— No, no, Andrea... No!

Egli tendeva le mani per trattenerla, per costringerla.

— No!

Perdutamente, ella gli prese una mano, se la trasse alle labbra; la baciò due, tre volte, perdutamente. Poi si mise a correre
giù per la scala, verso la porta, come folle.

— Maria! Maria! fermatevi!

Si ritrovarono l'una di fronte all'altro, innanzi alla porta
chiusa, pallidi, ansanti, scossi da un terribile tremito, guardandosi negli occhi mutati, avendo negli orecchi il rombo del loro
sangue, credendo di soffocare. E nel tempo medesimo, con un
impeto concorde, si strinsero, si baciarono.

Ella disse, temendo di venir meno, appoggiandosi alla porta,
con un gesto di suprema preghiera:

— Non più... Io muoio.

Rimasero un minuto, l'una di fronte all'altro, senza toccarsi.
Pareva che tutto il silenzio della villa gravasse su loro, in quel
luogo angusto cinto d'alti muri, simile a una tomba scoperta.
Si udiva distinto il gracchiare basso e interrotto dei corvi che si
raccoglievano su i tetti del palazzo o traversavano il cielo. Di
nuovo, un senso strano di paura occupò il cuore della donna.
Ella gittò in alto, alla sommità dei muri, uno sguardo sbigottito.
Facendosi forza, disse:

— Ora, possiamo uscire... Potete aprire.

E la sua mano s'incontrò con quella di Andrea sul saliscendi,
nella furia incalzante.

E, come ella passò rasente le due colonne di granito, sotto il
gelsomino senza fiori, Andrea disse:

— Guarda! Il gelsomino fiorisce.

Ella non si volse, ma sorrise; e il sorriso era assai triste,
pieno dell'ombre che metteva in quell'anima il riapparir subitaneo del nome inscritto sul Belvedere. E, mentre ella camminava per il viale misterioso sentendo tutto il suo sangue alterato dal bacio, un'implacabile angoscia le incideva nel cuore
quel nome, quel nome!

Libro quarto

I.

Il marchese di Mount Edgcumbe, aprendo il grande armario segreto, la biblioteca arcana, diceva allo Sperelli:

— Voi dovreste disegnarmi i fermagli. Il volume è in-4, datato da Lampsaco come *Les Aphrodites* del Nerciat: 1734. Gli intagli mi paiono finissimi. Giudicatene.

Egli porse allo Sperelli il libro raro. Era intitolato GERVETII — *De Concubitu* — *libri tres*, ornato di vignette voluttuose.

— Questa figura è molto importante — soggiunse, indicando col dito una delle vignette, che rappresentava un congiungimento di corpi indescrivibile. — È una cosa nuova che io non conosceva ancóra. Nessuno dei miei scrittori erotici ne fa menzione...

Seguitava a parlare, discutendo alcune particolarità, seguendo le linee del disegno con quel dito bianchiccio sparso di peli su la prima falange e terminato da un'unghia acuta, lucida, un po' livida come l'unghia dei quadrumani. Le sue parole penetravano nell'orecchio dello Sperelli con uno stridore atroce.

— Questa edizione olandese di Petronio è magnifica. E questo è l'*Erotopaegnion* stampato a Parigi nel 1798. Conoscete il poema attribuito a John Wilkes, *An essay on woman*? Eccone una edizione del 1763.

La raccolta era ricchissima. Comprendeva tutta la letteratura pantagruelica e rococò di Francia: le priapèe, le fantasie scatologiche, le monacologie, gli elogi burleschi, i catechismi, gli idillii, i romanzi, i poemi dalla *Pipe cassée* del Vadé alle *Liaisons dangereuses*, dall'*Arétin d'Augustin Carrache* alle *Tourterelles de Zelmis*, dalla *Descouverture du style impudique* al *Faublas*. Comprendeva quanto di più raffinato e di piú infame l'ingegno umano ha prodotto nei secoli per comento dell'antico inno sacro al dio di Lampsaco: *Salve, sancte pater*.

Il collezionista prendeva i libri dalle file dell'armario, e li mostrava al giovine amico, parlando di continuo. Le sue mani oscene si facevano carezzevoli intorno i libri osceni rilegati in cuoi ed in tessuti di pregio. Ad ogni tratto sorrideva sottilmente. E gli passava negli occhi grigi il baleno della follia, sotto la enorme fronte convessa.

— Posseggo anche la edizione principe degli *Epigrammi* di Marziale, quella di Venezia, fatta da Vindelino di Spira, in-folio. Eccola. Ed ecco il Beau, il traduttore di Marziale, il comentatore delle famose trecento ottanta due oscenità. Come vi sembrano le rilegature? I fermagli sono d'un maestro. Questa composizione di priapi è di grande stile.

Lo Sperelli ascoltava e guardava, con una specie di stupore che a poco a poco andavasi mutando in orrore e in dolore. I suoi occhi ad ogni momento erano attirati da un ritratto d'Elena, che pendeva alla parete, sul damasco rosso.

— È il ritratto di Elena, dipinto da Sir Frederick Leighton. Ma guardate qui, tutto il Sade! *Le roman philosophique, La philosophie dans le boudoir, Les crimes de l'amour, Les malheurs de la vertu...* Voi, certo, non conoscete questa edizione. È fatta per conto mio da Hérissey, con caratteri elzeviriani del XVIII secolo, su carta delle Manifatture imperiali del Giappone, in soli cento venti cinque esemplari. Il divino marchese meritava questa gloria. I frontespizii, i titoli, le iniziali, tutti i fregi raccolgono quanto di più squisito noi conosciamo in materia d'iconografia erotica. Guardate i fermagli!

Le rilegature dei volumi erano mirabili. Una pelle di pescecane, rugosa ed aspra come quella che avvolge l'elsa delle sciabole giapponesi, copriva le due facce e il dorso; i fermagli e le borchie erano d'un bronzo assai ricco d'argento, opere di cesello elegantissime, che ricordavano i più bei lavori in ferro del secolo XVI.

— L'autore, Francis Redgrave, è morto in un manicomio. Era un giovine di genio. Io posseggo tutti i suoi studii. Ve li mostrerò.

Il collezionista s'accendeva. Egli uscì per andare a prendere l'albo dei disegni di Francis Redgrave, nella stanza contigua. Il suo passo era un po' saltellante e malsicuro, come d'un uomo che abbia in sé un principio di paralisi, una malattia spinale incipiente; il suo busto rimaneva rigido, non assecondando il moto delle gambe, simile al busto d'un automa.

Andrea Sperelli lo seguì con lo sguardo, fin su la soglia, inquieto. Rimasto solo, fu preso da una terribile angoscia. La stanza, tappezzata di damasco rosso cupo, come la stanza dove Elena due anni innanzi erasi data a lui, gli parve allora tragica e lugubre. Forse quelle erano le tappezzerie medesime che avevano udite le parole di Elena: — Mi piaci! — L'armario aperto lasciava vedere le file dei libri osceni, le rilegature bizzarre impresse di simboli fallici. Alla parete pendeva il ritratto di Lady Heathfield accanto a una copia della *Nelly O'Brien* di Joshua Reynolds. Ambedue le creature, dal fondo della tela, guardavano con la stessa intensità penetrante, con lo stesso ardor di passione, con la stessa fiamma di desiderio sensuale, con la stessa prodigiosa eloquenza; ambedue avevano la bocca ambigua, enigmatica, sibillina, la bocca delle infaticabili ed inesorabili bevitrici d'anime; e avevano ambedue la fronte marmorea, immacolata, lucente d'una perpetua purità.

— Povero Redgrave! — disse Lord Heathfield, rientrando con la custodia dei disegni tra le mani. — Senza dubbio, egli era un genio. Nessuna fantasia erotica supera la sua. Guardate!... Guardate!... Che stile! Nessuno artista, io penso, nello studio della fisionomia umana si avvicina alla profondità e all'acutezza a cui è giunto questo Redgrave nello studio del *phallus*. Guardate!

Egli si allontanò un istante per andare a richiudere l'uscio. Poi tornò verso il tavolo, presso la finestra; e si mise a sfogliare la raccolta, sotto gli occhi dello Sperelli, parlando di continuo, indicando con l'unghia scimiesca, affilata come un'arma, le particolarità di ciascuna figura.

Egli parlava nella sua lingua, dando ad ogni principio di frase una intonazione interrogativa e ad ogni fine una cadenza eguale, stucchevole. Certe parole laceravano l'orecchio di Andrea come un suono aspro di ferri raschiati, come lo stridore d'una lama d'acciaio a contrasto d'una lastra di cristallo.

E i disegni del defunto Francis Redgrave passavano.

Erano spaventevoli; parevano il sogno d'un becchino torturato dalla satiriasi; si svolgevano come una paurosa danza macabra e priapica; rappresentavano cento variazioni d'un sol motivo, cento episodii d'un solo dramma. E le *dramatis personae* erano due: un priapo e uno scheletro, un *phallus*[1] e un *rictus*[2].

— Questa è la pagina «superiore» — esclamò il marchese di Mount Edgcumbe, indicando l'ultimo disegno, su cui in quel punto scendeva a traverso i vetri della finestra un sorriso tenue di sole.

Era, infatti, una composizione di straordinaria potenza fantastica: una danza di scheletri muliebri, in un ciel notturno, guidata da una Morte flagellatrice. Su la faccia impudica della luna correva una nuvola nera, mostruosa, disegnata con un vigore e un'abilità degni della matita d'O-kou-sai; l'attitudine della tetra corifea, l'espression del suo teschio dalle orbite vacue erano improntate d'una vitalità mirabile, d'una spirante realtà non mai raggiunta da alcun altro artefice nella figurazione della Morte; e tutta quella sicinnide grottesca di scheletri

[1] «Fallo» (*N.d.C.*).
[2] «Bocca» (*N.d.C.*).

slogati in gonne discinte, sotto le minacce della sferza, rivelava
la tremenda febbre che aveva preso la mano del disegnatore, la
tremenda follia che aveva preso il suo cervello.

— Ecco il libro che ha inspirato questo capolavoro a Francis
Redgrave. Un gran libro!... Il più raro tra i rarissimi... Non conoscete voi Daniel Maclisius?

Lord Heathfield porse allo Sperelli il trattato *De verbera-
tione amatoria*. Si accendeva sempre più, ragionando di piaceri
crudeli. Le tempie calve gli s'invermigliavano e le vene della
fronte gli si gonfiavano e la bocca gli s'increspava, un po'
convulsa, ad ogni tratto. E le mani, le mani odiose, gestivano
con gesti brevi ma concitati, mentre i gomiti rimanevano rigidi,
d'una rigidezza paralitica. La bestia immonda, laida, feroce
appariva in lui, senza più veli. Nell'imaginazione dello Sperelli
sorgevano tutti gli orrori del libertinaggio inglese: le gesta del-
l'Armata Nera, della *black army*, su pe' marciapiedi di Londra;
la caccia implacabile alle «vergini verdi»; i lupanari di West-
End, della Halfousn Street; le case eleganti di Anna Rosem-
berg, della Jefferies; le camere segrete, ermetiche, imbottite dal
pavimento al soffitto, ove si smorzano i gridi acuti che la tortura strappa alle vittime...

— Mumps! Mumps! Siete solo?

Era la voce di Elena. Ella batteva piano a un degli usci.

— Mumps!

Andrea trasalì: tutto il sangue gli fece velo agli occhi, gli
accese la fronte, gli mise negli orecchi un rombo, come se una
vertigine improvvisa stesse per coglierlo. Un'insurrezione di
brutalità lo sconvolse; gli attraversò lo spirito, nella luce d'un
lampo, una visione oscena; gli passò nel cervello oscuramente
un pensier criminoso; l'agitò per un attimo non so che smania
sanguinaria. In mezzo al turbamento portato in lui da quei libri,
da quelle figure, dalle parole di quell'uomo, risaliva su dalle
cieche profondità dell'essere lo stesso impeto istintivo che già
egli aveva provato un giorno, sul campo delle corse, dopo la
vittoria contro il Rùtolo, tra le esalazioni acri del cavallo fumante. Il fantasma d'un delitto d'amore lo tentò e si dileguò,
rapidissimo, nella luce d'un lampo: uccidere quell'uomo, prendere quella donna per violenza, appagare così la terribile cupidigia carnale, poi uccidersi.

— Non sono solo — disse il marito, senza aprire l'uscio. —
Fra qualche minuto potrò condurvi nel salone il conte Sperelli
che è qui con me.

Egli ripose nell'armario il trattato di Daniel Maclisius;
chiuse la custodia dei disegni di Francis Redgrave e la portò
nella stanza contigua.

Andrea avrebbe dato qualunque prezzo per sottrarsi al supplizio che l'aspettava ed era attratto da quel supplizio, nel tempo medesimo. Il suo sguardo, anche una volta, si levò alla parete rossa, verso il cupo quadro ove brillava la faccia esangue di Elena dagli occhi seguaci, dalla bocca di sibilla. Un fascino acuto e continuo emanava da quella immobilità imperiosa. Quel pallore unico dominava tragicamente tutta la rossa ombra della stanza. Ed egli sentì, anche una volta, che la sua trista passione era immedicabile.

Un'angoscia disperata l'assalse. — Non avrebbe egli dunque mai più posseduta quella carne? Era ella dunque risoluta a non cedergli? Ed egli avrebbe per sempre nutrita in sé la fiamma del desiderio insoddisfatto? — L'eccitazion prodotta in lui dai libri di Lord Heathfield inaspriva la sofferenza, rinfocolava la febbre. Era nel suo spirito un confuso tumulto d'imagini erotiche; la nudità di Elena entrava nei gruppi infami delle vignette incise dal Coiny, prendeva attitudini di piacere già note al passato amore, si piegava ad attitudini nuove, si offeriva alla lascivia bestiale del marito. Orrore! Orrore!

— Volete che andiamo di là? — chiese il marito, ricomparendo su la soglia, ben ricomposto e tranquillo. — Mi disegnerete dunque i fermagli pel mio Gervetius?

Andrea rispose:

— Mi proverò.

Egli non poteva reprimere il tremito interno. Nel salone, Elena lo guardò curiosamente, con un sorriso irritante.

— Che facevate, di là? — ella gli chiese, pur sempre sorridendo al modo medesimo.

— Vostro marito mi mostrava cimelii.

— Ah!

Ella aveva la bocca sardonica, una cert'aria beffarda, un'irrision palese nella voce. Si adagiò sopra un largo divano coperto d'un tappeto di Bouckara amaranto su cui languivano i cuscini pallidi e su' cuscini le palme d'oro smorto. Si adagiò in un'attitudine molle, guardando Andrea di tra i lusinghevoli cigli, con quegli occhi che parevano come suffusi d'un qualche olio purissimo e sottilissimo. E si mise a parlare di cose mondane, ma con una voce che penetrava fin nell'intime vene del giovine, come un fuoco invisibile.

Due o tre volte Andrea sorprese lo sguardo scintillante di Lord Heathfield fisso su la moglie: uno sguardo che gli parve carico di tutte le impurità e le infamie dianzi rimescolate. Quasi ad ogni frase, Elena rideva, d'un riso irridente, con una strana facilità, non turbata dalla brama di que' due uomini che s'erano accesi insieme su le figure dei libri osceni. Ancóra, il pensier criminoso attraversò lo spirito di Andrea, nella luce d'un lampo. Tutte le fibre gli tremarono.

Quando Lord Heathfield si levò ed uscì, egli proruppe con la voce roca, afferrandole un polso, avvicinandosi a lei così da sfiorarla con l'alito veemente:

— Io perdo la ragione... Io divento folle... Ho bisogno di te, Elena... Ti voglio...

Ella liberò il polso, con un gesto superbo. Poi disse, con una terribile freddezza:

— Vi farò dare da mio marito venti franchi. Uscendo di qui, potrete sodisfarvi.

Lo Sperelli balzò in piedi, livido.

Lord Heathfield rientrando chiese:

— Ve ne andate già? Che avete mai?

E sorrise del giovine amico, poiché egli conosceva gli effetti de' suoi libri.

Lo Sperelli s'inchinò. Elena gli offerse la mano, senza scomporsi. Il marchese lo accompagnò fin su la soglia, dicendogli piano:

— Vi raccomando il mio Gervetius.

Come fu sotto il portico, Andrea vide avanzarsi pel viale una carrozza. Un signore dalla gran barba bionda s'affacciò allo sportello, salutando. Era Galeazzo Secìnaro.

Subitamente, gli sorse nello spirito il ricordo della Fiera di maggio con l'episodio della somma offerta da Galeazzo per ottenere che Elena Muti asciugasse alla barba le belle dita bagnate di Sciampagna. Affrettò il passo, uscì nella strada: aveva la sensazione ottusa e confusa come d'un romore assordante che sfuggisse dall'intimo del suo cervello.

Era un pomeriggio della fine d'aprile, caldo e umido. Il sole appariva e spariva tra i nuvoli fioccosi e pigri. L'accidia dello scirocco teneva Roma.

Sul marciapiede della via Sistina, egli scorse d'innanzi a sé una signora che camminava lentamente verso la Trinità. Riconobbe Donna Maria Ferres. Guardò l'orologio: erano, infatti, circa le cinque; mancavano pochi minuti all'ora abituale del ritrovo. Maria, certo, andava al palazzo Zuccari.

Egli affrettò il passo per raggiungerla. Quando fu da presso la chiamò per nome:

— Maria!

Ella ebbe un sussulto.

— Come qui? Io salivo da te. Sono le cinque.

— Manca qualche minuto. Io correvo ad aspettarti. Perdonami.

— Che hai? Sei molto pallido, tutto alterato... Di dove vieni?

Ella corrugò i sopraccigli, fissandolo, a traverso il velo.

— Dalla scuderia — rispose Andrea, sostenendo lo sguardo,

senza arrossire, come s'egli non avesse più sangue. — Un cavallo, che m'era assai caro, s'è rovinato un ginocchio per colpa del *jockey*. Domenica non potrà quindi prender parte al *Derby*. La cosa mi fa pena ed ira. Perdonami. Ho indugiato senza accorgermene. Ma alle cinque manca qualche minuto...

— Bene. Addio. Me ne vado.

Erano su la piazza della Trinità. Ella si soffermò per congedarsi, tendendogli la mano. Le durava ancóra tra i sopraccigli una piega. In mezzo alla sua gran dolcezza, talvolta ella aveva insofferenze quasi aspre e movimenti altieri che la trasfiguravano.

— No, Maria. Vieni. Sii dolce. Io vado su, ad aspettarti. Tu arriva fino ai cancelli del Pincio e torna indietro. Vuoi?

L'orologio della Trinità de' Monti suonò le cinque.

— Senti? — soggiunse Andrea.

Ella disse, dopo una leggera esitazione:

— Verrò.

— Grazie. Ti amo.

— Ti amo.

Si separarono.

Donna Maria seguitò il suo cammino; traversò la piazza, entrò nel viale arborato. Sul suo capo, a intervalli, lungo la muraglia, il soffio languido dello scirocco suscitava negli alberi verdi un murmure. Nel tepore umido dell'aria fluivano rare onde di profumo e svanivano. Le nuvole parevano più basse; certi stormi di rondini quasi radevano il suolo. Eppure, in quella snervante gravezza era qualche cosa di molle che ammolliva il cuor passionato della senese.

Da che ella aveva ceduto al desiderio di Andrea, il suo cuore si agitava in una felicità solcata d'inquietudini profonde; tutto il suo sangue cristiano s'accendeva alle voluttà della passione non mai provate e s'agghiacciava agli sbigottimenti della colpa. La sua passione era altissima, soverchiante, immensa; così fiera che spesso per lunghe ore le toglieva la memoria della figlia. Ella giungeva ad obliare Delfina, talvolta; a trascurarla! Ed aveva poi subitanei ritorni di rimorso, di pentimento, di tenerezza, in cui ella copriva di baci e di lacrime la testa della figlia attonita, singhiozzando con un dolor disperato, come sopra la testa d'una morta.

Tutto il suo essere s'affinava alla fiamma, si assottigliava, si acuiva, acquistava una sensibilità prodigiosa, una specie di lucidità oltreveggente, una facoltà divinatoria che le dava strane torture. Quasi ad ogni inganno di Andrea, ella si sentiva passare un'ombra su l'anima, provava una inquietudine indefinita che talvolta addensandosi prendeva forma d'un sospetto. E il sospetto la mordeva, le rendeva amari i baci, acre ogni carezza, finché non si dileguava sotto gli impeti e gli ardori dell'incomprensibile amante.

Ella era gelosa. La gelosia era il suo spasimo implacabile, la gelosia, non pur del presente, ma del passato. Per quella crudeltà che le persone gelose hanno contro sé stesse, ella avrebbe voluto leggere nella memoria di Andrea, scoprirne tutti i ricordi, vedere tutte le tracce segnate dalle antiche amanti, sapere, sapere. La domanda che più spesso le correva alle labbra, quando Andrea taceva, era questa: — A che pensi? — E mentre ella profferiva le tre parole, inevitabilmente l'ombra le passava negli occhi e su l'anima, inevitabilmente un flutto di tristezza le si levava dal cuore.

Anche quel giorno, all'improvviso sopraggiungere di Andrea, non aveva ella avuto in fondo a sé un istintivo moto di sospetto? Anzi un pensier lucido erale balenato nello spirito: il pensiero che Andrea venisse dalla casa di Lady Heathfield, dal palazzo Barberini.

Ella sapeva che Andrea era stato l'amante di quella donna, sapeva che quella donna si chiamava Elena, sapeva infine che quella era la Elena dell'inscrizione. «*Ich lebe!...*»[3] Il distico del Goethe le squillava forte sul cuore. Quel grido lirico le dava la misura dell'amor d'Andrea per la bellissima donna. Egli doveva averla immensamente amata!

Camminando sotto gli alberi, ella ricordava l'apparizione di Elena nella sala del concerto, al Palazzo de' Sabini, e il turbamento mal dissimulato dell'antico amante. Ricordava la terribile commozione che l'aveva presa una sera, a una festa dell'Ambasciata d'Austria, quando la contessa Starnina le aveva detto, al passaggio di Elena: — Ti piace la Heathfield? È stata una gran fiamma del nostro amico Sperelli, e credo che sia ancóra.

«Credo che sia ancóra.» Quante torture per quella frase! Ella aveva seguita con gli occhi la gran rivale, di continuo, in mezzo alla folla elegante; e più d'una volta il suo sguardo erasi incontrato con quel di lei, ed ella ne aveva avuto un brivido indefinibile. Poi, nella sera medesima, presentate l'una all'altra dalla baronessa di Boeckhorst, in mezzo alla folla, avevano scambiato un semplice inchino della testa. E il tacito inchino erasi ripetuto in seguito nelle assai rare volte che Donna Maria Ferres y Capdevila aveva attraversato un salone mondano.

Perché i dubbii, sopiti o spenti sotto l'onda delle ebrezze, risorgevano con tanta veemenza? Perché ella non riusciva a reprimerli, ad allontanarli? Perché in fondo a lei si agitavano, ad ogni piccolo urto dell'imaginazione, tutte quelle sconosciute inquietudini?

---

[3] «Io vivo!...» (*N.d.C.*).

Camminando sotto gli alberi, ella sentiva crescere l'affanno. Il suo cuore non era pago; il sogno levatosi dal suo cuore — nella mattina mistica, sotto gli alberi floridi, in conspetto del mare — non s'era avverato. La parte più pura e più bella di quell'amore era rimasta là, nel bosco solitario, nella selva simbolica che fiorisce e fruttifica perpetuamente contemplando l'Infinito.

Ella si soffermò, d'innanzi al parapetto che guarda San Sebastianello. I vecchissimi elci, d'una verdura così cupa che quasi pareva nera, protendevano su la fontana un tetto arteficiato, senza vita. I tronchi portavano ampie ferite, ricolmate con la calce e col mattone, come le aperture d'una muraglia. — Oh giovini àlbatri raggianti e spiranti nella luce! — L'acqua grondando dalla superior tazza di granito nel bacino sottoposto metteva uno scoppio di gemiti, a intervalli, come un cuore che si riempia d'angoscia e poi trabocchi in pianto. — Oh melodia delle Cento Fontane, pel viale de' lauri! — La città giaceva estinta, come sepolta dalla cenere d'un vulcano invisibile, silenziosa e funerea come una città disfatta da una pestilenza, enorme, informe, dominata dalla Cupola che le sorgeva dal grembo come una nube. — Oh mare! Oh mare sereno!

Ella sentiva crescere l'affanno. Un'oscura minaccia veniva a lei dalle cose. La occupò quel medesimo senso di timore che già ella aveva provato più d'una volta. Sul suo spirito cristiano balenò il pensiero del castigo.

E tuttavia ella rabbrividì nel più profondo del suo essere al pensiero che l'amante l'aspettava; al pensiero dei baci, delle carezze, delle folli parole, ella sentì il suo sangue infiammarsi, la sua anima languire. Il brivido della passione vinse il brivido del timor divino. Ed ella si mosse verso la casa dell'amante, trepida, sconvolta, come se andasse a un primo ritrovo.

— Oh, finalmente! — esclamò Andrea, accogliendola fra le sue braccia, bevendole l'alito dalla bocca affannata.

Poi, prendendole una mano e premendosela al petto:

— Sentimi il cuore. Se tu indugiavi ancor un minuto, mi si rompeva.

Ella mise la guancia nel luogo della mano. Egli le baciò la nuca.

— Senti?

— Sì; mi parla.

— Che ti dice?

— Che non mi ami.

— Che ti dice? — ripeté il giovine, mordendola alla nuca, impedendole di sollevarsi.

Ella rise.

— Che mi ami.

Ella si tolse il mantello, il cappello, i guanti. Andò a odorare i fiori di lilla bianchi che empivano le alte coppe fiorentine, quelle del *tondo* borghesiano. Aveva su i tappeti un passo di straordinaria leggerezza; e nulla era più soave dell'atto con cui ella affondava il viso tra le ciocche delicate.

— Prendi — ella disse, recidendo coi denti una cima e tenendola in bocca, fuor delle labbra.

— No; io prenderò dalla tua bocca un altro fiore, men bianco ma più saporoso...

Si baciarono, a lungo, a lungo, in mezzo al profumo.

Egli disse, con la voce un po' mutata, traendola:

— Vieni, di là.

— No, Andrea; è tardi. Oggi, no. Restiamo qui. Io ti farò il tè; tu mi farai tante carezze buone.

Ella gli prese le mani, intrecciò le sue dita a quelle di lui.

— Non so che ho. Mi sento il cuore così gonfio di tenerezza che quasi piangerei.

Le sue parole tremavano; i suoi occhi s'inumidivano.

— Se potessi non lasciarti, restare qui tutta la sera!

Un'accorazione profonda le suggeriva accenti d'indefinibile malinconia.

— Pensare che tu non saprai mai tutto tutto il mio amore! Pensare che io non saprò mai il tuo! Mi ami tu? Dimmelo, dimmelo sempre, cento volte, mille volte, senza stancarti. Mi ami?

— Non lo sai forse?

— Non lo so.

Ella profferì queste parole con una voce tanto sommessa che Andrea le udì appena.

— Maria!

Ella piegò il capo sul petto di lui, in silenzio; appoggiò la fronte, quasi aspettando ch'egli parlasse, per ascoltarlo.

Egli guardò quel povero capo reclinato sotto il peso del presentimento; sentì il premer leggero di quella fronte nobile e triste sul suo petto indurito dalla menzogna, fasciato di falsità. Una commozione angosciosa lo strinse; una misericordia umana di quella sofferenza umana gli chiuse la gola. E quel buon moto dell'anima si risolse in parole che mentivano, diede il tremito della sincerità a parole che mentivano.

— Tu *non lo sai*!... Hai parlato piano; il soffio ti si è spento su le labbra; qualche cosa in fondo a te s'è levata contro quel che dicevi; tutti tutti i ricordi del nostro amore si son levati contro quel che dicevi. Tu *non sai* che io ti amo!...

Ella rimaneva china, ascoltando, palpitando forte, riconoscendo, credendo riconoscere nella voce commossa del giovine il suono vero della passione, l'inebriante suono ch'ella credeva inimitabile. Ed egli le parlava quasi all'orecchio, nel silenzio della stanza, mettendole sul collo un soffio caldo, con pause più dolci delle parole.

— Avere un pensiero unico, assiduo, di tutte l'ore, di tutti gli attimi;... non concepire altra felicità che quella, sovrumana, irraggiata dalla sola tua presenza su l'esser mio;... vivere tutto il giorno nell'aspettazione inquieta, furiosa, terribile, del momento in cui ti rivedrò;... nutrire l'imagine delle tue carezze, quando sei partita, e di nuovo possederti in un'ombra quasi creata;... sentirti, quando io dormo, sentirti, sul mio cuore, viva, reale, palpabile, mescolata al mio sangue, mescolata alla mia vita;... e credere in te *soltanto*, giurare in te *soltanto*, riporre in te *soltanto* la mia fede, la mia forza, il mio orgoglio, tutto il mio mondo, tutto quel che sogno, e tutto quel che spero...

Ella alzò la faccia rigata di lacrime. Egli tacque, arrestandole con le labbra le stille tiepide su le gote. Ella lacrimava e sorrideva, mettendogli le dita tremule ne' capelli, smarritamente, singhiozzando:

— Anima, anima mia!

Egli la fece sedere; le si inginocchiò ai piedi, non lasciando di baciarla su le palpebre. A un tratto, ebbe un sussulto. Aveva sentito su le labbra palpitare rapidamente i lunghi cigli di lei, a similitudine di un'ala irrequieta. Era una carezza strana che dava un piacere insostenibile; era una carezza che Elena un tempo soleva fare ridendo, più volte di seguito, costringendo l'amante al piccolo spasimo nervoso della vellicazione; e Maria l'aveva appresa da lui, e spesso egli sotto una tal carezza aveva potuto evocare l'imagine dell'*altra*.

Al sussulto, Maria sorrise. E, come le indugiava ancóra una lacrima lucida tra i cigli, ella disse:

— Bevi anche questa!

E, come egli bevve, ella rise, inconsapevole.

Ella esciva dal pianto quasi lieta, rassicurata, piena di grazie.

— Ti farò il tè — disse.

— No; rimani qui, seduta.

Egli s'accendeva, vedendola sul divano, tra i cuscini. Avvenne, nel suo spirito, una sùbita sovrapposizione dell'imagine d'Elena.

— Lasciami alzare! — pregò Maria, liberando il busto da un stretta. — Voglio che tu beva il mio tè. Sentirai. Il profumo t'arriverà all'anima.

Parlava d'un tè prezioso, giuntole da Calcutta, ch'ella aveva donato ad Andrea il giorno innanzi.

Si alzò e andò a sedersi su la seggiola di cuoio dalle Chimere, dove ancóra moriva squisitamente il color «rosa di

gruogo» dell'antica dalmatica. Su la piccola tavola ancóra brillavano le maioliche fini di Castel Durante.

Nel compier l'opera, ella diceva tante cose gentili; espan-
deva la sua bontà e la sua tenerezza con un pieno abbandono;
godeva ingenuamente di quella cara intimità segreta, in quella
stanza tranquilla, in mezzo a quel lusso raffinato. Dietro di lei,
come dietro la Vergine nel *tondo* di Sandro Botticelli, sorgevano le coppe di cristallo coronate dalle ciocche di lilla bianche; e le sue mani d'arcangelo si movevano tra le istoriette mitologiche di Luzio Dolci e gli esametri d'Ovidio.

— A che pensi? — chiese ella ad Andrea che le stava vicino,
seduto sul tappeto, con la testa appoggiata contro un brac-
ciuolo della seggiola.

— Ti ascolto. Parla ancóra!

— Non più.

— Parla! Dimmi tante cose, tante cose...

— Quali cose?

— Quelle che sai tu sola.

Egli faceva cullare dalla voce di lei l'angoscia che gli veniva
dall'*altra*; faceva animare dalla voce di lei la figura dell'*altra*.

— Senti? — esclamò Maria, versando su le foglie aromati-
che l'acqua bollente.

Un profumo acuto si spandeva nell'aria, col vapore. Andrea
l'aspirò. Poi disse, chiudendo gli occhi, rovesciando indietro il
capo:

— Baciami.

E, appena ebbe il contatto delle labbra, trasalì tanto forte che
Maria ne fu sorpresa.

Ella versò in una tazza la bevanda e glie la offerse, con un
sorriso misterioso.

— Bada. C'è un filtro.

Egli rifiutò l'offerta.

— Non voglio bere a quella tazza.

— Perché?

— Dammi tu... da bere.

— Ma come?

— Così. Prendi un sorso e non inghiottire.

— Scotta troppo ancóra.

Ella rideva, a quel capriccio dell'amante. Egli era un po'
convulso, pallidissimo, con lo sguardo alterato. Aspettarono
che il tè si freddasse. Ad ogni momento, Maria accostava le
labbra all'orlo della tazza per provare; poi rideva, d'un piccolo
riso fresco che non pareva suo.

— Ora, si può bere — annunziò.

— Ora, prendi un bel sorso. Così.

Ella teneva le labbra serrate, per contenere il sorso; ma le ridevano i grandi occhi a cui le lacrime recenti avevan dato maggior fulgore.

— Ora, versa, a poco a poco.

Egli trasse nel bacio, suggendo, tutto il sorso. Come sentiva mancarsi il respiro, ella sollecitava il lento bevitore stringendogli le tempie.

— Dio mio! Tu mi volevi soffocare.

S'abbandonò sul cuscino, quasi per riposarsi, languida, felice.

— Che sapore aveva? Tu m'hai bevuta anche l'anima. Sono tutta vuota.

Egli era rimasto pensoso, con lo sguardo fisso.

— A che pensi? — gli chiese Maria, di nuovo, sollevandosi a un tratto, posandogli un dito nel mezzo della fronte, quasi per fermare il pensiero invisibile.

— A nulla — rispose. — Non pensavo. Seguivo dentro di me gli effetti del filtro...

Allora ella anche volle provare. Bevve da lui con delizia. Poi esclamò, premendosi una mano sul cuore e mettendo un lungo respiro:

— Quanto mi piace!

Andrea tremò. Non era quello lo stesso accento di Elena nella sera della dedizione? Non erano le stesse parole? Egli le guardava la bocca.

— Ripeti.

— Che cosa?

— Quello che hai detto.

— Perché?

— È una parola tanto dolce, quando tu la pronunzii... Tu non puoi intendere... Ripeti.

Ella sorrideva, inconsapevole, un po' turbata dallo sguardo singolare dell'amante, quasi timida.

— Ebbene... mi piace!

— Ed io?

— Come?

— Ed io... a te...?

Ella, perplessa, guardava l'amante che le si torceva ai piedi, convulso, nell'aspettazione della parola ch'egli voleva strapparle.

— Ed io?

— Ah! Tu... mi piaci.

— Così, così... Ripeti. Ancóra!

Ella consentiva, inconsapevole. Egli provava uno spasimo ed una voluttà indefinibili.

— Perché chiudi gli occhi? — chiese ella, non in sospetto, ma affinché egli le esprimesse la sua sensazione.

— Per morire.

Egli posò la testa su le ginocchia di lei, rimanendo qualche minuto in quell'attitudine, silenzioso, oscuro. Ella gli accarezzava piano i capelli, le tempie, la fronte ove, sotto la carezza, si moveva un pensiero infame. D'intorno a loro, la stanza immergevasi nell'ombra, a poco a poco; fluttuava il profumo commisto dei fiori e della bevanda; le forme si confondevano in una sola apparenza armonica e ricca, senza realità.

Dopo un intervallo, Maria disse:

— Lèvati, amore. Bisogna che io ti lasci. È tardi.

Egli si levò, pregando:

— Resta con me un altro momento, fino all'*Ave Maria*.

E la trasse di nuovo a sedere sul divano, dove i cuscini luccicavano nell'ombra. Nell'ombra egli la distese con un moto repentino, le strinse il capo, coprendole di baci la faccia. Il suo ardore era quasi iroso. Egli imaginava di stringere il capo dell'*altra*, e imaginava quel capo macchiato dalle labbra del marito; e non ne aveva ribrezzo ma ne aveva anzi un desiderio più selvaggio. Dai fondi più bassi dell'istinto gli risalivano nella conscienza tutte le torbide sensazioni avute in cospetto di quell'uomo; gli risalivano al cuore tutte le oscenità e le brutture, come un'onda di fango rimescolata; e tutte quelle vili cose passavano nei baci su le guance, su la fronte, su i capelli, sul collo, su la bocca di Maria.

— No; lasciami! — ella gridò liberandosi dalla stretta con uno sforzo.

E corse, verso la tavola del tè, ad accendere le candele.

— Siate savio — ella soggiunse, un poco affannata, ravviandosi, con una gentile aria di cruccio.

Egli era rimasto sul divano e la guardava, muto.

Ella andò verso la parete, a fianco del caminetto, ove pendeva il piccolo specchio di Mona Amorrosisca. Si mise il cappello e il velo, innanzi a quella lastra offuscata che aveva apparenza d'un'acqua torba, un poco verdastra.

— Come mi dispiace di lasciarti, stasera!... Stasera più delle altre volte... — mormorò, oppressa dalla malinconia dell'ora.

Nella stanza il lume violaceo del crepuscolo pugnava col lume delle candele. La tazza di tè era su l'orlo della tavola, fredda, diminuita dei due sorsi. In sommo delle alte coppe di cristallo i fiori di lilla parevano più bianchi. Il cuscino della poltrona conservava ancóra l'impronta del corpo ch'eravisi affondato.

La campana della Trinità de' Monti cominciò a sonare.

— Dio mio, com'è tardi! Aiutami a mettermi il mantello — fece la povera creatura, tornando verso Andrea.

Egli la strinse di nuovo fra le braccia, la stese, la coprì di baci furiosi, ciecamente, perdutamente, con un divorante ardore, senza parlare, soffocandole il gemito su la bocca, soffocando su la bocca di lei un impeto che gli veniva, quasi invincibile, di gridare il nome di Elena. E sul corpo della inconsapevole consumò l'orribile sacrilegio.

Rimasero qualche minuto avvinti. Ella disse, con la voce spenta ed ebra:

— Tu ti prendi la mia vita!

Ella era felice di quell'appassionata veemenza.

Ella disse:

— Anima, anima mia, tutta tutta mia!

Disse, felice:

— Ti sento battere il cuore... tanto forte, tanto forte!

Poi disse, con un sospiro:

— Lasciami alzare. Bisogna ch'io vada.

Andrea era bianco e stravolto come un omicida.

— Che hai? — gli chiese ella teneramente.

Egli volle sorriderle. Rispose:

— Non avevo mai provata una commozione così profonda. Credevo di morire.

Si volse a una delle coppe, tolse il fascio dei fiori, e l'offerse a Maria, accompagnandola verso la porta, quasi sollecitandola a partirsi, poiché ogni gesto, ogni sguardo, ogni parola di lei gli dava uno strazio insostenibile.

— Addio, amore. Sognami! — disse la povera creatura, dalla soglia, con la sua tenerezza suprema.

II.

La mattina del 20 maggio, Andrea Sperelli risaliva il Corso inondato dal sole, quando si sentì chiamare, innanzi al portone del Circolo.

Stava sul marciapiede un crocchio di gentiluomini amici, godendo il passaggio delle signore e malignando. C'era Giulio Musèllaro, con Ludovico Barbarisi, con il duca di Grimiti, con Galeazzo Secìnaro; c'era Gino Bommìnaco; c'era qualche altro.

— Non sai il fatto di stanotte? — gli domandò il Barbarisi.

— No. Quale fatto?

— Don Manuel Ferres, il ministro del Guatemala...

— Ebbene?

— È stato sorpreso, in pieno giuoco, mentre barava.

Lo Sperelli si dominò, quantunque alcuno de' gentiluomini lo guardasse con una certa curiosità maliziosa.

— E come?

— Galeazzo era presente, anzi giocava allo stesso tavolo.

Il principe Secìnaro si mise a raccontare le particolarità.

Andrea Sperelli non affettò l'indifferenza. Ascoltava anzi con un'aria attenta e grave. Disse, infine:

— Mi dispiace molto.

Rimase pochi altri minuti nel crocchio; salutò quindi gli amici, per andarsene.

— Che via fai? — gli domandò il Secìnaro.

— Torno a casa.

— Ti accompagno per un tratto.

S'incamminarono in giù, verso la via de' Condotti. Il Corso era un lietissimo fiume di sole, dalla piazza di Venezia alla piazza del Popolo. Le signore, in chiari abbigliamenti primaverili, passavano lungo le vetrine scintillanti. Passò la principessa di Ferentino con Barbarella Viti, sotto una cupola di merletto. Passò Bianca Dolcebuono. Passò la giovine sposa di Leonetto Lanza.

— Lo conoscevi tu, quel Ferres? — domandò Galeazzo allo Sperelli ch'era taciturno.

— Sì; lo conobbi l'anno scorso, di settembre, a Schifanoja, da mia cugina Ateleta. La moglie è una grande amica di Francesca. Perciò il fatto mi dispiace molto. Bisognerebbe cercare di dargli la minor possibile publicità. Tu mi renderesti un servigio, aiutandomi...

Galeazzo si profferse con premura cordiale.

— Credo — egli disse — che lo scandalo in parte sarebbe evitato se il ministro presentasse le dimissioni al suo Governo, ma senza indugio, come gli è stato ingiunto dal presidente del Circolo. Il ministro invece si rifiuta. Stanotte aveva un'attitudine di persona offesa; alzava la voce. E le prove erano là! Bisognerebbe persuaderlo...

Seguitarono a parlare del fatto, camminando. Lo Sperelli era grato al Secìnaro, della premura cordiale. Il Secìnaro era predisposto, da quella intimità, alle confidenze amichevoli.

Su l'angolo della via de' Condotti, scorsero la signora di Mount Edgcumbe che seguiva il marciapiede sinistro, lungo le vetrine giapponesi, con quella sua andatura molle e ritmica e affascinante.

— Donna Elena — disse Galeazzo.

Ambedue la guardarono; ambedue sentirono il fascino di quell'incesso. Ma lo sguardo di Andrea penetrò le vesti, vide le forme note, il dorso divino.

Quando la raggiunsero, la salutarono insieme; e passarono oltre. Ora essi non potevano guardarla ed erano guardati. E fu per Andrea un supplizio nuovissimo quel camminare a fianco d'un rivale, sotto gli occhi della donna agognata, pensando che

i terribili occhi si dilettavano forse d'un confronto. Egli medesimo si paragonò, mentalmente, al Secìnaro.

Costui aveva il tipo bovino d'un Lucio Vero biondo e cerulo;
e gli rosseggiava tra la copia magnifica dell'oro una bocca di
nessuna significazione spirituale, ma bella. Era alto, quadrato,
vigoroso, d'una eleganza non fine ma disinvolta.

— Ebbene? — gli domandò Andrea, spinto all'audacia da
una invincibile smania. — È a buon punto l'avventura?

Egli sapeva di poter parlare in quel modo a quell'uomo.

Galeazzo gli si volse con un'aria tra attonita e indagatrice,
poiché non s'aspettava da lui una simile domanda e tanto meno
in un tono così frivolo, così perfettamente calmo. Andrea sorrideva.

— Ah, da quanto tempo dura il mio assedio! — rispose il
principe barbato. — Da tempo immemorabile, a varie riprese,
e sempre senza fortuna. Arrivavo sempre troppo tardi: qualcuno m'aveva già preceduto nell'espugnazione. Ma non mi son
mai perduto d'animo. Ero convinto che, o prima o poi, sarebbe
venuto il mio turno. *Attendre pour atteindre*[4]. Infatti...

— Dunque?

— Lady Heathfield m'è più benigna della duchessa di
Scerni. Avrò, io spero, l'ambitissimo onore d'essere inscritto
dopo te, nella lista...

Egli ruppe in un riso un po' grosso, mostrando la dentatura
candida.

— Credo che le mie gesta indiane, divulgate da Giulio Musèllaro, abbiano aggiunto alla mia barba qualche filo eroico
d'irresistibile virtù.

— Oh, ma la tua barba in questi giorni deve fremere di ricordi...

— Di quali ricordi?

— Di ricordi bacchici.

— Non capisco.

— Come! Tu dimentichi la famosa Fiera di maggio dell'ot-
tantaquattro?

— Oh, guarda! Mi ci fai pensare. Cadrebbe in questi giorni
il terzo anniversario... Tu però non c'eri. E chi t'ha raccontato?...

— Vuoi saper troppo, mio caro.

— Dimmelo; ti prego.

— Pensa piuttosto a valerti dell'anniversario con abilità; e
dammi presto notizie.

— Quando ci vedremo?

— Quando ti piace.

---

[4] «Attendere per attendere.» (*N.d.C.*).

— Pranza con me stasera, al Circolo, verso le otto. Così potremo poi occuparci insieme dell'altra faccenda.

— Va bene. Addio, Barbadoro. Corri!

Si separarono nella piazza di Spagna, a piè della scala; e, come Elena attraversava la piazza dirigendosi verso la via de' Due Macelli per salire alle Quattro Fontane, il Secìnaro la raggiunse e l'accompagnò.

Andrea, dopo lo sforzo della dissimulazione, si sentiva pesare il cuore su per la scala, orribilmente. Credeva di non poterlo trascinare alla sommità. Ma egli era sicuro omai che, in seguito, il Secìnaro gli avrebbe tutto confidato; e quasi gli pareva d'aver ottenuto un vantaggio! Per una specie di ubriachezza, per una specie di follia datagli dall'eccesso della sofferenza, egli andava ciecamente incontro a torture nuove e sempre più crudeli e sempre più insensate, aggravando e complicando in mille modi le condizioni del suo spirito, passando di pervertimento in pervertimento, di aberrazione in aberrazione, di atrocità in atrocità, senza potersi più arrestare, senza avere un attimo di sosta nella caduta vertiginosa. Egli era divorato come da una febbre inestinguibile che facesse schiudere col suo calore negli oscuri abissi dell'essere tutti i germi delle abiezioni umane. Ogni pensiero, ogni sentimento portava la macchia. Egli era tutto una piaga.

Eppure, l'inganno medesimo lo legava forte alla donna ingannata. Il suo spirito erasi così stranamente adattato alla mostruosa comedia, che quasi non concepiva più altro modo di piacere, altro modo di dolore. Quella incarnazione di una donna in un'altra non era più un atto di passione esasperata ma era un'abitudine di vizio e quindi un bisogno imperioso, una necessità. E l'istrumento inconsapevole di quel vizio era divenuto quindi per lui necessario come il vizio medesimo. Per un fenomeno di depravazion sensuale, egli era quasi giunto a credere che il real possesso di Elena non gli avrebbe dato il godimento acuto e raro datogli da quel possesso imaginario. Egli era quasi giunto a non poter più separare, nell'idea di voluttà, le due donne. E come pensava diminuita la voluttà nel possesso reale dell'una, così anche sentiva tutti i suoi nervi ottusi quando, per una stanchezza dell'imaginazione, egli trovavasi innanzi alla forma reale *immediata* dell'altra.

Perciò egli non resse al pensiero che Maria dalla ruina di Don Manuel Ferres gli fosse tolta.

Quando verso sera Maria venne, egli sùbito s'accorse che la povera creatura ignorava ancóra la sua disgrazia. Ma, il giorno dopo, ella venne ansante, sconvolta, pallida come una morta; e gli singhiozzò tra le braccia, nascondendo il viso:

— Tu sai?

La notizia s'era sparsa. Lo scandalo era inevitabile; la ruina era irrimediabile. Seguirono giorni di supplizio disperati; in cui Maria, rimasta sola dopo la partenza precipitosa del baro, abbandonata dalle poche amiche, assaltata dai creditori innumerevoli di suo marito, perduta in mezzo alle formalità legali dei sequestri, in mezzo agli uscieri e agli usurai e ad altra gente vile, diede prova di una eroica fierezza, ma senza riuscire a salvarsi dal crollo finale che schiacciò ogni speranza.

Ed ella non volle dall'amante alcun aiuto, ella non parlò mai del suo martirio all'amante che le rimproverava la brevità delle visite d'amore; non si lamentò mai; seppe ancóra trovare per lui un sorriso men triste; seppe ancóra obedire ai capricci, concedere appassionatamente il suo corpo alle contaminazioni, effondere sul capo del carnefice le più calde tenerezze dell'anima sua.

Tutto, intorno a lei, cadeva. Il castigo era piombato improvviso. I presentimenti dicevano il vero!

Ed ella non si rammaricò di aver ceduto all'amante, non si pentì d'essersi data a lui con tanto abbandono, non rimpianse la sua purità perduta. Ella ebbe un solo dolore, più forte d'ogni rimorso e d'ogni paura, più forte d'ogni altro dolore; e fu al pensiero di doversi allontanare, di dover partire, di doversi dividere dall'uomo ch'era per lei la vita della vita.

— Io morirò, amico mio. Vado a morire lontana da te, sola sola. Tu non mi chiuderai gli occhi...

Ella gli parlava della sua fine con un sorriso profondo, pieno di certezza rassegnata. Andrea le faceva balenare ancóra un'illusion di speranza, le gettava nel cuore il seme d'un sogno, il seme d'una sofferenza futura!

— Io non ti lascerò morire. Tu sarai ancóra mia, per lungo tempo. Il nostro amore avrà ancóra giorni felici...

Egli le parlava d'un prossimo avvenire. — Si sarebbe stabilito a Firenze; di là sarebbe andato spesso a Siena, sotto pretesto di studii; si sarebbe trattenuto a Siena mesi intieri, copiando qualche antica pittura, ricercando qualche antica cronaca. Il loro amore misterioso avrebbe avuto un nido nascosto, in una via deserta, o fuori delle mura, nella campagna, in una villa ornata di maioliche robbiesche, circondata d'un verziere. Ella avrebbe saputo trovare un'ora per lui. Qualche volta anche sarebbe venuta a Firenze per una settimana, per una gran settimana di felicità. Avrebbero portato il loro idillio su la collina di Fiesole, in un settembre mite come un aprile; e i cipressi di Montughi sarebbero stati clementi come i cipressi di Schifanoja.

— Fosse vero! Fosse vero! — sospirava Maria.

— Non mi credi?

— Sì, ti credo; ma il cuore mi dice che tutte queste cose, troppo dolci, non esciranno dal sogno.

Ella voleva che Andrea la reggesse a lungo su le braccia; e rimaneva appoggiata contro il petto di lui, senza parlare, raccogliendosi tutta, come per nascondersi, col movimento e col brivido d'una persona malata o d'una persona minacciata che abbia bisogno di protezione. Chiedeva ad Andrea carezze spirituali, quelle che nel suo linguaggio intimo ella chiamava «carezze buone», quelle che la intenerivano e le davano lacrime di struggimento più soavi di qualunque piacere. Non sapeva comprendere come in quei momenti di suprema spiritualità, in quelle ultime ore dolorose della passione, in quelle ore di addio, l'amante non fosse pago di baciarle le mani.

Ella pregava, quasi ferita dal crudo desiderio di Andrea:

— No, amore! Mi sembra che tu sia più vicino a me, più stretto a me, più confuso con il mio essere, quando mi ti siedi accanto, quando mi prendi le mani, quando mi guardi in fondo agli occhi, quando mi dici le cose che tu solo sai dire. Mi sembra che le altre carezze ci allontanino, che mettano tra me e te non so quale ombra... Non so veramente rendere il mio pensiero... Le altre carezze mi lasciano poi tanto triste, tanto tanto triste... non so... e stanca, d'una stanchezza tanto cattiva!

Ella pregava, umile, sommessa, temendo di dispiacergli. Ella non faceva che evocare memorie, memorie, memorie, passate, recenti, con le particolarità più minute, ricordandosi dei gesti più lievi, delle parole più fuggevoli, di tutti i piccoli fatti più insignificanti, che per lei avevano avuto un significato. Il suo cuore tornava con maggior frequenza ai primissimi giorni di Schifanoja.

— Ti ricordi? Ti ricordi?

E le lacrime d'improvviso le empivano gli occhi abbattuti.

Una sera, Andrea le domandò, pensando al marito:

— Da che io ti conosco, tu sei stata sempre *tutta* mia?

— Sempre.

— Non ti chiedo dell'anima...

— Taci! Sempre *tutta* tua.

Ed egli, che in questo non aveva creduto a nessuna delle sue amanti adultere, le credette; non ebbe neppur l'ombra d'un dubbio su la verità ch'ella affermava.

Le credette; perché, pur contaminandola e ingannandola senza ritegno, egli sapeva d'essere amato da un alto e nobile spirito, egli sapeva omai di trovarsi innanzi a una grande e terribile passione, egli aveva omai conscienza di quella grandezza come della propria viltà. Egli sapeva, egli sapeva d'essere immensamente amato; e talvolta, nelle furie delle sue imaginazioni, giungeva perfino a mordere la bocca della dolce creatura

per non gridare un nome che gli risaliva con invincibile impeto
alla gola; e la buona e dolente bocca sanguinava in un sorriso
inconscio, dicendo:

— Anche così, tu non mi fai male.

Mancavano all'addio pochissimi giorni. Miss Dorothy aveva
condotto Delfina a Siena ed era tornata per aiutare la signora
negli ultimi più gravi fastidii e per accompagnarla nel viaggio.
A Siena, in casa della madre, la verità non era nota. Anche
Delfina non conosceva nulla. Maria s'era limitata a mandar la
notizia d'un richiamo improvviso che Manuel aveva avuto dal
suo Governo. E s'apparecchiava a partire; s'apparecchiava a
lasciare le stanze, piene di cose dilette, in mano dei periti publici che già avevano scritto l'inventario e avevano stabilita la
data dell'incanto: — 20 giugno, lunedì, alle dieci del mattino.

La sera del 9 giugno, sul punto di separarsi da Andrea, ella
cercava un suo guanto smarrito. Nel cercare, ella vide sopra un
tavolo il libro di Percy Bysshe Shelley, il medesimo volume
che Andrea le aveva prestato al tempo di Schifanoja, il volume
in cui ella aveva letto la *Recollection* prima della gita a Vicomìle, il caro e triste volume in cui ella aveva segnato con l'unghia i due versi:

> «*And forget me, for I can* never
> *Be thine!*»[5]

Ella lo prese, con una commozione visibile; lo sfogliò; trovò
la pagina, i segni dell'unghia, i due versi.

— *Never!* — mormorò, scotendo il capo. — Ti ricordi? E
son passati otto mesi appena!

Restò un poco pensosa; sfogliò ancóra il libro; lesse qualche
altro verso.

— È il nostro poeta — soggiunse. — Quante volte m'hai
promesso di condurmi al cimitero inglese! Ti ricordi? Dove-
vamo portare i fiori al sepolcro... Vuoi che andiamo? Condu-
cimi prima ch'io parta. Sarà l'ultima passeggiata.

Egli disse:

— Andiamo domani.

Andarono, quando il sole era già sul declinare. Nella carrozza coperta, ella teneva su le ginocchia un fascio di rose.
Passarono di sotto all'Aventino arborato. Intravidero i navigli
carichi di vin siciliano ancorati nel porto di Ripa grande.

In vicinanza del cimitero, discesero; percorsero un tratto a
piedi, fino al cancello, taciturni. Maria sentiva in fondo all'a-
nima ch'ella non andava soltanto a portar fiori sul sepolcro
d'un poeta ma che andava a piangere, in quel luogo di morte,

---

[5] «E dimenticami, perché non potrò *mai* essere tua!» (*N.d.C.*).

qualche cosa di sé, irreparabilmente perduta. Il frammento di Percy, letto nella notte, nell'insonnio, le risonava in fondo all'anima, mentre guardava i cipressi alti nel cielo, oltre la muraglia imbiancata.

«La Morte è qui, e la Morte è là; da per tutto la Morte è all'opera; intorno a noi, in noi, sopra di noi, sotto di noi è la Morte; e noi non siamo che Morte.

«La Morte ha messo la sua impronta e il suo suggello su tutto ciò che noi siamo, e su tutto ciò che sentiamo e su tutto ciò che conosciamo e temiamo.

«Da prima muoiono i nostri piaceri, e quindi le nostre speranze, e quindi i nostri timori; e quando tutto ciò è morto, la polvere chiama la polvere e noi anche moriamo.

«Tutte le cose che noi amiamo ed abbiam care come noi stessi devono dileguarsi e perire. Tale è il nostro crudele destino. L'amore, l'amore medesimo morirebbe, se tutto il resto non morisse...»

Varcando la soglia, ella mise il suo braccio sotto quello di Andrea, presa da un piccolo brivido.

Il cimitero era solitario. Alcuni giardinieri davano acqua alle piante, lungo la muraglia, facendo oscillare l'inaffiatoio con un movimento continuo ed eguale, in silenzio. I cipressi funebri s'inalzavano diritti ed immobili nell'aria: soltanto le loro cime, fatte d'oro dal sole, avevano un leggero tremito. Tra i fusti rigidi e verdastri, come di pietra tiburtina, sorgevano le tombe bianche, le lapidi quadrate, le colonne spezzate, le urne, le arche. Dalla cupa mole dei cipressi scendevano un'ombra misteriosa e una pace religiosa e quasi una dolcezza umana, come dal duro sasso scende un'acqua limpida e benefica. Quella regolarità costante delle forme arboree e quel candor modesto del marmo sepolcrale davano all'anima un senso di riposo grave e soave. Ma in mezzo ai tronchi allineati come le canne sonore d'un organo e in mezzo alle lapidi, gli oleandri ondeggiavano con grazia, tutti invermigliati di fresche ciocche fiorite; i rosai si sfogliavano ad ogni fiato di vento, spargendo su l'erba la loro neve odorante; gli eucalipti inchinavano le pallide capellature che or sì or no parevano argentee; i salici versavano su le croci e su le corone il loro pianto molle; i cacti qua e là mostravano i magnifici grappoli bianchi simili a sciami dormienti di farfalle o a manipoli di rare piume. E il silenzio era interrotto a quando a quando dal grido di qualche uccello disperso.

Andrea disse, indicando il sommo dell'altura:

— Il sepolcro del poeta è lassù, in vicinanza di quella rovina, a sinistra, sotto l'ultimo torrione.

Maria si sciolse da lui, per salire su pei sentieri angusti, tra

le siepi basse di mirto. Ella andava innanzi, e l'amante la seguiva. Ella aveva il passo un poco stanco; si soffermava ad
ogni tratto; ad ogni tratto si volgeva indietro per sorridere
all'amante. Era vestita di nero; portava un velo nero sul viso,
che le giungeva fino al labbro superiore; e il suo sorriso tenue
tremolava sotto l'orlo nero, si ombrava come d'un'ombra di
lutto. Il suo mento ovale era più bianco e più puro delle rose
ch'ella portava in mano.

Accadde che, mentre ella si volgeva, una rosa si sfogliò.
Andrea si chinò a raccogliere le foglie sul sentiero, innanzi a'
piedi di lei. Ella lo guardava. Egli posò i ginocchi a terra, dicendo:

— Adorata!

Un ricordo sorse a lei nello spirito, evidente come una visione.

— Ti ricordi — ella disse — *quella mattina*, a Schifanoja,
quando io ti gettai un pugno di foglie, dalla penultima terrazza?
Tu t'inginocchiasti sul gradino, mentre io discendevo... Quei
giorni, non so, mi paiono tanto vicini e tanto lontani! Mi pare
d'averli vissuti ieri, d'averli vissuti un secolo fa. Ma forse li ho
sognati?

Giunsero, tra le siepi basse di mirto, fino all'ultimo torrione
a sinistra dov'è il sepolcro del poeta e del Trelawny. Il gelsomino, che s'arrampica per l'antica rovina, era fiorito; ma delle
viole non rimaneva che la folta verdura. Le cime dei cipressi
giungevano alla linea dello sguardo e tremolavano illuminate
più vivamente dall'estremo rossor del sole che tramontava dietro la nera croce del Monte Testaccio. Una nuvola violacea, or-
lata d'oro ardente, navigava in alto verso l'Aventino.

«Qui sono due amici, le cui vite furono legate. Che anche la
loro memoria viva insieme, ora ch'essi giacciono sotto la
tomba; e che l'ossa loro non sieno divise, poiché i loro due
cuori nella vita facevano un cuor solo: *for their two hearts in
life were single hearted!*»

Maria ripeté l'ultimo verso. Poi disse ad Andrea, mossa da
un pensier delicato:

— Scioglimi il velo.

E gli si appressò arrovesciando un poco il capo perché egli
le sciogliesse il nodo su la nuca. Le dita di lui le toccavano i
capelli, i meravigliosi capelli che, quando erano sparsi, parevano vivere come una foresta, di una vita profonda e dolce; al-
l'ombra de' quali egli aveva tante volte assaporata la voluttà
de' suoi inganni e tante volte evocata un'imagine perfida. Ella
disse:

— Grazie.

E si tolse il velo di su la faccia, guardando Andrea con occhi

un poco abbagliati. Ella appariva molto bella. Il cerchio intorno le occhiaie era più cupo e più cavo, ma le pupille brillavano d'un fuoco più penetrante. Le ciocche dense de' capelli
aderivano alle tempie, come ciocche di giacinti bruni, un po'
violetti. Il mezzo della fronte, scoperto, libero, splendeva nel
contrasto, d'un candor quasi lunare. Tutti i lineamenti s'erano
affinati, avevano perduto qualche parte della loro materialità,
alla fiamma assidua dell'amore e del dolore.

Ella avvolse al velo nero gli steli delle rose, annodò le
estremità con molta cura; poi aspirò il profumo, quasi affon-
dando il viso nel fascio. E poi depose il fascio su la semplice
pietra ov'era inciso il nome del poeta. E il suo gesto ebbe una
indefinibile espressione, che Andrea non poté comprendere.

Seguitarono innanzi per cercare la tomba di John Keats, del
poeta d'*Endymion*.

Andrea le domandò, soffermandosi a riguardare indietro,
verso il torrione:

— Come le hai avute, quelle rose?

Ella gli sorrise ancóra, ma con gli occhi umidi.

— Sono le tue, quelle della notte di neve, rifiorite stanotte.
Non ci credi?

Si levava il vento della sera; e il cielo, dietro la collina, era
tutto d'un color diffuso d'oro in mezzo a cui la nuvola discio-
glievasi come consunta da un rogo. I cipressi in ordine, su quel
campo di luce, erano più grandiosi e più mistici, tutti penetrati
di raggi e vibranti nei culmini acuti. La statua di Psiche in
cima al viale medio aveva assunto un pallore di carne. Gli
oleandri sorgevano in fondo come mobili cupole di porpora.
Su la piramide di Cestio saliva la luna crescente, per un ciel
glauco e profondo come l'acqua d'un golfo in quiete.

Essi discesero, lungo il viale medio, fino al cancello. I giardinieri ancóra davan acqua alle piante, sotto la muraglia, facendo oscillare l'inaffiatoio con un movimento continuo ed
eguale, in silenzio. Due altri uomini, tenendo per i lembi una
coltre mortuaria di velluto e d'argento, la sbattevano forte; e la
polvere metteva un luccichio spandendosi. Giungeva dall'A-
ventino un suono di campane.

Maria si strinse al braccio dell'amante, non reggendo più al-
l'angoscia, sentendosi ad ogni passo mancare il suolo, credendo di lasciare su la via tutto il suo sangue. E, appena fu
nella carrozza, ruppe in lacrime disperate, singhiozzando su la
spalla dell'amante:

— Io muoio.

Ma ella non moriva. E sarebbe stato meglio, per lei, s'ella
fosse morta.

Due giorni dopo, Andrea faceva colazione in compagnia di

Galeazzo Secìnaro, a un tavolo del Caffè di Roma. Era una
mattinata calda. Il Caffè era quasi deserto, immerso nell'ombra
e nel tedio. I servi sonnecchiavano, tra il ronzio delle mosche.

— Dunque — raccontava il principe barbato — sapendo che
a lei piace di darsi in circostanze straordinarie e bizzarre,
osai...

Raccontava, crudamente, il modo audacissimo con cui aveva
potuto prendere Lady Heathfield; raccontava senza scrupoli e
senza reticenze, non tralasciando alcuna particolarità, lodando
la bontà dell'acquisto al conoscitore. Egli s'interrompeva, di
tratto in tratto, per mettere il coltello in un pezzo di carne suc-
culenta e sanguinante, che fumigava, o per vuotare un bicchiere di vin rosso. La sanità e la forza emanavano da ogni sua
attitudine.

Andrea Sperelli accese una sigaretta. Ad onta de' conati, egli
non riesciva a inghiottire il cibo, a vincere la ripugnanza dello
stomaco agitato in sommo da un orribile tremolio. Quando il
Secìnaro gli versava il vino, egli beveva insieme il vino e il tossico.

A un certo punto, il principe, sebbene fosse assai poco sottile, ebbe un dubbio; guardò l'antico amante di Elena. Questi
non dava, oltre la disappetenza, altro segno esteriore di turbamento; gittava all'aria, con pacatezza, i nuvoli di fumo e sorrideva del solito suo sorriso un po' ironico al narratore giocondo.

Il principe disse:

— Oggi ella verrà da me, per la prima volta.

— Oggi? A casa tua?

— Sì.

— È un mese eccellente questo, a Roma, per l'amore. Dalle
tre alle sei pomeridiane ogni *buen retiro* nasconde una coppia...

— Infatti — interruppe Galeazzo — ella verrà alle tre.

Ambedue guardaron l'orologio. Andrea chiese:

— Vogliamo andarcene?

— Andiamo — rispose Galeazzo, levandosi. — Faremo la
via Condotti insieme. Io vado per fiori al Babuino. Dimmi tu,
che sai: quali fiori preferisce?

Andrea si mise a ridere; e gli venne alle labbra un motto
atroce. Ma disse, incurantemente:

— Le rose, una volta.

D'innanzi alla Barcaccia, si separarono.

La piazza di Spagna, in quell'ora, aveva già una deserta apparenza estiva. Alcuni operai restauravano un condotto; e un
cumulo di terra, disseccato dal sole, levavasi in turbini di pol-

vere ai soffii caldi del vento. La scala della Trinità splendeva
bianca e deserta.

Andrea salì, piano piano, soffermandosi ad ogni due o tre
gradini, come se trascinasse un peso enorme. Rientrò nella sua
casa; restò nella sua stanza, sul letto, fino alle due e tre quarti.
Alle due e tre quarti uscì. Prese la via Sistina, seguitò per le
Quattro Fontane, oltrepassò il palazzo Barberini; si arrestò
poco discosto, innanzi agli scaffali d'un venditore di libri vecchi, aspettando le tre. Il venditore, un omuncolo tutto rugoso e
pelloso come una testuggine decrepita, gli offerse i libri. Sce-
glieva i suoi migliori volumi, a uno a uno, e glie li metteva
sotto gli occhi, parlando con una voce nasale d'insopportabile
monotonia. Mancavano pochi minuti alle tre. Andrea guardava
i titoli dei libri e vigilava i cancelli del palazzo e udiva la voce
del libraio confusamente, in mezzo al fragore delle sue vene.

Una donna uscì dai cancelli, discese pel marciapiede verso
la piazza, montò in una vettura publica, si allontanò per la via
del Tritone.

Andrea discese dietro di lei; prese di nuovo la via Sistina;
rientrò nella sua casa. Aspettò che venisse Maria. Gittato sul
letto, si mantenne così immobile che pareva non soffrisse più.

Alle cinque, giunse Maria.

Ella disse, ansante:

— Sai? Io posso rimanere con te, tutta la sera, tutta la notte,
fino a domattina.

Ella disse:

— Questa sarà la prima e l'ultima notte d'amore! Io parto
martedì.

Ella gli singhiozzò su la bocca, tremando forte, stringendo-
glisi forte contro la persona:

— Fa che io non veda domani! Fammi morire!

Guardandolo nella faccia disfatta, gli domandò:

— Tu soffri? Anche tu... pensi che non ci rivedremo più
mai?

Egli provava una difficoltà immensa a parlarle, a risponderle.
Aveva la lingua torpida, gli mancavano le parole. Provava un
bisogno istintivo di nascondere la faccia, di sottrarsi allo
sguardo, di sfuggire alle domande. Non seppe consolarla, non
seppe illuderla. Rispose, con una voce soffocata, irriconosci-
bile:

— Taci.

Le si raccolse ai piedi; restò lungo tempo con la testa sul
grembo di lei, senza parlare. Ella gli teneva le mani su le tempie, sentendogli la pulsazione delle arterie ineguale e veemente,
sentendolo soffrire. Ed ella stessa non soffriva più del suo pro-

prio dolore, ma soffriva ora del dolore di lui, soltanto del dolore di lui.

Egli si levò; le prese le mani; la trasse nell'altra stanza. Ella obedì.

Nel letto, smarrita, sbigottita, innanzi al cupo ardore del forsennato, ella gridava:

— Ma che hai? Ma che hai?

Ella voleva guardarlo negli occhi, conoscere quella follia; ed egli nascondeva il viso, perdutamente, nel seno, nel collo, ne' capelli di lei, ne' guanciali.

A un tratto, ella gli si svincolò dalle braccia, con una terribile espressione d'orrore in tutte quante le membra, più bianca de' guanciali, sfigurata più che s'ella fosse allora allora balzata di tra le braccia della Morte.

Quel nome! Quel nome! Ella aveva udito quel nome!

Un gran silenzio le vuotò l'anima. Le si aprì, dentro, un di quegli abissi in cui tutto il mondo sembra scomparire all'urto d'un pensiero unico. Ella non udiva più altro; ella non udiva più nulla. Andrea gridava, supplicava, si disperava invano.

Ella non udiva. Una specie d'istinto la guidò negli atti. Ella trovò gli abiti; si vestì.

Andrea singhiozzava sul letto, demente. S'accorse ch'ella usciva dalla stanza.

— Maria! Maria!

Ascoltò.

— Maria!

Gli giunse il romore della porta che si richiuse.

III.

La mattina del 20 giugno, lunedì, alle dieci, incominciò la publica vendita delle tappezzerie e dei mobili appartenuti a S. E. il Ministro plenipotenziario del Guatemala.

Era una mattina ardente. Già l'estate fiammeggiava su Roma. Per la via Nazionale correvano su e giù, di continuo, i *tramways*, tirati da cavalli che portavano certi strani cappucci bianchi contro il sole. Lunghe file di carri carichi ingombravano la linea delle rotaie. Nella luce cruda, tra le mura coperte d'avvisi multicolori come d'una lebbra, gli squilli delle cornette si mescevano allo schiocco delle fruste, agli urli dei carrettieri.

Andrea, prima di risolversi a varcare la soglia di quella casa, vagò pe' marciapiedi, alla ventura, lungo tempo, provando una orribile stanchezza, una stanchezza così vacua e disperata che quasi pareva un bisogno fisico di morire.

Quando vide uscir dalla porta su la strada un facchino con

un mobile su le spalle, si risolse. Entrò, salì le scale rapidamente; udì, dal pianerottolo, la voce del perito.

— Si delibera!

Il banco dell'incanto era nella stanza più ampia, nella stanza del Buddha. Intorno, s'affollavano i compratori. Erano, per la maggior parte, negozianti, rivenditori di mobili usati, rigattieri: gente bassa. Poiché d'estate mancavano gli amatori, i rigattieri accorrevano, sicuri d'ottenere oggetti preziosi a prezzo vile. Un cattivo odore si spandeva nell'aria calda, emanato da quegli uomini impuri.

— Si delibera!

Andrea soffocava. Girò per le altre stanze, ove restavano soltanto le tappezzerie su le pareti e le tende e le portiere, essendo quasi tutte le suppellettili radunate nel luogo dell'asta. Sebbene premesse un denso tappeto, egli udiva risonare il suo passo, distintamente, come se le volte fossero piene di echi.

Trovò una camera semicircolare. Le mura erano d'un rosso profondo, nel quale brillavano disseminati alcuni guizzi d'oro; e davano imagine d'un tempio e d'un sepolcro; davano imagine d'un rifugio triste e mistico, fatto per pregare e per morire. Dalle finestre aperte entrava la luce cruda, come una violazione; apparivano gli alberi della Villa Aldobrandini.

Egli ritornò nella sala del perito. Sentì di nuovo il lezzo. Volgendosi, vide in un angolo la principessa di Ferentino con Barbarella Viti. Le salutò, avvicinandosi.

— Ebbene, Ugenta, che avete comprato?

— Nulla.

— Nulla? Io credevo, invece, che voi aveste comprato tutto.

— Perché mai?

— Era una mia idea... romantica.

La principessa si mise a ridere. Barbarella la imitò.

— Noi ce ne andiamo. Non è possibile rimaner qui, con questo profumo. Addio, Ugenta. Consolatevi.

Andrea s'accostò al banco. Il perito lo riconobbe.

— Desidera qualche cosa il signor conte?

Egli rispose:

— Vedrò.

La vendita procedeva rapidamente. Egli guardava intorno a sé le facce dei rigattieri, si sentiva toccare da quei gomiti, da quei piedi; si sentiva sfiorare da quegli aliti. La nausea gli chiuse la gola.

— Uno! Due! Tre!

Il colpo di martello gli sonava sul cuore, gli dava un urto doloroso alle tempie.

Egli comprò il Buddha, un grande armario, qualche maiolica, qualche stoffa. A un certo punto udì come un suono di voci e di

risa feminili, un fruscìo di vesti feminili, verso l'uscio. Si volse.
Vide entrare Galeazzo Secìnaro con la marchesa di Mount
Edgcumbe, e poi la contessa di Lùcoli, Gino Bommìnaco, Giovanella Daddi. Quei gentiluomini e quelle dame parlavano e ridevano forte.

Egli cercò di nascondersi, di rimpicciolirsi, tra la folla che
assediava il banco. Tremava, al pensiero d'essere scoperto. Le
voci, le risa gli giungevano di sopra le fronti sudate della folla,
nel calor soffocante. Per ventura, dopo alcuni minuti, i gai visi-
tatori se ne andarono.

Egli si aprì un varco tra i corpi agglomerati, vincendo il ribrezzo, facendo uno sforzo enorme per non venir meno. Aveva
la sensazione, in bocca, come d'un sapore indicibilmente a-
maro e nauseoso che gli montasse su dal dissolvimento del suo
cuore. Gli pareva d'escire, dai contatti di tutti quegli sconosciuti, come infetto di mali oscuri e immedicabili. La tortura
fisica e l'angoscia morale si mescolavano.

Quando egli fu nella strada, alla luce cruda, ebbe un po' di
vertigine. Con un passo malsicuro, si mise in cerca d'una carrozza. La trovò su la piazza del Quirinale; si fece condurre al
palazzo Zuccari.

Ma, verso sera, una invincibile smania l'invase, di rivedere le
stanze disabitate. Salì, di nuovo, quelle scale; entrò col pretesto di
chiedere se gli avevano i facchini portato i mobili al palazzo.

Un uomo rispose:

— Li portano proprio in questo momento. Ella dovrebbe
averli incontrati, signor conte.

Nelle stanze non rimaneva quasi più nulla. Dalle finestre
prive di tende entrava lo splendore rossastro del tramonto, entravano tutti gli strepiti della via sottoposta. Alcuni uomini
staccavano ancóra qualche tappezzeria dalle pareti, scoprendo
il parato di carta a fiorami volgari, su cui erano visibili qua e là
i buchi e gli strappi. Alcuni altri toglievano i tappeti e li arroto-
lavano, suscitando un polverio denso che riluceva ne' raggi.
Un di costoro canticchiava una canzone impudica. E il polverio misto al fumo delle pipe si levava sino al soffitto.

Andrea fuggì.

Nella piazza del Quirinale, d'innanzi alla reggia, sonava una
fanfara. Le larghe onde di quella musica metallica si propagavano per l'incendio dell'aria. L'obelisco, la fontana, i colossi
grandeggiavano in mezzo al rossore e si imporporavano come
penetrati d'una fiamma impalpabile. Roma immensa, dominata
da una battaglia di nuvoli, pareva illuminare il cielo

Andrea fuggì, quasi folle. Prese la via del Quirinale, discese
per le Quattro Fontane, rasentò i cancelli del palazzo Barberini
che mandava dalle vetrate baleni; giunse al palazzo Zuccari.

I facchini scaricavano i mobili da un carretto, vociando. Alcuni di costoro portavano già l'armario su per la scala, faticosamente.

Egli entrò. Come l'armario occupava tutta la larghezza, egli non poté passare oltre. Seguì, piano piano, di gradino in gradino, fin dentro la casa.

Francavilla al Mare: luglio-dicembre 1888.

Indice

Biblioteca Economica Newton, sezione dei Paperbacks
Pubblicazione settimanale, 2 gennaio 1995
Direttore responsabile: G.A. Cibotto
Registrazione del Tribunale di Roma n. 16024 del 27 agosto 1975
Fotocomposizione: Primaprint s.n.c., Terni
Stampato per conto della Newton Compton editori s.r.l., Roma
presso la Rotolito Lombarda S.p.A., Pioltello (MI)
Distribuzione nazionale per le edicole: A. Pieroni s.r.l.
Viale Vittorio Veneto 28 - 20124 Milano - telefono 02-29000221
telex 332379 PIERON I - telefax 02-6597865
Consulenza diffusionale: Eagle Press s.r.l., Roma